# 二十四史

郑红峰 主编

〔第三卷〕

光明日报出版社

# 裴松之传

裴松之字世期，河东闻喜人也。祖昧，光禄大夫。父珪，正员外郎。松之年八岁，学通《论语》、《毛诗》。博览坟籍，立身简素。年二十，拜殿中将军。此官直卫左右。晋孝武庆元中革选名家以参顾问，始用琅邪王茂之、会稽谢辅，皆南北之望。舅庾楷在江陵，欲得松之西上除新野太守，以事难不行，拜员外散骑侍郎。义熙初，为吴兴故鄣令。在县有绩，入为尚书祠部郎。

松之以世立私碑，有乖事实，上表陈之曰："碑铭之作，以明示后昆，自非殊功异德，无以允应兹典。大者道勋光远，世所宗推，其次节行高妙，遗烈可纪。若乃亮采登庸，绩用显著，敷化所莅，惠训融远，述咏所寄，有赖镌勒。非斯族也，则几乎僭黩矣。俗敝伪兴，华烦已久，是以孔悝之铭，行事人非；蔡邕制文，每有愧色。而自时厥后，其流弥多。预有臣吏，必为建立，勒铭寡取信之实，刊石成虚伪之常，真假相蒙，殆使合美者不贵，但论其功费，又不可称。不加禁裁，其敝无已。"以为："诸欲立碑者，宜悉令言上，为朝议所许，然后听之。庶可以防遏无征，显彰茂实，使百世之下，知其不虚，则义信于仰止，道孚于来叶。"由是并断。

**【译文】**

裴松之字世期，河东闻喜人。他的祖父裴昧，担任过光禄大夫。他的父亲裴珪，担任过正员外郎。裴松之八岁的时候，通学了《论语》和《毛诗》。他博览群书，为人清淡朴素。二十岁的时候，拜为殿中将军。殿中将军这个官是皇帝左右的近卫。晋孝武帝庆元年间选拔名家参与顾问，才开始用琅邪的王茂之，会稽的谢辅，这二位一南一北享有很高的声望。裴松之的舅舅庾楷在江陵，想让裴松之西上担任新野太守，因为事情困难而没有实现，于是拜他为员外散骑侍郎。义熙（405—418）初年，裴松之担任吴兴故鄣县令。有政绩，调入朝中任尚书祠部郎。

裴松之因为社会上个人所立的碑，文字与事实不符，于是上表说："碑铭的写作，是为了昭示后人，从本意上说不是特殊的功勋和特出的德行，不应当享有碑铭。（应当享有碑铭的）第一是思想勋绩影响很大，受到全社会推崇的人；其次是高风亮节，有遗烈可记述的人；至于那些辅助皇帝的人，成绩显著的人，改造他所任职的地方的人，有好的教导长久流传的人，咏诗作文的人，也是需要勒铭镌刻的。不是以上几种人，（如果也立碑刻铭）就几乎是僭越和亵黩了。这种庸俗作假的风气兴起，使用华靡的辞藻由来已久，所以孔悝的铭文，正确的行为却遭到人们的非议；蔡邕写作碑文，（因不符合事实）每有愧色。但自他们以后，流弊就更加多了。稍有职务，就必定要立碑刻铭，勒铭很少有能使人相信的事实，刊石只不过成了弄虚作假的家常便饭，真假混杂，就使得应当得到美名的不显得珍贵，只说他们的功绩，又是些不足道的。对这种风气不加禁止裁办，它的弊病就会没完没了。"裴松之认为："那些想立碑的人，应当命令他们都向上请示，经朝廷议论允许之后，才能让他们去办。这样大概就可以防止不实之词，表彰那些美好的事实，使百世以后，知道没有虚假，就会使仁义得到人们的信仰，办事的原则就会得到未来的崇敬。"于是以后立碑刻铭都依照裴松之所建议的办。

高祖北伐，领司州刺史，以松之为州主簿，转治中从事史。既克洛阳，松之居州行事。宋国初建，毛德祖使洛阳。高祖敕之曰："裴松之廊庙之才，不宜久尸边务，今召为世子洗马，与殷景仁同，可令知之。"于时议立五庙乐，松之以妃臧氏庙乐亦宜与四庙同。除零陵内史，征为国子博士。

太祖元嘉三年，诛司徒徐羡之等，分遣大使，巡行天下。通直散骑常侍袁渝、司徒左西掾孔邈使扬州；尚书三公郎陆子真、起部甄法崇使荆州；员外散骑常侍范雍、司徒主簿庞遵南兖州；前尚书右丞孔默使南北二豫州；抚军参军王歆之使徐州；冗从仆射车宗使青、兖州；松之使湘州；尚书殿中郎阮长之使雍州；前竟陵太守殷道鸾使益州；员外散骑常侍李耽之使广州；郎中殷斌使梁州、南秦州；前员外散骑侍郎阮园客使交州；驸马都尉、奉朝请潘思先使宁州，并兼散骑常侍。班宣诏书曰："昔王者巡功，群后述职，不然则有存省之礼，聘頫之规。所以观民立政，命事考绩，上下偕通，遐迩咸被，故能功昭长世，道历远年。朕以寡暗，属承洪业，夤畏在位，昧于治道，夕惕惟忧，如临渊谷。惧国俗陵颓，民风凋伪，眚厉违和，水旱伤业。虽躬勤庶事，思弘攸宜，而机务惟殷，顾循多阙，政刑乖谬，未获具闻。岂诚素弗孚，使群心莫尽？纳隍之愧，在予一人。以岁时多难，王道未壹，卜征之礼，废而未修，眷彼氓庶，无忘攸恤。今使兼散骑常侍渝等申令四方，周行郡邑，亲见刺史、二千石官长，申述至诚，广询治要，观察吏政，访求民隐，旌举操行，存问所疾。礼俗得失，一依周典，每各为书，还具条奏，俾朕照然，若亲览焉。大夫君子，其各悉心敬事，无惰乃力。其有咨谋远图，谨言中诚，陈之使者，无或隐遗。方将敬纳良规，以补其阙。勉哉勗之，称朕意焉。”

【译文】

高祖北伐的时候，兼任司州刺史，让裴松之担任州主簿，后又转任治中从事史。攻克洛阳以后，裴松之担任州行事。宋朝建国之初，毛德祖出使洛阳。高祖下敕说：“裴松之是廊庙之才，不宜老是待在边疆，现在召他回朝担任太子洗马，和殷景仁的待遇一样，可以让他知道。”当时议论建立王朝的音乐，裴松之认为妃子臧氏庙的音乐应该与其他四庙的音乐一样。升任裴松之为零陵内史，旋即征召他为国子博士。

太祖元嘉三年（426），诛杀了司徒徐羡之等人，分遣大使，巡行天下。通直散骑常侍袁渝、司徒左西掾孔邈出使扬州；尚书三公郎陆子真、起部甄法崇出使荆州；员外散骑常侍范雍、司徒主簿庞遵出使南兖州；前尚书右丞孔默出使南豫州和北豫州；抚军参军王歆之出使徐州；冗从仆射车宗出使青州、兖州；裴松之出使湘州；尚书殿中郎阮长之出使雍州；前竟陵太守殷道鸾出使益州；员外散骑常侍李耽之出使广州；郎中殷斌出使梁州、南秦州；前员外散骑侍郎阮园客出使交州；附马都尉、奉朝请潘思先出使宁州，并兼散骑常侍。（他们出使之时，在朝廷列班受诏）诏书说：“从前帝王巡视天下，各诸侯述职，不然就是诸侯执行回朝朝觐、聘问的规定。由此看来观察民情而推行政治，任命官吏并考察他们的政绩，上上下下都一致，远远近近都一样，所以能够功业长久，（治世的）原则能够得以长期坚持。朕孤陋寡闻，继承了洪大的事业，只好小心谨慎，但不懂治理天下的原则，只有整天忧愁，好像面临深渊一样。朕害怕国家的风气衰颓、百姓弄虚作假，重大的过失有违国家的和睦，水旱之灾伤害了百姓的产业。虽然朕亲自过问这一类的事情，想使其得到妥当的处置，但重要的事情实在太多，朕所见所做的有许多缺漏，政治和刑法有不恰当的地方，都没有全部清楚。这难道不是朕不够诚恳，使大家不能完全尽心尽意吗？不能救民于水火的惭愧，应该由朕一人承担。因为天灾很多，还没有完全实行仁德的政治，帝王巡狩的制度被废弃了还没有恢复，（虽然如此）朕眷顾百姓，没有忘记对他们的悯恤。现在派遣兼散骑常侍袁渝等到四方视察，到各郡邑巡行，亲自与刺史、二千石长官们见面，申述朕治天下的诚挚之意，广泛征求治理国家的重要意见，观察官吏的政治，访求民众的痛苦，表彰有操行的官吏，慰问百姓的疾苦。无论官吏或民俗的得失，都依据周朝的典制加以裁断，每件事情各写成书奏，回来之后都分门别类上奏，帮助朕弄清情况，好像亲见一样。各位大夫君子，请你们全心全意以此事为重，不要怠惰。下面的人如果有良谋大计，请诚心诚意细致地讲出来，上呈使者，不要有任何保留。这样才能使朕恭敬地采纳好的意见，以补政治上的缺漏。各位努力吧，一定要满足朕的心愿。”

松之反使，奏曰：“臣闻天道以下济光明，君德以广运为极。古先哲后，因心溥被，是以文思在躬，则时雍自洽，礼行江汉，而美化斯远，故能垂大哉之休咏，廓造周之盛则。伏惟陛下神睿玄通，道契旷代，冕旒华堂，垂心八表，咨敬敷之未纯，虑明扬之靡畅，清问下民，哀此鳏寡，涣焉大号，周爰四达。远猷形于《雅》、《诰》，惠训播乎遐陬。是故率土仰咏，重译咸说，莫不讴吟踊跃，式铭皇风；或有扶老携幼，称欢路左，诚由亭毒既流，故忘其自至，千载一时，于是乎在。臣谬蒙铨任，忝厕显列，猥以短乏，思纯八表，无以宣畅圣旨，肃明风化，黜陟无序，搜扬寡闻，惭惧屏营，不知所措。奉二十四条，谨随事为牒，伏见癸卯诏书，礼俗得失，一依周典，每各为书，还具条奏。谨依事为书以系之后。”松之甚得奉使之义，论者美之。

转中书侍郎、司冀二州大中正。上使注陈寿《三国志》。松之鸠集传记，增广异闻，既成奏上。上善之，曰："此为不朽矣。"出为永嘉太守，勤恤百姓，吏民便之。入补通直为常侍，复领二州大中正。寻出为南琅邪太守。十四年致仕，拜中散大夫，寻领国子博士，进太中大夫，博士如故。续何承天国史，未及撰述。二十八年，卒，时年八十。子骃，南中郎参军。松之所著文论及《晋纪》，骃注司马迁《史记》，并行于世。

**【译文】**

裴松之回来之后上奏说："臣下听说天道是带给世界光明的，君王的德行是以全面治理社会为极至的。古代圣哲的君主，因为考虑到了所有的事情，所以一个人有好的想法，社会就富足和平；虽然只在江、汉推行礼制，其良好的影响却很深远。所以能够让后人咏颂他们宏大的功业，创造出比周朝好的典则。陛下神思玄通，思想举世无双，身居天子之位，考虑着四面八方，咨询施布教化的不足，思虑荐举贤才之路还不通畅，公正地问询下民（的痛苦），同情他们当中的鳏夫、寡妇，光辉伟大的感召，影响远及四方。（这些举动）以很早以前的《雅》、《诰》为法则，英明的训示传扬到了边远的地方。所以全国民众恭敬地颂扬，很远的外国也感到喜悦，莫不歌唱吟诵欢欣鼓舞，铭记皇恩；有的扶老携幼，在路旁述说欢喜，实在是因为养育之恩流布，因此忘其所以。千载以来，只有这时候才出现这种情况。臣下谬蒙选任出使，不合格地与显要的人物同列，才能缺短，思想简单，无力宣扬圣旨，严肃倡明风化，进退人才没有章法，访求推举也孤陋寡闻，惭愧徨恐，不知所措。现在上奏二十四条，谨恭地随事写成。臣下见癸卯诏书，说官吏民风的得失，都依据周朝的典制加以裁断，每件事情各写成书奏，回来以后分门别类上奏。（现遵诏）依事为类附之于后。"裴松之很懂得出使的意义，谈论的人都赞扬他。

后来，裴松之累任中书侍郎、司州、冀州两州的大中正。皇帝选派他为陈寿的《三国志》作注。于是裴松之累集资料，增加了不同的说法，写成后奏上，皇帝认为注得很好，说："这个注是不朽的！"就调他出任永嘉太守。（他为太守）勤政恤民，官吏和百姓都感到生活自如。（所以又让他）入补通直散骑常侍，后又兼任司、元冀二州的大中正。不久他又出任南琅邪太守。元嘉十四年他告第退休，被拜为中散大夫，不久又兼任国子博士。后又提升为太中大夫，仍然任博士。裴松之打算续写何承天所写的刘宋国史，没有来得及动笔。元嘉二十八年，他就去世了，当时他八十岁。他的儿子名骃，任南中郎参军。裴松之所写的论文和《晋纪》，裴骃注释的司马迁的《史记》，一并在世上流行。

# 刘休仁传

始安王休仁，文帝第十二子也。元嘉二十九年，年十岁，立为建安王，食邑二千户。孝建三年，为秘书监，领步兵校尉。寻都督南兖、徐二州诸军事、冠军将军、南兖州刺史。大明元年，入为侍中，领右军将军。四年，出为湘州刺史，加散骑常侍，加号平南将军。八年，迁使持节、督江州、南豫州之晋熙、新蔡、郢州之西阳三郡诸军事、安南将军、江州刺史。未拜，徙为散骑常侍、太常，又不拜。仍为护军将军，常侍如故。前废帝永光元年，迁领军将军，常侍如故。景和元年，又迁使持节、都督雍、梁、南、北秦四州诸军事、安西将军、宁蛮校尉、雍州刺史，未之任，留为散骑常侍、护军将军，又加特进、左光禄大夫，给鼓吹一部。

时废帝狂悖无道，诛害群公，忌惮诸父，并办之殿内，殴捶凌曳，无复人理。休仁及太宗、山阳王休佑，形体并肥壮，帝乃以竹笼盛而称之，以太宗尤肥，号为“猪王”，号休仁为“杀王”，休佑为“贼王”。以三王年长，尤所畏惮，故常录以自近，不离左右。东海王□凡劣，号为“驴王”，桂阳王休范、巴陵王休若年少，故并得从容。尝以木槽盛饭，内诸杂食，搅令和合，掘地为坑阱，实之以泥水，裸太宗内坑中，和槽食置前，令太宗以口就槽中食，用之为欢笑。欲害太宗及休仁、休佑前后以十数，休仁多计数，每以笑调佞谀悦之，故得推迁。常于休仁前使左右淫逼休仁所生杨太妃，左右并不得已顺命，以至右卫将军刘道隆，道隆欢以奉旨，尽诸丑状。时廷尉刘曚妾孕，临月，迎入后宫，冀其生男，欲立为太子。太宗尝忤旨，帝怒，乃裸之，缚其手脚，以仗费手脚内，使人担付太官，曰：“即日屠猪。”休仁笑谓帝曰：“猪今日未应死。”帝问其故，休仁曰：“待皇太子生，杀猪取其肝肺。”帝意乃解，曰：“且付廷尉。”一宿出之。

**【译文】**

始安王刘休仁，文帝的第十二个儿子。元嘉二十九年，年龄十岁，被册立为建安王，受封食邑两千户。孝建三年，任秘书监，领兵校尉，不久又任都督南兖州、徐州二州诸军事、冠军将军、南兖州刺史。大明元年，入宫任侍中，领右军将军。大明四年，出京师任湘州刺史，加散骑常侍，加封号平南将军。大明八年，迁任使特节、督江州和南豫州晋熙、新蔡、郢州西阳三郡诸军事、安南将军、江州刺史。尚未拜授，徙任散骑常侍、太常，又未拜授。仍又任护军将军，常侍职位没有变化。前废帝永光元年升迁为领军将军，常侍之职没变。景和元年，又迁任使持节、都督雍州、梁州、南秦州、北秦州四州诸军事、安西将军、宁蛮校尉、雍州刺史，还没有到官任，又留任散骑常侍、护军将军，加任特进、左光禄大夫，赐给鼓吹一部。

这时，前废帝狂妄、勃逆天理，没有仁道，杀害公卿，但顾忌害怕几位叔父，并把他们囚禁在殿内，殴打凌辱他们，不再循人伦常理。刘休仁及太宗、山阳王刘休佑，形貌身体都很肥壮，废帝刘子业就用竹笼装了他们用秤称，因为太宗最肥，被起绰号叫“猪王”，给刘休仁起绰号叫“杀王”，刘休佑叫“贼王”。因为三王年纪大，尤其对他们有所担心和害怕，因此常将他们叫来以便与自己接近，不让离开左右。东海王刘□平庸无才，拙劣不聪，给他取绰号叫“驴王”，桂阳王刘休范、巴陵王刘休若年纪小，因此反而得以从容不迫，没有受到侵害。曾经用木槽盛饭，里面抖些杂食，搅抖和合均匀，在地上挖一个坑，放些泥水到里边，将太宗脱光了衣服放在坑里，将和匀在木槽里的食物放在坑中的太宗面前，让太宗用嘴在槽里边吃，用以使他们欢笑取乐。想害死太宗和刘休仁、刘休佑前后有数十次。刘休仁擅于心计，有智慧，经常用笑话调侃阿谀取悦刘子业，因此使他们自己的被害得到推延。常在刘休仁面前，命令刘休仁的手下以淫相威逼刘休仁所生的杨太妃，他的手下都不得已而服从命令。将她给右卫将军刘道隆，刘道隆乐于服从圣旨，出尽了他的丑态。时值廷尉刘曚的妾有身孕，临生产，迎她入宫，希望她生个男孩，想立其为太子。太宗曾经忤逆圣旨，前废帝震怒，就脱光了他的衣服，捆缚他的手脚，用木棍顺手脚再次捆绑，让人抬到太官那里，说：“今天杀猪。”刘休仁笑着对前废帝刘子业说：“猪今天不应该死。”刘子业问什么原因，刘休仁说：“等皇太子生下，杀了这猪好取他的肝肺。”前废帝刘子业杀人的意思才稍微解除，说：“先且交给廷尉。”过一夜，出来了。

帝将南巡荆、湘二州，明旦欲杀诸父便发。其夕，太宗克定祸难，殒帝于华林园。休仁即日推崇太宗，便执臣礼。明旦，休仁出住东府。时南平、庐陵敬先兄弟，为废帝所害，犹未殡殓，休仁、休佑同载临之，开帐欢笑，奏鼓吹往反，时人咸非焉。

先是，废帝进休仁为骠骑大将军、开府仪同三司，常侍如故。未拜，太宗令书以为使持节、侍中、都督扬、南徐二州诸军事、司徒、尚书令、扬州刺史，加班剑二十人，给三望十五乘。时刘道隆为护军，休仁请求解职，曰："臣不得与此人同朝。"上乃赐道隆死。

寻诸方逆命，休仁都督征讨诸军事，增班剑三十人。出据虎槛，进据赭圻。寻领太子太傅，总统诸军，随宜应接。中流平定，休仁之力也。初行，与苏侯神结为兄弟，以求神助。及事平，太宗与休仁书曰："此段殊得苏侯兄弟力。"增休仁邑四千户，固辞，乃受千户。上流虽平，薛安都据彭城，招引索虏。复都督北讨诸军事，又增邑三千户，不受。时豫州刺史殷琰据寿阳，未平。晋平王休佑先督征讨诸军事，休佑出领江陵，休仁代督西讨军事。泰始五年，进都督豫、司二州。

休仁年与太宗邻亚，俱好文籍，素相友爱。及废帝世，同经危难，太宗又资其权谲之力。泰始初，四方逆命，兵至近畿，休仁亲当矢石，大勋克建，任总百揆，亲寄甚隆。朝野四方，莫不辐凑。上渐不悦。休仁悟其旨，其冬，表解扬州，见许。六年，进位太尉，领司徒，固让，又加漆轮车、剑履。太宗末年多忌讳，猜害稍甚，休仁转不自安。及杀晋平王休佑，忧惧弥切。其年，上疾笃，与杨运长等为身后之计，虑诸弟强盛，太子幼弱，将来不安。运长又虑帝宴驾后，休仁一旦居周公之地，其辈不得秉权，弥赞成之。上疾尝暴甚，内外莫不属意于休仁，主书以下，皆往东府诣休仁所新信，豫自结纳，其或直不得出者，皆恐惧。上既宿怀此意，至是又闻物情向之，乃召休仁入见。既而又谓曰："夕可停尚书下省宿，明可早来。"其夜，遣人赍药赐休仁死，时年三十九。

**【译文】**

前废帝即将到南方去巡游荆州、湘州，第二天一早想杀了几个叔父再出发。这天夜里，太宗平定祸害和灾难，杀前废帝刘子业于华林园。刘休仁当天就推崇太宗做皇帝，对太宗随即尽臣子的礼仪。第二天一早，刘休仁出宫到东府。这时南平、庐陵敬先兄弟，被前废帝所杀害，尚未装殓殡葬。刘休仁、刘休佑乘同一辆车前往探视，掀开车帷就欢笑，来去都奏鼓吹乐，这时的人们都认为他们不合人伦常理。

在这以前，前废帝进任刘休仁为骠骑大将军、开府仪同三司，常侍职位还同以前一样。还未拜授，前废帝被杀，太宗登皇帝位。太宗下诏，命他任使持节、侍中、都督扬州、南徐州二州诸军事、司徒、尚书令、扬州刺史，加赐班剑二十人，赐给三望十五乘的大礼。这时刘道隆任护军，刘休仁奏请求解除他的职务，说："我不能够与他这种人同朝。"皇上乃赐刘道隆死。

不久多方面不服从朝命，刘休仁都督征讨诸军事，给他曾加班剑三十人。出师据守虎槛，进驻赭圻。随即领任太子太傅，总统全军，应接全由他自行决定。祸乱纷呈，犹如中流激水，被平定全靠刘休仁的效力。刘休仁初出师时，与苏侯盟誓结义为兄弟，用以借助神的帮助。等事情平息后，太宗给刘休仁诏书说："这一段时间，特别得到了苏侯兄弟的鼎力帮助。"增赐刘休仁食邑四千户。刘休仁坚持辞让不受，最后只接受了一千户。大的祸乱虽然平定了，小的动乱又起来了。薛安都据守彭城，招引索掳为乱。刘休仁又都督向北方付伐薛安都的诸军事，又增加给他食邑三千户，没有接受。这时豫州刺史殷琰驻守寿阳，未平息。晋平王刘休佑先督征讨诸军事，刘休佑出师领任江陵，刘休仁代替任督西讨诸军事。泰始五年，进任都督豫州和司州。

刘休仁年龄与太宗相近，都爱好文学典籍，素来相互喜欢友好。在前废帝当政的时候，同时经历危难，太宗又依靠借助于刘休仁权变机巧的能力才得免于难。泰始初年，四方不尊皇命，乱兵逼至靠近了京都的地方。刘休仁又亲自披甲出征，身当矢石，建立了大功。因此他任职总领众兵，与太宗明帝亲近，非常受宠。朝廷内外的各个方面，没有谁不像车轮围绕车轴转一样趋附他。太宗渐渐有些不高兴。刘休仁领会到太宗的意思，这年冬天，上表请示解除扬州刺史职位，被诏许。泰始六年，进位任太尉，领任司徒，坚决辞让不赴任，又加赐给他漆轮车和剑履的礼遇。太宗在晚年多生忌讳，猜疑侵害人的心理稍微严重，刘休仁转而开始感觉不安。到杀了晋平王刘休佑后，刘休仁的忧虑与恐惧更加厉害。这年，皇上病得很严重，与杨运长等人谋划他死后的安排，担心他的几个弟弟权强势盛，太子幼小懦弱，将来会造成朝廷的不安定。杨运长又担心太宗死后，刘休仁一旦充当了西周周公旦那样的角色，他们这些人便不能够再掌权柄，因此，非常赞成太宗的想法。太宗的病曾经突然加重，宫廷内外的人和事无一不奏请刘休仁裁定。主书以下的人，都前往刘休仁的东府趋附刘休仁的亲信心腹，而且来者不拒，都予接纳。其间有的正直但不说出口的人，都感到恐惧。皇上既然已经对刘休仁怀有戒心，到这时又听说人情都归向了他，于是召刘休仁进宫拜见。拜见完了又对刘休仁说："晚上可以停在尚书下省宿息，明天可以早些来。"这天夜里，皇上便派人备办毒药赐刘休仁死了，死时年龄三十九岁。

上寝疾久，内外隔绝，虑人情有同异，自力乘舆出端门。休仁死后，乃诏曰："夫无将之诛，谅惟通典，知咎自引，实有偏介。刘休仁地属密亲，位居台重，朕友寄特深，宠秩兼茂。不能弘赞国猷，裨宣政道，而自处相任，妄生猜嫌，侧纳群小之说，内怀不逞之志，晦景蔽迹，无事阳愚。因近疾患沉笃，内外忧悚，休仁规逼禁兵，谋为乱逆。朕曲推天伦，未忍明法，申诏诰砺，辩核事原。休仁惭恩惧罪，遽自引决。追录悲痛，情不自胜，思屈法科，以申矜悼。可宥其二子，并全封爵。但家国多虞，衅起台辅，永寻既往，感慨迢深。"

有司奏曰："臣闻明罚无亲，情屈于司纲，国典有经，威申于义灭。是以梁、赵之诛，跣出称过，来言之罚，克人致勤。谨案刘休仁包蓄祸迹，事蔽于天明，窜匿沉奸，情宣于民听。自以属居戚近，早延恩睦，异礼殊义，望越常均。往岁授钺南讨，本非才命，启行浓湖，特以亲摄，仰遵庙略，俯籍众效，属承泰远，窃附成勋，而亟叨天功，多自臧伐。既圣明御宇，躬览万机，百司有纪，官方无越，而休仁矜勋怙贵，自谓应总朝权，遂妄生疑难，深自猜外。故司空晋平刺王休佑，少无令业，长滋贪暴，莅任陕荆，毒流西夏，编户嗟散，列邑雕虚，圣泽含弘，未明正宪。亟与休仁论其愆迹，辞意既密，不宜传广，遂饰容旨，反相劝激。休佑以休仁位居朝右，任遇优崇，必能为己力援，故深相党结。休祐于是输金荐宝，承颜接意，造膝之间，必论朝政，遂无日不俱行，无时不同宿，声酣聚集，密语清闲。休仁含奸扇惑，善于计数，说休佑使外托专慎之法，密行贪诈之心，谓朝廷不觉，人莫之悟。休佑遂乃外积怨惧，内协祸心，既得赞激，凶慝转炽与休仁共为奸谋，潜伺机隙，图造衅变，规肆凶狡。休佑致殒仓卒，实维天诛，而晋平国太妃妾邢不能追惭子恶，上感曲恩，更怀不逞，巫蛊祝诅。休仁困圣躬不和，猥谋奸逆，灭道反常莫斯为甚。殛肆朝市，庶申国刑，而法网未加，自引厥命。天慈矜厚，减法崇恩，赐全二息，及其爵封，斯诚弘风旷德，贯绝通古，然非所以弃恶流衅，惩惧乱臣者也。臣等参议，谓宜追降休仁为庶人，绝其属籍，见息悉徙远郡。休佑愆谋始露，亦宜裁黜，徙削之科，一同旧准。收邢付狱，依法穷治。”诏曰：“邢匹妇狂愚，不足与计。休仁知衅自引，情有追伤，可特为降始安县王，食邑千户，并停伯融等流徙，听袭封爵。伯猷先绍江夏国，令还本，赐爵乡侯。”

【译文】

皇上生病卧床时间久了，宫廷内外的消息隔绝不通，他担心出现人情事物上的变化，因此，自己乘车出端门。刘休仁死后，他下诏说：“凡是没有战事而被杀戮的人，大体都是按照国有的典章制度治的罪。刘休仁清楚自己的过错，引以为自责，犹在其次。刘休仁属于皇室中最亲密的亲戚，职位居处在台府的重要地方，我以友情相寄予他也是特别地深厚，受宠的程度和受赏赐的爵秩都非常优惠。他不能够尽力匡扶国家，为国家出谋划策，辅佐朝政，宣扬王道，而自己居处在宰相的任上胡思乱想，滋生猜忌和嫌隙，通过旁门小道相信无名小辈的小人之见，内心怀有不可告人的志向，掩饰自己的外表，蔽盖自己的踪迹，还装作没事一般的样子，表面上给人家以愚诚，用以惑乱视听。因为我近期患病，而且非常严重，朝廷内外为之忧虑，恐惧，刘休仁规范和威逼禁兵，阴谋制造动乱，挑起叛逆。我委曲求全，对他施加了天伦常理的恩宠，不曾忍心以明法治他的罪，因此下诏说了本事，辩清原委。刘休仁愧对朝廷加给他的恩宠，害怕依法治罪，于是就自行决断，死于非命。追忆前情，拊心悲痛。情难自禁，只好考虑委屈法律条款，不加他罪过，用以表明我对他的哀悼。可以保全他的两个儿子的性命和他们受封的全部爵位，但要牢记教训。宋族朝廷多难，祸乱起自台辅，长久地追忆这种往事，感慨万端，意味深长。”

有司上奏说：“我们听说依法明断，不认亲疏关系，个人的情感要屈服于依法办事这个大纲；国家的典章制度，要源于古代的经籍，服从于经国的大业，因此国家威势的申达，就要在仁义被丢掉的地方。因此，梁、赵之诛，脚踏出去了才说过了头。谨慎地案察刘休仁，他包藏祸心，掩饰劣迹，事情掩盖在光天化日之下，如鼠匿于穴，匿藏深渊，虚情宣达于民，欺骗了视听。自己认为属于皇室宗亲，位居明帝的近侧，早年与明亲近恩，和睦无猜，因此恣意异礼而行，背义而做，超越常规。往年授予他节钺之任，奉命南讨。这原本就不是因他有才而受命的。启行在浓湖时，还特别给予亲自摄事，仰上亲自祭祀宗庙，俯下慰籍将士备力效命沙场。他是属于承蒙康泰的时运，偷窃了固有的功勋。他不自量力，而极力贪天之功为己功，多次自己褒扬自己的征伐之事。动乱平定后，既然已经由圣主明君统御朝政，躬亲治理万端，百官僚吏遵守纪律，官方没有越规行为，而刘休仁却矜高自己的功勋，怙重自己的贵宠，自称应该总揽朝廷政权。于是就胡乱地滋生疑难，自己见外，与宗室产生嫌隙。原司空晋平刺王刘休佑，少年时不修好行善业，长大后滋长贪婪残暴，出任陕荆，流毒西夏。他所统率地区的编置户籍离散，到处都是凋弊荒芜。圣明君主的德仁博大恢宏，原谅他，不曾依明典给他正法。及与刘休仁讨论他的罪行恶迹，辞意甚为亲密，甚至不宜于传播广布，避免因辞掩义，反而对一些不明真相的人产生劝勉激励的作用。刘休佑以为刘休仁位居朝班的右面之尊，任职与待遇优惠崇高，一定能够给自己以帮助，因此与刘休仁以党相结致深。刘休佑因此向刘休仁输送金钱，荐赠珍宝，仰人鼻息，随颜接意。每当他们促膝在一起的时候，一定要论及朝政。及至他们没有一天不一道出入宫殿，无时不同宿消闲。声音相调，酣息与共，常常聚在一起密语清闲。刘休仁胸怀奸诈，说动刘休佑，他善于心术算计，游说刘休佑在外表上假装专一谨慎的方法，暗中却行使贪婪欺诈的心计，说朝廷不会发觉，也没有人能够觉悟。刘休佑于是就在外面积累怨恨和忧惧的时候，在内心里包藏着他的祸心。又得到刘休仁的赞助与激励，于是内心的凶恶情绪转化为炽热愤激之情，与刘休仁狼狈为奸，暗中寻找机会，图谋制造灾变，实现他们的目的。刘休佑仓促殒命，实在是天皇诛杀了他。而晋平国太妃妾邢氏不能够追踪惭愧自己儿子的罪恶，对上感戴皇上委曲求全加强他们的恩典，反而心怀不满，用巫蛊咒骂朝廷政要。刘休仁趁圣上的身体有所不和协的机会，多谋奸计逆行，毁灭王道，反行常理，其程度之盛，无以复加。像他那样罪恶滔天的人，斩首示众，或许还能够申正国家的刑法。但是法网没有加给他，他自己便先行引咎毙命了。天子的慈爱真是矜高敦厚，为了他减少了法律公正无私的尊严，为了他崇尚皇室的恩泽不曾加害给他，而且诏赐保全他两个儿子的性命及他们受封的爵位。这真是一种伟大宽宏的风尚，一种博大高远的德行，自古以来，绝无仅有。然而这种做法，却不是一种能够用以摒弃罪恶，革除灾变，惩诫乱臣贼子的好办法。我们这些臣子参议，认为适宜将刘休仁降为平民，革除他的属籍，他的子息都要迁徙到偏远的州郡去。刘休佑的罪恶阴谋开始暴露，也应当裁削封赐，黜免封爵，降革、削减的标准，一律按旧有的制度进行。捕收晋平国太妃邢氏，交付狱吏，按照法律标准治罪。”下诏说：“邢氏属于匹妇狂愚，不足与她计较。刘休仁知罪自裁，犹有追念的情思，可以特别给他降为始安县王，食邑一千户，并停止实行他儿子刘伯融等人要被流放迁徙的奏请，听任沿袭封爵。刘伯猷先受封在江夏国，让他还本封，赐爵为乡侯。”

上既杀休仁，虑人情惊动，与诸方镇及诸大臣诏曰：休仁致殒，卿未具悉，事之始末，今疏以相示：

“休佑贪恣非政，法网之所不容。昔汉梁孝王、淮南厉王无他逆悖，正以越汉制度耳。况休佑吞嚼聚敛；为西数州之蝗，取与鄙虐，无复人情。屡得王景文、褚渊、沈攸之等启，陈其罪恶，转不可容。吾笃兄弟之恩，不欲致之以法，且每恨大明兄弟情薄，亲见休佑屯苦之时，始得宽宁，弥不忍问。所以改授徐州，冀其去朝廷近，必应能自悛革。及拜徐州，未及之任，便征动万端，暴浊愈甚，既每为民蠹，不可复全。休仁身粗有知解，兼为宰相；又吾与其兄弟情昵，特复异常，颇与休仁论休佑衅状。休佑以休仁为吾所亲，必应知吾意，又云休仁言对，能为损益。遂多与财赂，深相结事，乃寝必同宿，行必共车。体仁性软，易感说，遂成缱绻，共为一家，是吾所吐密言，一时倒写。吾与休仁，少小异常，唯虚心信之，初不措疑。虽尔犹虑清闲之时，非意脱有闻者。吾近向休佑推情，戒训严切，休佑更不复致疑。休佑死后，吾将其内外左右，问以情状，方知言语漏泄并具之由，弥日懊惋，心神萎孰。休仁又说休佑云："汝但作佞，此法自足安。我常秉许为家，从来颇得此力。但试用，看有验不？"休佑从之，于是大有献奉，言多乖实，积恶既不可恕。

【译文】

太宗皇上既然杀了刘休仁，担心人情惊动，于是又下诏给各方镇和各大臣说："刘休仁丧失生命，你们没有详细知道，事情的经过，现在详细公布于后：

"刘休佑贪婪恣肆不行王政之道，法网不容许他这样。以前西汉梁孝王、淮南厉王没有别的什么罪孽和悖逆的行动，也只是因为超过了汉朝制度许可的限度而招致了惩处。何况刘休佑侵吞百姓，聚敛财富，成了西士数州口坚齿硬善于蚕食的巨蝗，而必搜聚在国土上，用以输给西夏，助纣为虐，不再有人情可言。多次得到王景文、褚渊、沈攸之等人的启奏，陈述他的罪恶，左右不能为法所容。我笃爱兄弟之间的恩情，不想将他绳之以法。而且每次都恨世祖大明年代的兄弟情薄，又亲眼看到了刘休佑屯营的时候，刚刚得到宽松和安宁，所以稍有过失，也就任其所以，不忍对他加以讯问。因此改授他到徐州，希望他在离朝廷近的地方，一定也应该能够自我改正。拜授徐州，尚未到官任，便开始了多方面的征剿，万端动荡不安，暴虐污浊愈演愈烈，每每充作百姓的蠹虫，无法再保全他。刘休仁身体粗大，稍有智慧和释难的能力，身兼宰相，我又与他有深厚的兄弟情谊，因此，特别加强了对他异乎寻常的依赖。当出现刘休佑那种异常事变的时候，我多次与刘休仁讨论刘休佑多行灾祸的状况。刘休佑认为刘休仁被我所亲近，一定应该清楚我的旨意，又说刘休仁的言语对答，会对朝命产生损益的作用。于是就送财货贿赂他，深结情款，共同谋事，及于发展到与刘休佑寝必同宿，行必同车，形影不离的程度。刘休仁性情和软，易于感化说服，遂至形影不离，共为一家。这种结果是因为平日向刘休仁所说的秘密的话，刘休仁又向刘休佑一时间吐尽造成的。我与刘休仁，少小时异常亲密，唯有一心相信他，不曾产生过怀疑。虽然如此，还是担心他在清闲的时候，无意中脱漏一些，致使有人听闻到了。我近来向刘休佑推心置腹地交心，告诫训导他非常严厉、切中要害，刘休佑也更加不再有新疑虑。刘休佑死后，我将他生前在内外左右的人请来，问了有关刘休佑的情形状况，才知道刘休仁将我的言语全部漏泄给他的情由。我为此终日懊悔惋惜，心神萎靡不正。刘休仁又曾游说刘休佑说："你只管你崇伪善，这办法自然足以让你安全。我常秉承伪善的办法，奏事获准有如在家中一样，从来就颇得伪善的力量。你先且试用，看能不能验证这办法果真有用？"刘休佑随他说的去做，于是大行贡献奉送，言语大多相乖不实。他这样一来，刘休仁所积累的罪恶也就不可饶恕了。

"自休佑殒亡之始，休仁款曲共知。休仁既无罪衅，主相本若一体，吾之推意，初无有间。休佑贪愚，为天下所疾，致殒之本，为民除患。兄弟无复多人，弥应思吊不成，益相亲信。休佑平生，狼抗无赖，吾虑休仁往哭，或生祟祸。且吾尔日本办仗往哭，晚定不行。吾所以为设方便，呼入在省。而休仁得吾召入，大自警疑，遂入辞杨太妃，颜色状意，甚与常异。既至省，杨太妃骤遣监子去来参察。从此日生嫌惧，而吾之推情，初不疑觉。从休佑死后，吾再幸休仁第，饮瞰极日，排阁入内，初无猜防，休仁坐生嫌畏。

"一日，吾春中多期射雉，每休仁清闲，多往雉场中，或敕使陪辇，及不行日，多不见之。每值宵，休仁辄语左右云：'我已复得今一日。'及在房内见诸妓妾，恒语：'我去不知朝夕见底，若一旦死去作鬼，亦不取汝，取汝正足乱人耳。'休佑死时，日已三晡，吾射雉，始从雉场出，休仁从骑左右，伏野中，吾遣人召之，称云：'腹痛，不堪骑马。'尔时诸王车皆停在朱雀门里，日既暝，不暇远呼车，吾衣书车近在离门里，敕呼来，下油幢络，拟以载之。吾由来谙悉其体有冷患，闻腹痛，知必是冷，乃敕太医上省送供御高梁姜饮以赐之。休仁得饮，忽大惊，告左右称：'败今日了。'左右答曰：'此饮是御师名封题。'休仁乃令左右先饮竟，犹不甚信，乃黾勉噬之，裁进一合许。妄生嫌贰，事事如是。由来十日五日，一就问太妃。自休佑死后，每吾诏，必先至杨太妃问，如分别状。休仁由来自营府国，兴生文书。二月中，史承祖赍文书呈之，忽语承祖云：'我得成许那，何烦将来。'吾虚心如旧，不复见信，既怀不安，大自嫌恐，惟以情理，不容复有善心。

【译文】

"从刘休佑走向死亡的时候开始，刘休仁对他的情况都一清二楚。刘休仁既然没有罪孽，君主与宰相本属一个人一样，我也就推心委意于他，开始我们两人之间并没有隔膜。刘休佑贪财成性，愚笨不智，被天下人所恨，招致他灭亡的根本所在，是为百姓消除祸害。我们兄弟不再有多的人，更应该是极尽关怀抚慰之能事还犹怕有所不周到，更应该相互亲近和依赖。刘休佑在生前，贪鄙成性，如狼如虎，无赖透顶，如狼如虎到了极点，我担心刘休仁前往哭悼，抑或要滋生祸乱。而且我往日原本已准备了行装礼仪前往哭悼，晚上一定不会行走。我因此给他设置方便，叫他在尚书下省休息。而刘休仁被我召入宫后，自己大为惊动、疑惑不解，于是入宫内辞别杨太妃，面容形状表现出来的意味，与往常非常不同。已经到了尚书下省，杨太妃马上派监子去左右观察他。从这以后，每天滋生嫌疑恐惧，而我去与他交心，稍微消除了一些疑虑，有所觉悟。从刘休佑死以后，我再到刘休仁的住宅去，饮酒吃东西，从早到晚，终日不休，打开小门，进入他的里屋，开始没有猜疑和防备。刘休仁受到的连累，纯粹是因为他胡乱地产生了嫌疑和畏惧治罪的心理造成的。

"有一天，我像往常一样，在春天中多数要邀约人去射雉，每次刘休仁清闲的时候，多数或前往雉场，或者敕命让他陪伴我的车子。到他没去这天以后，多数时候见不到他。每当到了夜晚，刘休仁就对他的下人说：'我已经又得到了一天。'等到在房里与妓妾们相见时，总是说：'我去死不知道是早晨还是晚上的事，假如一旦死去做了鬼，我也不再娶你，娶了你正好我就足以成为乱人了。'刘休佑死时，太阳已到了三晡，我射到了野鸡，刚从野鸡场出来，刘休仁的马匹在我的右边。他这时潜藏在荒野里，我派人叫他出来，他自称说：'腹痛，不能够骑马。'不一会儿，诸王的车都停在朱雀门里边，天已经黑了，没有时间叫远地方的车，我的装衣、书的车就近在离门很近的门里边，我敕命叫来，取下了油漆的幢络，准备用来装载他。我从来就非常熟悉他身体有怕冷的毛病，听说他腹痛，知道一定是受冷了，于是敕命太医到尚书省去送赐给他供御用的高梁姜汤。刘休仁喝了，忽然大为警恐，告诉左右说：'我死在今天了！'他的手下人回答说：'这汤是御医封装送来的。'刘休仁于是要他手下的人先试喝，还是不太相信，又自己俯身用舌头舔吃后，才喝进了一合左右，不敢多喝。胡乱滋生嫌疑，和我想不到一块，事事都是这样。以往每隔十天、五天、就要进宫一次问候太妃。自从刘休佑死以后，我每次下诏给他，一定要先到杨太妃处询问后再应诏，就像要永远分别的样子。刘休仁历来是自己营造府第，兴办文书。二月中旬，史承祖带文书呈送给他，他忽然对史承祖说：'我这里有许多现成的文书，哪里用得着烦难你送来。'我胸无芥蒂，一如既往地待他，但是无法再像以前那样依赖他了。他既然已经有了不安的感觉，自己大为嫌隙惊恐，在情理之中，他也就不可能再有好的心思了。

"休仁既经南讨，与宿卫将帅经习狎共事相识者，布满内外。常日出入，于厢下经过，与诸相识将帅，都不交言。及吾前者积日失适，休仁出入殿省，诸卫主帅裁相悉者，无不和颜厚相抚劳。尔时吾既甚恶，意不欲见外人，悠悠所传，互言差剧。休仁规欲闻知方便，使昙度道人及劳彦远屡求启，阚觇吾起居。及其所启，皆非急事，吾意亦不厝疑。吾与休仁，亲情实异，年少以来，恒相追随，情向大趣，亦往往多同，难否之时，每共契阔。休仁南讨为都统，既有勋绩状之于心，亦何极已。但休仁于吾，望既不轻，小人无知，亦多挟背向，既生猜贰，不复自宁。夫祸难之由，皆意所不悟，如其意趣，人莫能测，事不获已，反覆思惟，不得不有近日处分。夫于兄弟之情，不能无厚薄。休佑之亡，虽复悼念，犹可以理割遣；及休仁之殒，悲愍特深，千念不能已已，举言伤心。事之细碎，既不可曲载诏文，恐物不必即解，兼欲存其儿子，不欲穷法。为诏之辞，不得不云有兵谋，非事实也。故相报卿知。"

**【译文】**

"刘休仁在以前既然经历过南讨的战事，原来宿卫将帅中经常与他玩耍消闲共事而相识的人，布满朝廷内外。平常每天出入，从他们的房下经过，与原来认识的将帅们，都不交谈。在我前段接连几天身体不适，刘休仁出入往来在寝殿和尚书省之间，各侍卫主帅或许有知道我身体有所不适，没有一个不是和颜悦色以仁厚相抚劳。当时我的病情已经非常严重，意思想不再见外边的人，于是出现了纷纷扬扬的传说，与事实差别很大。刘休仁窥视我的起居情况。等他来奏启的，都不是什么急事，我心里也没有起什么疑心。我与刘休仁，亲近情爱实在非比寻常。从年纪很小的时候开始，总是相互追随在一起，情绪的向往和大的追求，也往往大体相同，受难遭挫的那些时候，每次都是默契配合，患难与共。刘休仁在南讨征战时任职都统全军，既然有功勋业绩，形状都在我心里占有很重要的地位，也可以说是无以复加的了。但刘休仁对待我，怨恨既然已经不轻，用小人无知的心胸揣度我，又多挟带了些人心向背的成分，于是由猜疑我而发展到对我存有二心，他也就自己不再得安宁。大概祸害与灾难出现的原因，都是思想没有觉悟到会出现祸害与灾难。一味地按他自己的思想和举行动，也没有谁知道他心里的想法并帮助他。到事情不合自己初衷的时候，又反过来反复地沉思闷想，于是就不可避免地出现了近日那种自寻短见的处理办法。我在兄弟方面的情感，不能够说就没有厚薄，到刘休仁死于非命时，我的悲哀伤感特别深，千念万想，不能自已，一说起他来就觉得伤心。事情的琐碎方面，自然是不能够全部写在诏书中的。担心事情不一定能够得到理解，所以想一并保全他的儿子，不想都按法律来惩治他们。作为诏书的辞令，不能不说他曾经有过想用军谋夺权的阴谋，但是还没有造成事实。因此，将情况报大家知道。”

上与休仁素厚，至于相害，虑在后嗣不安。休仁既死，痛悼甚至，谓人曰：“我与建安年时相邻，少便狎从。景和、泰始之间，勋诚实重。事计交切，不得不相除。痛念之至，不能自已。今有一事不如与诸侯共说，欢适之方，于今尽矣。”因流涕不自胜。子伯融，妃殷氏所生。殷氏，吴兴太守冲女也。范阳祖翻有医术，资貌又美，殷氏有疾，翻入视脉，说之，遂通好。事泄，遣还家宁赐死。伯融历南豫州刺史，琅邪、临淮二郡太守，宁朔将军，广州刺史，不之职。废徙丹杨县。后废帝元徽元年，还京邑，袭封始兴王。弟伯猷，初出继江夏愍王伯禽，封江夏王，邑二千户。休仁死后还本，与伯融俱徙丹杨县。后废帝元徽元年，赐爵都乡侯。建平王景素为逆，杨运长等畏忌宗室，称诏赐伯融等死。伯融时年十九，伯猷年十一。

**【译文】**

太宗与刘休仁素来相交深厚，至于要杀害刘休仁，他担心的是刘休仁的存在将会对他的后嗣产生不利。刘休仁死了，他痛心悼念到极点的时候，对人说："我与建安年龄相近，少年时习玩随从，形影不离。景和、泰始年间，他的功勋确实很大。但是为国家大事考虑，事情迫切，不得不清除他。痛心怀念他到了极点，不能够自己控制自己。今天只有一件事可以做，那就是不如与诸侯说明。欢乐到来的由来，落到今天这样也就是到尽头了。"因而流泪，不能自禁。

儿子刘伯融，是刘休仁妃子殷氏生的。殷氏是吴兴太守殷冲的女儿。范阳祖翻有医病的本领，姿态相貌又美丽。殷氏生了病，祖翻进里屋给她探脉，殷氏喜欢上了祖翻，于是就勾通了好事。事情败露后，殷氏被遣送回家，被赐死。伯隔历任南豫州刺史，琅邪、临淮二郡太守，宁朔将军。任广州刺史时没到官任，后停止徙到丹杨县。后废帝元徽元年，返回京都，袭封为始兴王。弟弟刘伯猷，开始出继江夏愍王刘伯禽受封为江夏王，食邑两千户。刘休仁死后，还给平民身份，与刘伯融一同被迁徙到丹杨县。后废帝元徽元年，赐爵为都乡侯。建平王景素叛逆时，杨运长等人畏惧、忌恨宗室的势力，矫称诏命赐刘伯融等人死罪。刘伯融死时十九岁，刘伯猷十一岁。

# 〔南齐书〕

## 张敬儿列传

张敬儿，南阳冠军人也。本名苟儿，宋明帝以其名鄙，改焉。父丑，为郡将军，官至节府参军。

敬儿年少便弓马，有胆气，好射虎，发无不中。南阳新野风俗出骑射，而敬儿尤多膂力，求入队为曲阿戍驿将，州差补府将，还为郡马队副，转队主。稍官宁蛮府行参军。随同郡人刘胡领军伐襄阳诸山蛮，深入险阻，所向皆破。又击湖阳蛮，官军引退，蛮贼追者数千人，敬儿单马在后，冲突贼军，数十合，杀数十人，箭中左腋，贼不能抗。

平西将军山阳王休祐镇寿阳，求善骑射人。敬儿自占见宠，为长（史）兼行参军，领白直队。泰始初，除宁朔将军，随府转参骠骑军事，署中兵。领军讨义嘉贼，与刘胡相拒于鹊尾洲，启明帝乞本郡，事平，为南阳太守，将军如故。初，王玄谟为雍州，土断敬儿家属舞阴，敬儿至郡，复还冠军。

**【译文】**

张敬儿是南阳冠军人。本名苟儿，宋明帝刘彧认为他的名字过于粗俗，改成这个名字。父亲名丑，是郡将军，官做到节府参军。

张敬儿少年时熟习弓马，有胆量勇气，喜好射猛虎，百发百中。南阳新野习俗喜欢骑马射箭，尤其是张敬儿更有强劲的体力，请求参加军队做曲阿戍驿将，州府让他补做府将，不久做郡马队副，转做队主。逐渐升做宁蛮府行参军。张敬儿随同郡人刘胡带领队伍讨伐襄阳各山中的蛮人，深入艰难险阻地带，所攻之敌都被击败。又攻击湖阳蛮，官军退却，蛮人追兵有几千人，张敬儿单身独骑断后，冲突追兵，交战几十回合，杀死数十人，被射中左腋，但敌兵终于不能抵抗退却。

平西将军山阳王刘休祐坐镇寿阳，募求善于骑射的人才。张敬儿前去自报受到宠信，做长史兼行参军，领白直队。泰始初年，授官做宁朔将军，随府转参骠骑军事，隶属中兵。率领军队讨伐晋安王刘子勋的叛军，同叛将刘胡在鹊尾洲对抗。张敬儿启奏明帝请求回本郡做官。战事平定后，做南阳太守，将军职位不变。当初，王玄谟做雍州刺史，按土断法把张敬儿的籍贯划归舞阴，张敬儿到南阳郡后，又把籍贯改回冠军县。

三年，薛安都子柏令、环龙等窃据顺阳、广平，略义成、扶风界，刺史巴陵王休若遣敬儿及新野太守刘攘兵攻讨，合战，破走之。徙为顺阳太守，将军如故。

南阳蛮动，复以敬儿为南阳太守。遭母丧还家，朝廷疑桂阳王休范，密为之备，乃起敬儿为宁朔将军、越骑校尉。桂阳事起，隶太祖顿新亭，贼矢石即交，休范白服乘举往劳楼下，城中望见其左右人兵不多，敬儿与黄回白太祖曰："桂阳所在，备防寡阙，若诈降而取之，此必可擒也。"太祖曰："卿若能办事，当以本州相赏。"敬儿相与出城南，放仗走，大呼称降，休范喜，召至举侧，回阳致太祖密意，休范信之。回目敬儿，敬儿夺取休范防身刀，斩休范首，休范左右数百人皆惊散，敬儿驰马持首归新亭。除骁骑将军，加辅国将军。

太祖以敬儿人位既轻，不欲便使为襄阳重镇，敬儿求之不已，乃微动太祖曰："沈攸之在荆州，公知其欲何所作？不出敬儿以防之，恐非公之利也。"太祖笑而无言，乃以敬儿为持节、督雍梁二州郢司二郡军事、雍州刺吏，将军如故，封襄阳县侯，二千户。部伍泊沔口，敬儿乘舴艋过江，诣晋熙王燮。中江遇风船覆，左右丁壮者各泅走，余二小吏没舱下，叫呼"官"，敬儿两腋挟之，随船覆仰，常得在水上，如此翻覆行数十里，方得迎接。失所持节，更给之。

【译文】

泰始皇三年，薛安都之子薛柏令、薛环龙等私自占据顺阳、广平，侵略义成、扶风等地，刺史巴陵王刘休若派遣张敬儿和新野太守刘攘兵进军讨伐，会战后，敌兵败逃。调任张敬儿做顺阳太守，将军职位不变。

南阳蛮人蠢蠢欲动，又用张敬儿做南阳太守，因为母亲去世，张敬儿回到家乡。朝廷怀疑桂阳王刘休范有反心，暗中对他加以提防，于是起用张敬儿做宁朔将军、越骑校尉。桂阳王反叛事起，张敬儿隶属齐高帝萧道成驻军在新亭，贼兵发射矢石交战开始，刘休范身穿白衣乘坐竹轿来到楼下劳军，城中人望见刘休范左右随从的兵员不多，张敬儿和黄回对齐高帝萧道成说："眼前桂阳王所在的那一带，防守力量不足，假如用诈降的办法智取，一定能活捉他。"齐高帝说："你要能办成这事，将会赏你做雍州刺史。"张敬儿和黄回出城向南，故意丢弃兵器奔逃，大声呼叫投降，刘休范听了很喜欢，召唤张敬儿和黄回来到竹轿旁接见，黄回诈称齐太祖有秘密投降之意，刘休范相信不疑，黄回用眼睛示意张敬儿，张敬儿突然夺下刘休范的防身佩刀，砍下刘休范的头，刘休范左右几百人都惊恐逃散，张敬儿快马带上人头回到新亭。因此被授官骁骑将军，加官为辅国将军。

齐高帝因为张敬儿出身地位轻贱低微，不打算立即让他掌管襄阳重镇，张敬儿不断请求，用含蓄的言语打动齐高帝说："沈攸之坐镇荆州，您知道他想干什么？不派出我张敬儿前去防备，恐怕对您不会有利的。"齐高帝笑而不语，于是让张敬儿做持节、都督雍梁二州和郢司二郡军事、雍州刺史，将军职位不变，封襄阳县侯，食邑二千户。张敬儿的船队停泊在沔口，张敬儿乘小船过江，去拜见晋熙王刘燮。船到江心遇风翻沉，左右丁壮和随从各自泅水漂散，剩下两个小吏沉在船前横木之下，叫喊"官家"，张敬儿用两臂把他们夹在腋下，随着船在风浪中起落，但总能浮在水面上，这样随船翻覆漂行几十里，才得到人们的接应救援。张敬儿失落了所带的符节，又补发给他新的。

沈攸之闻敬儿上，遣人伺觇。见雍州迎军仪甚盛，虑见掩袭，密自防备。敬儿至镇，厚结攸之，信馈不绝。得其事迹，密白太祖。攸之得太祖书翰，论选用方伯密事，辄以示敬儿，以为反间，敬儿终无二心。元徽末，襄阳大水，平地数丈，百姓资财皆漂没，襄阳虚耗。太祖与攸之书，令赈贷之，攸之竟不历意。

敬儿与攸之司马刘攘兵情款，及苍梧废，敬儿疑攸之当因此起兵，密以问攘兵，攘兵无所言，寄敬儿马镫一只，敬儿乃为之备。升明元年冬，攸之反，遣使报敬儿，敬儿劳接周至为设酒食，谓之曰："沈公那忽使君来，君殊可命。”乃列仗于厅事前斩之，集部曲，（倾）〔侦〕攸之下，当袭江陵。

【译文】

沈攸之得知张敬儿逆流而上，派人去监视侦察。发现雍州迎接张敬儿的队伍军容盛大，沈攸之担心遭到突然袭击，暗自加以防备。张敬儿到雍州之后，热情地和沈攸之结交，信使和馈赠不断。每当得到有关沈攸之的情况，便秘密向齐高帝报告。沈攸之接到齐高帝的书信，信中谈到选人继任雍州刺史等机密内容，沈攸之便把这信送给张敬儿看，用这信来离间张敬儿和齐高帝的关系，张敬儿始终没有二心。元徽末年，襄阳大水成灾，平地水深几丈，百姓的资财全都漂走淹没，襄阳地方损失很大。齐高帝给沈攸之来信，命令沈攸之救济襄阳，沈攸之竟然不放在心上。

张敬儿和沈攸之的司马刘攘兵情感甚好，当苍梧王刘昱被废时，张敬儿猜想沈攸之会趁机起兵，张敬儿秘密向刘攘兵探问情况，刘攘兵对张敬儿没说什么情况，只是送给他一只马镫，张敬儿从此加意防备。宋顺帝升明元年冬天，沈攸之反叛，派遣使者通知张敬儿，张敬儿对来使慰劳接待周到，为他设了酒席，对使者说：“沈公怎么那么匆忙派您前来，您也确实是能完成使命的。”于是排列开队伍在办事厅前杀了来使，召集部队，等侦候沈攸之一旦顺江而下，便出兵袭击江陵。

时攸之遗太祖书曰：

吾闻鱼相忘于江湖，人相忘于道术，彼我可谓通之矣。大明之中，谬奉圣主，忝同侍卫，情存契阔，义著断金，乃分帛而衣，等粮而食。值景和昏暴，心烂形燋，若斯之苦，宁可言尽。吾自分碎首于阁下，足下亦惧灭族于舍人。尔时磐石之心既固，义无贰计，蹙迫时难，相引求全。天道矜善，此理不空。结姻之始，实关于厚。及明帝龙飞，诸人皆为鬼矣。吾与足下，得蒙大造，亲过夙眷，遇若代臣，录共心迹，复忝驱使，临崩之日，吾豫在遗托，加荣授宠，恩深位高。虽复情谢古人，粗识忠节，誓心仰报，期之必死。此诚志竟未申遂，先帝登遐，微愿永夺。自尔已来，与足下言面殆绝，非唯分张形迹，自然至此，脱枉一告，未常不对纸流涕，岂愿相诮于今哉。苟有所怀，不容不白。

初得贤子赜疏，云得家信，云足下有废立之事，安国宁民，此功巍巍，非吾等常人所能信也。俄奉皇太后假令，云足下潜构深略，独断怀抱，一何能壮。但冠虽弊，不可承足，盖共尊高故耳。足下交结左右，亲行杀逆，以免身患。卿当谓龙逢、比干，痴人耳。凡废立大事，不可广谋，但袁、褚遗寄，刘又国之近戚，数臣地籍实为膏腴，人位并居时望，若此不与议，复谁可得共披心胸者哉？昏明改易，自古有之，岂独大宋中屯邪？

**【译文】**

这时沈攸之呈给齐高帝一封信，说：

我听说鱼儿各自游在江湖里彼此相忘，人们各自生活在道术里不相往来，这种情况跟我可以说是一脉相通的。宋武帝大明年间，荣幸地尊奉圣明的君主，也有幸能和你同在侍卫的班列，我们之间情感亲密，同心重义，平分布帛做衣穿，均分粮食做饭吃。前废帝景和年间，我们内心焦灼身形憔悴，像那时的痛苦，哪里用语言可以说尽。我曾经自料将在殿阁之下粉身碎首，您也担心会遭到小人的谗害而一门被杀。那时我们的心志坚固有如磐石，在道义上绝无别的想法，艰难地度过了危难时刻，相互援助以求得保全。天道是同情善人的，这个道理是真实的。我们的儿女能够结成婚姻，那是由于我们交情的深厚。等到明帝即位，原先专擅朝政的奸佞之臣都已经死去。我与您能够受到极大的恩遇，亲近超过了一般的皇亲贵戚，对待我们如同老臣，皇帝也明白我们的忠贞，再度加以重用。皇帝驾崩之日，我参与在受遗诏顾命的行列，加赐荣耀给予宠信，皇恩深厚职位高贵。虽然我的志向情操不如古人，但是也约略懂得忠贞节操，发誓尽心上报皇恩，立志为皇帝尽忠效死。这种忠诚的心志竟未能实现，先帝逝世，微小的心愿就被永远地夺走了。从此以后，和您的言谈会面几乎断绝了，不只是因为人已经离开，而是自然而然地到了这个地步，偶尔得到您的一封来信，未尝不对着信纸流泪，哪里想得到今天互相讥诮呀！但一旦心里有想法，又禁不住向您加以表白。

当初得到令郎萧赜的书信，说他得到家信，说你干了废旧帝立新帝的事情，安定国家和百姓，这一功业盛大，不是我等普通人所能做到的。不久接到皇太后赐给我的命令，说你深思远虑，智谋果断，多么能干有力。但是帽子虽然破旧，却不可以垫在脚下，不外是人们都尊重高尚的缘故吧。你交结左右大臣，亲自谋杀主上，借此免除自身的祸难。你该把关龙逢、比干说成是傻瓜了吧！凡是国家废立君主的大事，不可扩大参与谋划的人员，但是袁粲、褚渊是受遗诏相托的大臣，刘秉又是国家的近亲，这几位大臣所在地区全都是富饶之地，身份地位都受到时人的仰望，假如这些人不得参与议事，还有谁是可以在一起讲真心实话的人呢？昏君和明主的更替变换，是自古就有的事，难道大宋就可以中断不行吗？

前代盛典，焕盈篇史，请为足下言之。群公共议，宜启太后，奉令而行，当以王礼出第。足下乃可不通大理，要听君子之言，岂可罔灭天理，一何苦兹？《孝经》云“资于事父以事君”。纵为宗社大计，不尔，宁不识有君亲之意邪？乃复虑以家危，啖以爵赏，小人无状，遂行弑害。吾虽寡识，窃求古比，岂有为臣而有近日之事邪？使一旦荼毒，身首分离，生自可恨，死者何罪？且有登斋之赏，此科出于何文？凡在臣隶，谁不惋骇。华夷扣心，行路泣血。乃至不殡，使流虫在户，自古以来，此例有几？卫国微小，故有弘演，不图我宋，独无其人。抚膺惆怅，不能自已。足下与向之杀者何异？人情易反，还成嗟悲，为子君者，无乃难乎！蹊田之譬，岂复有异？管仲有言，君善未尝不谏。足下谏诤不闻，甘崔杼之罪，何恶逆之苦！

昔太甲还位，伊不自疑；昌邑之过，不可称数，霍光荷托，尚共议于朝班，然后废之。由有汤沐之施，论者不以劫主为名，桓温之心，未忘于篡，海西失道，人伦顿尽，废之以公，犹礼处之。当温强盛，谁能相抗，尚畏惧于形迹，四海不惬，未尝有乐推之者。伊尹、霍光，名高于臣节，桓氏亦得免于胁夺，凡是诸事，布于书策，若此易晓，岂待指掌。卿常言比迹夷、叔，如何一旦行过桀、跖邪？

圣明启运，苍生重造，普天率土，谁不歌抃，实是披心罄节、奉公忘私之日。而卿大收宫妓，劫夺天藏，器械金宝，必充私室，移易朝旧，布置私党，被甲入殿，内外宫阁管籥，悉关家人。吾不知子孟、孔明遗训如此？王、谢、陶、庾行此举止？

【译文】

前代留下的重要法度，全都分明地记在史册里，让我给你说一说。朝臣群聚共议大事，应当事先启奏太后，接到命令然后行事，应当按照对待王侯的礼节请皇帝出宫到私宅。你竟然不按照大道理办事，不邀请君子听取意见，怎么可以背逆天理，到了如此地步？《孝经》说："恭敬地用心侍奉父亲从而才能侍奉国君。"即使出于为宗庙社稷的考虑，不按《孝经》的话办事，难道还不懂得君亲大义吗？可是你一再想到的是私家的安危，拿爵位赏赐去收买小人，小人行事无法无天，便做出来杀君害主的罪行。我虽然孤陋寡闻，想到和古人相比，哪里有做人臣子的可以干出近来发生的逆行呢？假如一旦实行残杀，使人身首分离，这样活着的人当然可恨，死去人的究竟犯了什么死罪？况且参与谋害的人都有封爵之赏，这法令出于什么条文？凡是做臣子的，谁不为此感到忧恨惊骇。华夏蛮夷为之痛心，行路人哭出血泪，甚至不加殡葬，让尸虫爬出户外，自古以来，这样的事有几桩？卫国很弱小，古时有烈士弘演，想不到我们宋代，单单没有这样的忠臣。摸着胸口悲愤，不能按捺。你同古代篡弑之臣有什么区别？人心叛逆，反而造成可悲的结局，做您国君的人，岂不是太难了吗！这和那个踏了田苗便夺走人家耕牛的譬喻，难道有什么差别吗？管仲说过，国君有善行也未尝因此就不规谏他的过失。没听说您对国君有过任何谏诤，而是甘心犯下崔杼一样的弑君之罪，为什么恶逆那么严重。

古时候商王太甲恢复君位，放逐他的伊尹仍然照样忠心；昌邑王的罪过，数说不尽，霍光受遗诏的嘱托，尚且和大臣共同在朝廷商议废立大事，然后才决定废掉昌邑王。对昌邑王还有赐给汤木邑的待遇，评论者并不拿劫持主上的名义来看待这件事。桓温的野心，从来没有忘记篡位，晋海西公无道，人伦丧尽，被废掉王位贬为公爵，还是按礼法待他。当时桓温强盛，谁能对抗他，尚且恐惧做事露出马脚，天下人们不满，未尝有人乐于推举桓温称帝的。伊尹、霍光，在保持臣节方面享有很高的声誉，桓温也免于遭受胁迫篡夺王位的恶名，所有这些事情，都记载在史书里，事情如此明白易懂，哪里还需要别人来指点。您常说自己的行为可以同伯夷、叔齐相比，为什么一日之间所作所为又超过了夏桀、盗跖呢？

圣明的君主开创了国家新的命运，百姓得到了重生。普天下的民众，谁不欢欣鼓舞，这是臣下披心尽职、公而忘私的时刻。但是你大量掠取宫女乐伎，抢夺宫中的宝库，器物金玉珍宝，放满自己的私宅，撤换前朝的老臣，安插个人私党，披甲带剑出入宫殿，掌管宫廷内外门户锁钥的，完全都是您家族的私人。我不知道霍光、诸葛亮的遗训就是这样的吗？晋朝的王导、谢安、陶侃、庾亮也会干出这种举动？

且朱方帝乡，非亲不授，足下非国戚也，一旦专纵自树，云是儿守台城，父居东府，一家两录，何以异此？知卿防固重复，猜畏万端，言以御远，实为防内。若德允物望，夷貊犹可推心共处，如其失理乖道，金城汤池无所用也。文长以戈戟自卫，何解灭亡。吴起有云："义礼不修，舟中之人皆雠也。"足下既无伍员之痛，苟怀贪惏，而有贼宋之心，吾宁捐申包之节邪？

闻求忠臣者必出孝子之门，卿忠孝于斯尽矣！今窃天府金帛以行奸惠，盗国权爵以结人情，县授非其理，合我则赏，此事已复不可恒用，用之既讫，恐非忠策。且受者不感，识者不知，不能遏奸折谋，诚节慨惋。隔硋数千，无因自对，不能知复何情颜，当与足下叙平生旧款？吾闻前哲绝交，不出恶言，但此自陈名节于胸心，因告别于千载。放笔增叹，公私潸泪，想不深怪往言。然天下耳目，岂伊可诬。抑亦当自知投仗无疆，为必先及。

【译文】

况且三吴地方是帝王之都，不是皇亲不能授官在这里，您不是国君的近戚，一旦专横自立，于是您儿子守卫宫廷，您作父亲的住进东府，一家两人在朝廷做宰相，有什么比这更特殊的？我知道您防备严密，心怀种种畏惧猜疑，表面说的是防御远方的外患，实际是为防止内部的变乱。假如您德行高尚深孚众望，就是夷貊外族还可以同心共处，要是干了违背道理的坏事，就是倚仗金城汤池也是没用的。晋朝杨骏用戈戟自卫，也不能免于灭亡。吴起曾说："对人不讲礼义，一条船上的人都是仇敌。"您既没有伍子胥遭到的杀父灭家的痛苦，如果怀着贪婪之心，有灭亡宋朝的野心，我怎会抛弃申包胥的节操呢！

我听说求取忠臣一定要到孝子的家门里，您的忠孝到现在已经完全丧失了！如今私自动用朝廷府库的财帛实施奸诈的恩惠，盗用国家的权力爵位结交人情，况且你授官分赏不合正理，凡是投合自己心意的就有赏，这种伎俩已经不能经常使用，即使用尽了所有的金帛，怕是也无济于事。何况受赏的不一定感恩，有识之士只是没有认清你的罪行。如今没有人来阻遏奸邪挫败阴谋，实在让有气节的人感到愤慨痛心。远隔几千里，我没有机会去同您当面对话，不知道还能以什么感情，再有机会和您来叙说昔日的交谊呢？我听说前代的贤人绝交时，不出恶言恶语，我只是在这里陈述我心中对名节的看法，顺便和您永远告别。放下笔无限慨叹，为公为私都让人潸然泪下，想您不会怪罪上面说的话。然而天下人的耳目，怎么能随意欺骗蒙蔽。或许您会明白无处可以遁逃，遭到恶报一定首当其冲。

太祖出顿新亭，报攸之书曰：

辱足下诮书，交道不终，为耻已足。欲下便来，何故多罔君子。

吾结发入仕，岂期还大，盖感子路之言，每不择官而宦。逮文帝之世，初被圣明鉴赏；及孝武之朝，复蒙英主顾眄。因此感激，未能自反。及与足下敛袂定交，款著分好，何尝不劝慕古人国士之心，务重前良忠贞之节。至于契阔杯酒，殷勤携袖，荐女成姻，志相然诺，义信之笃，谁与间之。又乃景和陵虐，事切忧畏，明帝正位，连同休显，启臆论心，安危岂贰。元徽之季，听高道庆邪言，欲相讨伐，发威施敕，已行外内。于时臣子钳口，道路以目。吾以分交义重，患难宜均，犯陵白刃，以相任保。悖主手敕，今封送相示，岂不畏威，念周旋之义耳。推此阴惠，何愧怀抱，不云足下猥含祸诐。前遣王思文所牒朝事，盖情等家国，共详衷否，虚心小大，必以先输。问张雍州迁代之日，将欲谁拟？本是逆论来事，非欲代张，乃封此示张，激使见怒。若张惑一言，果兴怨恨，事负雅素，君子所不可为，况张之奉国，忠亮有本，情之见与，意契不贰邪？又张雍州启事，称彼中蛮动，兼民遭水患，敕令足下思经拯之计。吾亦有白，论国如家，布情而往，每思虚达。事之相接，恒必猜离。反谓无故遣信，此乃觇察。平谅之襟，动则相阻，伤负心期，自谁作故？先时足下遣信，寻盟敦旧，厉以笃终，吾止附还白，申罄情本，契然远要，方固金石。今日举错，定是谁愿久言邪？

【译文】

齐高帝出兵驻屯在新亭，给沈攸之回信说：

辱蒙你写来讥诮我的信，交友的情分没有善始善终，我感到十分羞耻。您打算顺江而来就来，为什么故意诬蔑君子。

自我成年进入仕途，哪里期望有远大前程，只因为是感到子路说的话有道理，所以不挑剔官职的大小便就任。到宋文帝时期，开始受到圣明皇帝的赏识；到孝武帝时代，又受到英明主上的照顾。因此感激朝廷的厚恩，没有辞官归家。等到和您定交结为朋友，情意十分要好，何尝不敬慕古代国士的志向，力求珍重前代贤良忠贞的气节。至于离合宴饮，送女联姻，志诚信赖，信义深厚，有谁能使我们分开。到了景和时代前废帝暴虐，国家大事令人十分担心忧虑，明帝即位，国家命运同时得到了美好光明的前途，对皇帝开诚布公地议论政事，考虑国家安危没有二心。后废帝元徽末年，皇帝听信高道庆的谗言，打算发兵讨伐您，怒气大发下达命令，已经在朝廷内外公布。这时候朝中的大臣都噤口不言，走道的人都是用眼睛互相看看。由于我同你友情深厚，应当为你分担患难，冒着杀头之罪，替您担保。现在我把昏君的手敕，封好之后送给您看。难道我不怕皇帝的威严，只是顾念我们交友的义气罢了。推想我暗中给您的恩惠，哪里愧对了平时的怀抱，没想到您口吐害人的险恶邪言。先前派王思文送去的关于朝廷事务的文书，只是因为感情如同一家，所以与您共同商议可否，事情不论大小，一定要先送给您裁决。问到张敬儿转官卸任的时候，打算由谁来接替他的职位，这本是事先商量和预料未来的事情，并不是想立刻取代张敬儿的职务，您竟然封好这信送给张敬儿，使张敬儿受到激怒。假如张敬儿被这些话弄糊涂了，定会对我产生怨恨，干这种事有背于正直纯洁的友谊，是君子不该做的事，何况张敬儿对待国家，忠诚正直有牢固的根基，我和他的交情，意气投合不分彼此？又张敬儿寄来的文书里说，雍州地方蛮人蠢动，加上百姓遭受水灾，曾经命令您考虑对策和救灾的办法。我也曾有信给您，议论国事如同关心家事，向您说明我的意见，每次都得不到相应的回报。公事方面的往来，经常遭到猜忌，反而说是无故派来使者，是对你的窥伺和侦察。正直诚实的襟怀，轻易遭到阻塞，伤害并辜负了内心的期望，是谁首先造成了这种情况？前些时候您派信使来，重温故旧情意，用始终忠实于友谊勉励我，我当时只附上一封回信，申明我竭尽友情的本心，一心同您远远相约，友谊要像金石一般牢固。今天的举动做法，究竟是谁愧对了多年的约言呢？

元徽末德，势亡禋祀，足下备闻，无待亟述。太后惟忧，式遵前诰，兴毁之略，事属鄙躬。黜昏树明，实惟前则，宁宗静国，何愧前修。废立有章，足下所允，冠弊之讥，将以何语？封为郡王，宁为失礼？景和无名，方之不愈乎？龙逢自匹夫之美，伊、霍则社稷之臣，同异相乘，非吾所受也。登斋有尝，寿寂之已蒙之于前；同谋获功，明皇亦行之于昔。此则接踵成事，谁敢异之。

谓其大收宫女，劫夺天藏，器械金宝，必充私室。必若虚设市虎，亦可不翅此言；若以此诈民，天下岂患无眼。心苟无瑕，非所耿介。甲杖之授，事既旧典，岂见有任镇邦家，勋经定主，而可得出入轻单，不资宠卫！斯之患虑，岂直身忧。祇奉此恩，职惟事理。

朱方之牧，公卿佥意，吾亦谓微勋之次，无忝一州。且魏、晋旧事，帝乡蕃职，何尝豫州必曹，司州必马？折胶受柱，在体非愧。袁粲据石头，足下无不可；吾之守东府，来告便谓非。动容见疾，频笑入戾，乃如是乎！

【译文】

元徽年间后废帝道德败坏，国家面临危亡的形势，这些情况您已经完全知道了，不需要我重复述说。皇太后心中忧虑，遵照前代的遗训，考虑国家兴废的大计，并把这样的大事交付给我。废除昏君扶立明主，实际这也是前代的准则，使宗庙安宁国家平静，我有什么愧对前代贤人的地方？废旧立新是有原则的，也是你认可的，拿破旧帽子的譬喻来讽刺我，是根据什么说的呢？把后废帝贬做郡王，难道是失礼的做法吗？前废帝被黜时没有任何封号，后废帝和他相比不是好多了吗？关龙逢当然是常人中的美才，伊尹、霍光则是忠于社稷之臣，不同的时代相继续，他们的美誉和功绩不是我能比拟的。登上高位受到爵位的赏赐，在前代的寿寂之已经得到了这种恩惠；使共同谋划废黜昏君的臣子获得嘉奖，过去的明帝也是这样做的。这些都是接连出现的事实，谁敢对此提出异议。

来信说我大量劫掠宫女，抢夺宫中的宝库，器物金玉珍宝，全都放进私家。假如一定编造谎言虚语，也可以说出不止于这样的话；要是用这些话去欺骗百姓，难道还担心天下的人不能识破。只要心里没有邪念，这些谎言是不足介怀的。接受赏赐的兵甲器杖，这是按原有的制度做的，难道眼看着担负镇守国家重任，有安定帝业功勋的大臣，反而可以单人独马出入，没有盛大的警卫吗？这种审慎的防患措施，哪里只是为自己担忧。所以接受这样的恩宠，主要是从事情的需要出发的。

三吴地方长官的委任，是满朝公卿一致同意的，我也认为自己的功勋虽然微末，但也无愧于做一州的长官。再说按魏、晋朝代的旧例说，在帝王之乡担任屏藩职务的，在豫州的何尝必得姓曹，在司州的何曾必得姓司马？您的见解拘泥僵化，在我看来当之无愧。袁粲擅自窃据石头，您并不表示反对；我职守在东府，来信便指责说不对。我的一举一动都遭到忌恨，一颦一笑都看作是罪过，事实难道真是那样吗！

袁粲、刘秉，受遇深重，家国既安，不思抚镇，遂与足下表里潜规，据城之夜，岂顾社稷。幸天未长乱，宗庙有灵，即与褚卫军协谋义断，以时殄灭。想足下闻之，怅然孤沮。小儿忝侍中，代来之泽，遇直上台，便呼一家两录。发不择言，良以太甚。吾之方寸，古列共言，乃以陶、庾往贤，大见讥责，足下自省，讵得以此见贻邪？此踪夷、叔，论吾则可，行过桀、跖，无乃近诬哉！

谓吾不朝，此则良诲，朝之与否，想更问之。足下受先帝之恩施，拥戎西州，鼎湖之日，率土载奔，而宴安中流，酣饮自若，即怀狼望，陵侮皇朝。晋熙殿下，以皇弟代镇，而断割候迎，罔蔑宗子，驱略士马，（志）〔悉〕以西上，郢中所遗，（示）〔仅〕余劣弱。昔征茅不入，犹动义师；况荆州物产，雍、岷、交、梁之会，自足下为牧，荐献何品？良马功卒，彼中不无，良皮美缥，商赂所聚，前后贡奉，多少何如？唯闻太官时纳饮食耳。桂阳之难，坐观成败，自以雍容汉南，西伯可拟。赖原即天世，非望亦消。又招集逋亡，断遏行侣，治舟试舰，恒以朝廷为旗的，秣马桉剑，常愿天下有风尘，为人臣者，固若是邪！至乃不遵制书，敕下如空，国恩莫行，命令拥隔，诏除郡县，辄自板代，罢官去职，禁还京师。凶人出境，无不千里寻蹑，而反募台将，来必厚加给赏。太妃遣使市马，赍宝往蜀，足下悉皆断折，以为私财，此皆远迩共闻，暴于视听。

主上睿明当璧，寓县同庆，绝域奉贽，万国通书，而盘桓百日，始有单骑，事存送往，于此可征。不朝如此，谁应受诮？反以见呵，非所反侧。今乃勒兵以窥象馆，长戟以指魏阙，不亦为忠臣孝子之所痛心疾首邪？贤子元琰获免虎口，及凌波西迈，吾所发遣。犹推素怀，不畏嗤嗤。足下尚复灭君臣之纪，况吾布衣之交乎？遂事不谏，既往难咎。今六师西向，为足下忧之。

【译文】

袁粲、刘秉，受到国家深厚的恩惠，家国都得到了安定，不考虑怎样安抚百姓保卫国家，反而同您内外勾结暗中谋划，私自带兵占据石头城的时候，哪里还考虑国家的安宁。幸亏上天不再助长祸乱，宗庙祖宗有灵，我立即同褚将军褚渊共同商议做出正义的决断，及时加以剿灭。我想你听到这事，一定会感到怅然孤独十分沮丧。小儿荣幸得任侍中，这是来自前代的恩泽，登于朝廷台省，您便叫嚷这是一家两个宰相。您说话不加考虑，这实在是太过分了。我内心的思想，是古代烈士共同称颂的忠义，你竟然用陶侃、庾亮这样的先贤，尽情地讥笑我，您自己仔细想想，怎么把这样的侮辱加给我呢？用伯夷、叔齐的事迹做比方，评论我的为人是合适的，说我的作为超过了夏桀，盗跖，这难道不是近于诬蔑吗？

指责我不恭奉朝廷，这倒是很好的教导，至于恭奉或不恭奉朝廷的事，倒想再问问您。您受到了先帝的恩惠和赏赐，带兵驻守西州，当先帝逝世之日，天下的臣民都号哭奔走，可是您却安然屯兵在长江中流，痛快地喝酒，和平时一样，怀着贪婪之心，侵犯和凌辱朝廷。晋熙王刘燮殿下，以皇弟身份代为镇守郢州，而您拒不恭候迎接，欺凌蔑视宗亲王子，反而驱赶掠取人马，全部裹胁西上，郢州残留的，只是些劣弱的军事力量。古代天子征调苞茅楚国不及时供应，齐桓公还出动义兵兴师问罪；况且荆州物产丰饶，是雍、岷、交、梁各州物产聚会的地方，自从您做长官，向朝廷进献了什么物品？最好的战马和强健的士兵，那些地方不是没有，上好的皮革美好的毡毯，商人买卖积聚的财物，前前后后您贡奉上来的，数量有多少质量又如何？只听说您不过有时仅进献一点饮食而已。桂阳王造反，你坐观成败，自认为安然占有汉南地面，力量可以同当年的周文王相比。幸亏桂阳王很快死去，您非分的妄想也破灭了。此后您又招集亡命之徒，截断往来行人商旅，制造战船，经常把朝廷看成是攻击的目标，喂饱战马手按长剑，常常盼着天下发生寇警出现叛乱，作为臣子的，就应该是这个样子吗？甚至于不遵守朝廷的诏令，诏书下来如同一纸空文，国家的恩泽不能推行，朝廷的命令遭到阻隔，国家任用的郡县官员，总是用自己的人员取代，罢官离职的人员，一概禁止回到京城。凶残叛逃的人，总是奔走千里跟踪追寻，又策反招募京城的将军，到来的都给予优厚的赏赐。皇太妃派人去买马，往蜀地送财宝，您全都加以截断扣留，成了自己的私财，这些都是远近共知的，是暴露在天下人耳目中的事实。

主上圣智聪明登上帝位，普天同庆，远方前来朝奉，各国来信恭贺，但是您却在犹豫百天之后，才派来单人独骑，对待新主送旧主的态度，从这里可以看出您的表现。像这样不朝奉皇帝，是谁应当受到讥刺和责备？现在反而对我进行责难，我是不会为此而睡不着觉的。如今你统率军队来窥伺宫廷，挥动长戟指向朝堂，不也是干出了遭到忠臣孝子为之痛心疾首的事情吗？令邓沈元琰能够逃出虎口，得以乘船西进，这是我设法放走的。对您我还想敞开平素的怀抱，不怕讥刺和嘲笑。您连君臣之间的关系都要断绝，更何况我们之间只是布衣之交呢？过去的事情已经不可改变，已往的事情难再弄清是非。现在天子的六军已经向西进发，我在这里为你担忧。





（攸之与兼长史江乂别驾传宣等守江陵城敬儿军中力授因以为别）

敬儿告变使至，太祖大喜，进号镇军将军，加散骑常侍，改为都督，给鼓吹一部。攸之于郢城败走，其子元琰〔与兼长史江乂、别驾传宣等守江陵城。敬儿〕军至白水，元琰闻城外鹤唳，谓是叫声，心惧欲走。其夜，乂、宣开门出奔，城溃，元琰奔宠洲，见杀。百姓既相抄敚，敬儿至江陵，诛攸之亲党，没入其财物数十万，悉以入私。攸之于汤渚村自经死，居民送首荆州，敬儿使楯擎之，盖以青伞，徇诸市郭，乃送京师。进号征西将军，爵为公，增邑为四千户。

敬儿于襄阳城西起宅，聚财货。又欲移羊叔子堕泪碑，于其处立台，纲纪谏曰："羊太傅遗德，不宜迁动。"敬儿曰："太傅是谁？我不识也。"敬儿弟恭儿，不肯出官，常居上保村中，与居民不异。敬儿呼纳之甚厚，恭儿月一出视敬儿，辄复去。恭儿本名猪儿，随敬儿改名也。

初，敬儿既斩沈攸之，使报随郡太守刘道宗，聚众得千余人，立营顿。司州刺史姚道和不杀攸之使，密令道宗罢军。及攸之围郢，道和遣军顿堇城为郢援，事平，依例蒙爵赏。敬儿具以启闻。建元元年，太祖令有司奏道和罪，诛之。道和字敬邕，羌主姚兴孙也。父万寿，伪镇东大将军，降宋武帝，卒于散骑侍郎。道和出身为孝武安北行佐，有世名，颇读书史。常诳人云："祖天子，父天子，身经作皇太子。"元徽中为游击将军，随太祖新亭破桂阳贼有功，为抚军司马，出为司州，疑怯无断，故及于诛。

**【译文】**

张敬儿派遣报告事变的使者到来后，齐高帝非常高兴，进封张敬儿做镇军将军，加官做散骑常侍，又改授都督，赐给鼓吹乐队一部。沈攸之从郢城败逃，他儿子沈元琰和兼任长史的江乂、别驾传宣等据守江陵城。张敬儿的部队前进到达白水，沈元琰听到城外的鹤唳以为是叫战的声音，心里恐惧打算逃走。当天夜里，江乂、传宣打开城门出逃，江陵城守兵崩溃，沈元琰逃到宠洲，被杀死。战乱中百姓相互抄掠抢夺，张敬儿进入江陵，杀掉沈攸之的亲属和同党，没收他们的财物价值几十万，全归自己私有。沈攸之在汤渚村上吊自杀，村民把他的头送到荆州，张敬儿让人用盾牌擎着人头，上面罩着青伞，在市里城外示众，然后送往京城。张敬儿进号为征西将军，赐封公爵，增加食邑到四千户。

张敬儿在襄阳城西修建住宅，聚敛钱财。又打算搬走晋朝羊叔子的堕泪碑，在碑址建立官署，手下人进谏说："这碑代表着羊太傅的遗德，不宜迁徙挪动。”张敬儿说：“羊太傅是谁？我不知道。”张敬儿的弟弟张恭儿，不愿出来做官，经常住在上保村里，和普通村民没有两样。张敬儿招呼接待他很优厚，张恭儿每月出来看望张敬儿一次，见了面便回去。恭儿本名猪儿，是随张敬儿一齐改的名字。

当初，张敬儿杀掉沈攸之以后，派人通知随郡太守刘道宗，聚集兵力一千多人，修起营垒驻军。司州刺史姚道和不杀沈攸之的使者，秘密下令给刘道宗停止用兵。当沈攸之围城时，姚道和派兵驻屯在董城作为郢城的外援，战事平定以后，按例受到爵赏。张敬儿把姚连和的情况全都上奏给朝廷。齐建元元年，高帝下令主管官员上奏姚道和的罪行，把他杀掉。姚道和字敬邕，是羌族后秦君主姚兴的孙子。父亲姚万寿，是后秦的镇东大将军，归降宋武帝，死在做散骑侍郎的职位上。姚道和出身做宋孝武帝安北行佐，当代有名，读了很多杂书和史书。常对人吹嘘说：“我祖父是天子，我父亲是天子，我自己曾是皇太子。”宋后废帝徽元年间做游击将军，曾随从齐高帝在新亭攻打桂阳王叛军有功，做抚军司马，出京做司州刺史，为人多疑怯懦没有果断，所以终于遭到杀害。

三年，征敬儿为护军将军，常侍如故。敬儿武将，不习朝仪，闻当内迁，乃于密室中屏人学揖让答对，空中俯仰，如此竟日，妾侍窃窥笑焉。太祖即位，授侍中，中军将军。以敬儿秩穷五等，一仍前封。建元二年，迁散骑常侍，车骑将军，置佐史。太祖崩，敬儿于家窃泣曰：“官家大老天子，可惜！太子年少，向我所不及也。”遗诏加敬儿开府仪同三司，将拜，谓其妓妾曰：“我拜后，应开黄阁。”因口自为鼓声。既拜，王敬则戏之，呼为褚渊。敬儿曰：“我马上所得，终不能作华林阁勋也。”敬则甚恨。

敬儿始不识书，晚既为方伯，乃习学读《孝经》、《论语》。于新林慈姥庙为妾乞儿咒神，自称三公。然而意知满足，初得鼓吹，羞便奏之。

**【译文】**

元徽三年，召回张敬儿做护军将军，常侍职务不变。张敬儿是武将，不熟悉朝廷礼仪，听说要转官到朝廷去，便一个人躲在密室里背着人学习揖让礼仪和对话的方法，望着空中礼拜起立，这样整天地练习，妓妾和侍从偷着看了发笑。齐高帝即位后，授官做侍中，中军将军。因为张敬儿的秩禄已经达到五等爵中的最高等级，一切仍按原来的赏赐不变。建元二年，转官做散骑常侍，车骑将军，设置佐史。齐高帝驾崩，张敬儿在家里独自哭泣说："官家大老天子，可惜！太子年纪幼小，今后我是力所不及了。"遗诏赐张敬儿开府仪同三司，当要举行授官典礼前，张敬儿对妓妾说："拜官之后，我的官署就该设黄阁了！"于是在嘴里弹着舌头打响发出敲鼓声。拜官之后，王敬则和他开玩笑，称他为褚渊。张敬儿说："我的官职是在马上作战得到的，总不能看成是在华林阁杀掉前废帝那样的功勋吧。"王敬则听了心里特别怀恨。

张敬儿原本不识字，到晚年做了地方长官，便开始学习诵读《孝经》、《论语》。在新林慈姥庙替妾求子向神祝告，自称是三公。然而他心里知道满足，一开始得到鼓吹乐队，还不好意思就加以演奏。

初娶前妻毛氏，生子道文。后娶尚氏，尚氏有美色，敬儿弃前妻而纳之。尚氏犹居襄阳宅不自随，敬儿虑不复外出，乃迎家口悉下至都。启世祖，不蒙劳问，敬儿心疑。及垣崇祖死，愈恐惧，妻谓敬儿曰："昔时梦手热如火，而君得南阳郡。元徽中，梦半身热，而君得本州。今复梦举体热矣。"有阉人闻其言，说之。事达世祖。敬儿又遣使与蛮中交关，世祖疑其有异志。永明元年，敕朝臣华林八关斋，于坐收敬儿。敬儿左右雷仲显知有变，抱敬儿而泣。敬儿脱冠貂投地曰："用此物误我。"少日，伏诛。诏曰："敬儿蠢兹边裔，昏迷不修。属值宋季多难，颇获野战之力。拔迹行伍，超登非分。而愚躁无已，矜伐滋深。往莅本州，久苞异志。在昔含弘，庶能惩革。位班三槐，秩穷五等，怀音靡闻，奸回屡构。去岁迄今，嫌贰滋甚。镇东将军敬则、丹阳尹安民每侍接之日，陈其凶狡，必图反噬。朕犹谓恩义所感，本质可移。顷者已来，衅戾遂著，自以子弟在西，足动殊俗，招扇群蛮，规扰樊、夏。假托妖巫，用相震惑，妄设征祥，潜图问鼎。履霜于开连之辰，坚冰于嗣业之世，此而可忍，孰不可容！天道祸淫，逆谋显露。建康民汤天获商行入蛮，备睹奸计，信驿书翰，证验炳明。便可收掩，式正刑辟；同党所及，特皆原宥。"子道文，武陵内史道畅，征虏功曹道固，弟道休，并伏诛。少子道庆，见宥。后数年，上与豫章主嶷三日曲水内宴，舴艋船流至御坐前覆没，上由是言及敬儿，悔杀之。

恭儿官至员外郎。在襄阳，闻敬儿败，将数十骑走入蛮中。收捕不得。后首出，上原其罪。

**【译文】**

当初娶前妻毛氏，生下儿子张道文。以后又娶尚氏，尚氏姿色美貌，张敬儿抛弃前妻娶了她。尚氏还留在襄阳没有随从进京，张敬儿想到不会再出京做官，便把家人全接到京里来。曾经有事启奏齐武帝萧赜，没有得到慰劳和关怀，张敬儿心中不安。当垣崇祖死后，更加恐惧，他妻子对他说："早先我梦到手热如同火烧一样，您便做了南阳太守。元徽年间，梦到半个身子发烧，您做了本州刺史。现在梦到全身发热了。"有宦官听到这个传闻，便传扬出去，事情传到齐武帝那里。张敬儿还派人到蛮人地区交往，武帝怀疑他有异心。永明元年，下令朝中大臣到华林园八关斋，在坐席上逮捕了张敬儿。张敬儿的近侍雷仲显知道要发生变故，抱着张敬儿大哭。张敬儿脱下缀有貂尾的帽子扔到地上说："因为这个东西害了我。"过不几天，被杀。诏书说："张敬儿企图勾结边境的蛮人蠢动作乱，昏庸迷乱不理政事。当宋代末年多有战乱，获得许多野战攻城的功劳。他从行伍中出身，得到了非分的高官厚赏。但是他愚顽狂躁不已，越发夸功自傲。往年在州中任职，长久怀有异志。朝廷以前宽宏大度，希望他能有所警惕和改变。他的职位在三公的班列，秩禄达到五等的最高级，听不到他有感恩戴德的好言语，却屡次有奸邪的图谋。从去年到目前，嫌恶朝廷的贰心越来越甚。镇东将军王敬则、丹阳尹李安民每当进侍接见，便陈述他的凶恶狡诈，一定会反咬朝廷。我还以为张敬儿受到恩义的感动，本性能够改变。最近以来，罪恶背逆的迹象更加显著，自以为子弟在西方，足以发动外族肇事，招募煽动各蛮族作乱，企图扰乱樊、夏地区。他还假托妖言巫人，用来恐吓迷惑人心，虚构一些神异的预兆，暗中图谋篡夺皇位。他在国家开通好运的时候心怀着邪恶，在我开始继承先帝基业的时候企图谋反，对张敬儿的这些罪行容忍了，那还有什么不可容忍的！

天道惩罚祸害，使叛逆的阴谋暴露出来。建康人汤天获到蛮人地方做买卖，发现了张敬儿的全部奸计，由驿站传来书信，证据确凿明显。立即可以逮捕，明正典刑；凡涉及的同党，全都特别加以宽恕。”儿子张道文，武陵内史张道畅，征虏功曹张道固，弟弟张道休，一同被杀。小儿子张道庆，受到宽恕。过几年之后，武帝和豫章王萧嶷在三月三日宫里的曲水宴上，小船漂流到皇帝御座前翻沉了，武帝由此谈到了张敬儿当年翻船救人的事，后悔杀了张敬儿。

张恭儿官做到员外郎。在襄阳，听到张敬儿被杀的消息，带领几十骑兵逃进蛮人地区，朝廷没有追捕到。以后出来自首，武帝赦免了他的罪。

# 王敬则列传

王敬则，晋陵南沙人也。母为女巫，生敬则而胞衣紫色，谓人曰："此儿有鼓角相。"敬则年长，两腋下生乳各长数寸。梦骑五色师子。年二十余，善拍张。补刀戟左右。景和使敬则跳刀，高与白虎幢等，如此五六，接无不中。补侠毂队主，领细铠左右。与寿寂之同毙景和。明帝即位，以为直阁将军。坐捉刀入殿启事，系尚方十余日，乃复直阁。除奋武将军，封重安县子，邑三百五十户。敬则少时于草中射猎，有虫如乌豆集其身，摘去乃脱，其处皆流血。敬则恶之，诣道士卜，道士曰："不须忧，此封侯之瑞也。"敬则闻之喜，故出都自效，至是如言。

泰始初，以敬则为龙骧将军、军主，随宁朔将军刘怀珍征寿春，殷琰遣将刘从筑四垒于死虎，怀珍遣敬则以千人绕后，直出横塘，贼众惊退。除奉朝请，出补（东武）暨阳令。

敬则初出都，〔至〕陆主山下，宗侣十余船同发，敬则船独不进，乃令弟入水推之，见一乌漆棺。敬则曰："尔非凡器。若是吉善，使船速进。吾富贵，当改葬尔。"船须臾去。敬则既入县，收此棺葬之。

**【译文】**

王敬则，晋陵南沙人。母亲是女巫，生下王敬则时胞衣是紫色的，他母亲对人说："这孩子有做将军的面相。"王敬则长大后，两腋下生出乳头每个长有几寸。他还梦到过自己骑着五色狮子。年纪二十多岁时，王敬则善于跳北方的拍手抚髀的舞蹈。补官做刀戟左右。宋前废帝让王敬则向空中掷刀为戏，他掷出的刀和七丈五尺长的白虎幢一样高，这样掷五六次，没有一次接不中的。补做侠毂队主。统率细铠左右。又曾和寿寂之一起杀死宋前废帝。宋明帝刘或即位后，用他做直阁将军。因为带刀上殿奏事，被囚禁在监狱里十多天，才恢复直阁职务。又授官做奋武将军，封做重安县子爵，食邑三百五十户。王敬则少年时曾经在草莽中射猎，像乌豆一样的飞虫纷纷落在他身上，用手搔扒便脱落了，虫子落过的皮肤上都出血。王敬则从心里厌恶这件事，便到和尚那里去占卜，和尚说：“不必担心，这可是封侯的好兆头啊。”王敬则听了心里暗自高兴，于是便离开家去京城投效朝廷，到这时果然像和尚说的一样受封为侯。

宋明帝泰始初年，用王敬则做龙骧将军、军主，随同宁朔将军刘怀珍出征寿春，叛将殷琰派将军刘从在死虎地方修起四座营垒，刘怀珍派王敬则带领一千人绕到敌后，直接袭击横塘，贼军惊恐退却。授王敬则为奉朝请，出京补官做暨阳县令。

王敬则当初离开京城，来到陆主山下时，同姓结伴的人分别乘十几条船一齐出发，唯独王敬则的船不能前进，他就让弟弟下水推船，在水中发现一口乌漆棺材。王敬则发愿说：“你不是一般的物件。假如对我是吉利美好的预兆，便让船快快前进。等我富贵之后，将会给你改葬。”说完船便很快驶离岸边。王敬则到县里任官之后，果然捞起这口棺材重新加以安葬。

军荒之后，县有一部劫逃紫山中为民患，敬则遣人致意劫帅，可悉出首，当相申论。治下庙神甚酷烈，百姓信之，敬则引神为誓，必不相负。劫帅既出，敬则于庙中设会，于座收缚，曰：“吾先启神，若负誓，还神十牛。今不违誓。”即杀十牛解神，并斩诸劫，百姓悦之。迁员外郎。

元徽二年，随太祖拒桂阳贼于新亭，敬则与羽林监陈显达、宁朔将军高道庆乘舸䑧于江中迎战，大破贼水军，焚其舟舰。事宁，带南泰山太守，右侠毂主，转越骑校尉，安成王车骑参军。

苍梧王狂虐，左右不自保，敬则以太祖有威名，归诚奉事。每下直，辄往领府。夜著青衣，扶匐道路，为太祖听察苍梧去来。太祖命敬则于殿内伺机，未有定日。即而杨玉夫等危急殒帝，敬则时在家，玉夫将首投敬则，敬则驰诣太祖。太祖虑苍梧所诳，不开门。敬则于门外大呼曰：“是敬则耳。”门犹不开。乃于墙上投进其首，太祖索水洗视，视竟，乃戎服出。

**【译文】**

军事战乱之后，县里有一伙强盗逃进紫山里成为扰民的祸害，王敬则给强盗的头领送去信，说可以出来自首，并且会帮助他们说情减罪。县里有个神庙十分威严灵验，百姓们都诚心信奉，王敬则公开对神发誓，一定不背叛对强盗首领的许诺。强盗的头领都来到之后，王敬则就在庙里设宴席，在席上把这些头领都绑起来，他说："我先前敬告过神灵，假如背叛誓言，就杀十头牛还愿。现在我不违背许下的愿。"立刻宰十头牛表明不辜负对神的誓言，同时斩了那些强盗头领，百姓都为此高兴。王敬则被调做员外郎。

宋后废帝（苍梧王）元徽二年，王敬则随同齐高帝萧道成在新亭抗拒反贼桂阳王刘休范，王敬则和羽林监陈显达、宁朔将军高道庆在大江上乘战船迎战，大破敌人水军，又放火烧掉敌船。战争平定后，王敬则兼做南泰山太守，右侠毂主，转官做越骑校尉，宋安成王刘准的车骑参军。

苍梧王刘昱狂暴残虐，朝中左右大臣人人自危，王敬则认为萧道成有威信有声望，便竭尽诚心地侍奉他。每当退班之后，便来到中领军萧道成的官署。夜里王敬则穿上黑衣服，隐伏在大道上，替萧道成侦察探听苍梧王的行踪。萧道成还密令王敬则在宫中殿里伺机行事，但还没有决定动手的日子。不久，杨玉夫等人在紧急时刻杀掉后废帝，王敬则当时正在家里，杨玉夫把后废帝的头送给王敬则，王敬则便骑上马跑去见萧道成，萧道成担心受苍梧王的诳骗，不敢立即开门。王敬则在门外高声说："我是王敬则！"门还是不开。于是王敬则便把人头从墙上扔进去，萧道成拿水洗了细看，看完，便全副武装开门出来。

敬则从入宫，至承明门，门郎疑非苍梧还，敬则虑人觇见，以刀环塞窐孔，呼开门甚急。卫尉丞颜灵宝窥见太祖乘马在外，窃谓亲人曰："今若不开内领军，天下会是乱耳。"门开，敬则随太祖入殿。明旦，四贵集议，敬则拔白刃在床侧跳跃曰："官应处分，谁敢作同异者！"升明元年，迁员外散骑常侍、辅国将军、骁骑将军、领临淮太守，增封为千三百户，知殿内宿卫兵事。

沈攸之事起，进敬则号冠军将军。太祖入守朝堂，袁粲起兵夕，领军刘韫、直阁将军卜伯兴等于宫内相应，戒严将发。敬则开关掩袭，皆杀之。殿内窃发尽平，敬则之力也。迁右卫将军，常侍如故。增封为二千五百户，寻又加五百户。又封敬则子元迁为东乡侯，邑三百七十户。

齐台建，为中领军。

太祖将受禅，材官荐易太极殿柱，从帝欲避土，不肯出宫逊位。明日，当临轩，帝又逃宫内。敬则将舆入迎帝，启譬令出。帝拍敬则手曰："必无过虑，当饷辅国十万钱。"

【译文】

王敬则随从萧道成进入皇宫，来到承明门，门郎怀疑不是苍梧王回宫，王敬则怕被人识破，便用刀环把门旁墙上的小门堵上，厉声高喊开门。卫尉丞颜灵宝偷看发现萧道成的坐骑在门外，私下对亲近的人说："现在如果不开门让领军进来，天下将从此大乱。"宫门打开后，王敬则便紧跟萧道成进入殿上。天亮后，四贵（萧道成、袁粲、褚渊、刘秉）在殿上集会议事，王敬则拔出刀站在萧道成座椅旁跳着脚说："官家应当决断，看谁敢表示异议！"宋顺帝升明元年，王敬则升任员外散骑常侍、辅国将军、骁骑将军，兼领临淮太守，增赐封邑一千三百户，统领宫内宿卫兵事。

沈攸之叛乱事件发生后，晋升王敬则号称冠军将军。萧道成入守宫廷，袁粲起兵反叛的当天晚上，领军刘韫、直阁将军卜伯兴等在宫里做内应，已经戒严准备出发。这时王敬则打开宫门发起突然袭击，把刘韫、卜伯兴等全都杀掉。这次在宫廷里密谋的叛乱能够全被平息，靠的是王敬则的力量，提升王敬则做右卫将军，常侍官职不变。增赐封邑两千五百户，不久又追加五百户。又封王敬则长子王元迁做东乡侯，食邑三百七十户。齐朝建国后，王敬则做中领军。

萧道成将要受宋帝让位做皇帝之前，材官建议要更换太极殿的柱子，宋顺帝为避免动土不祥，不肯离开皇宫让出帝位。第二天临朝的时候，顺帝躲避逃进宫里。王敬则带人抬着竹轿进到宫里接顺帝，并且劝说让他出来。顺帝拍着王敬则的手说："如果没有发生我所担心的事，我将会赏赐给辅国将军你十万钱。"

建元元年，出为使持节、散骑常侍、都督南兖兖徐青冀五州军事、平北将军、南兖州刺史，封寻阳郡公，邑三千户。加敬则妻怀氏爵为寻阳国夫人。二年，进号安北将军。虏寇淮、泗，敬则恐，委镇还都，百姓皆惊散奔走，上以其功臣，不问，以为都官尚书、抚军。

寻迁使持节、散骑常侍、安东将军、吴兴太守。郡旧多剽掠，有十数岁小儿于路取遗物，杀之以徇，自此道不拾遗，郡无劫盗。又录得一偷，召其亲属于前鞭之，令偷身长扫街路，久之乃令偷举旧偷自代，诸偷恐为其所识，皆逃走，境内以清。出行，从市过，见屠肉枅，叹曰："吴兴昔无此枅，是我少时在此所作也。"

迁护军将军，常侍如故，以家为府。三年，以改葬去职，诏赠敬则母寻阳公国太夫人。改授侍中、抚军将军。太祖遗诏敬则以本官领丹阳尹。寻迁为使持节、散骑常侍、都督会稽东阳新安临海永嘉五郡军事、镇东将军、会稽太守。永明二年，给鼓吹一部。

**【译文】**

齐高帝建元元年，王敬则出任使持节、散骑常侍、都督南兖、徐、青、冀五州军事、平北将军、南兖州刺史，封为寻阳郡公，食邑三千户。加赐王敬则妻子怀氏爵号为寻阳国夫人。建元二年，晋升王敬则做安北将军。北魏入侵淮、泗地区，王敬则畏惧敌人，放弃镇守职责逃回京城，地方百姓全都惊慌奔走逃散，齐高帝因为他是功臣，没有加罪，用他做都官尚书、抚军。

不久转做使持节、散骑常侍、安东将军、吴兴太守。郡中原先多有强抢掠夺案件发生，有个十多岁的小孩在路上捡拾别人遗落的东西，被王敬则杀了示众，从此路不拾遗，郡无强盗。有一次逮到一个小偷，王敬则便召来他的亲属当面鞭挞，还命令小偷长期清扫街道，过了很久又命令他检举先前的小偷做他的替身，很多窃贼怕被他认出来，都外逃出走，境内由此清静。一次王敬则外出，从市场路过，看到肉铺里有挂秤的木杆，感叹说："吴兴原先没有这种木杆，这还是我青年时在这里制作的。"

王敬则转官做护军将军，常侍官职不变，他把自己的家当作办公的官署。三年，因为给母亲改葬离职，皇帝下诏赠赐王敬则母亲为寻阳公国太夫人。另授官侍中、抚军将军。齐高帝留下遗诏让王敬则按照原职身份兼做丹阳尹。不久转官做使持节、散骑常侍、都督会稽、东阳、新安、临海、永嘉五郡军事、镇东将军、会稽太守。齐武帝永明二年，赐给一部鼓吹乐队。

会土边带湖海，民丁无士庶皆保塘役，敬则以功力有余，悉评敛为钱，送台库以为便宜，上许之。竟陵王子良启曰：

伏寻三吴内地，国之关辅，百度所资。民庶凋流，日有困殆，蚕农罕获，饥寒尤甚，富者稍增其饶，贫者转钟其弊，可为痛心，难以辞尽。顷钱贵物贱，殆欲兼倍，凡在触类，莫不如兹。稼穑难劬，斛直数〔十〕，（今）机杼勤苦，匹裁三百。所以然者，实亦有由。年常岁调，既有定期，僮恤所上，咸是见直。东间钱多剪凿，鲜复完者，公家所受，必须员大，以两代一，困于所贸，鞭捶质系，益致无聊。

臣昔忝会稽，粗闲物俗，塘丁所上，本不入官。良由陂湖宜壅，桥路须通，均夫订直，民自为用。若甲分毁坏，则年一修改；若乙限坚完，则终岁无役。今郡通课此直，悉以还台，租赋之外，更生一调。致令塘路崩芜，湖源泄散，害民损政，实此为剧。

**【译文】**

会稽郡滨海多湖，民丁不分士庶全都负担保护修葺塘堰的劳役，王敬则认为这项事功和力役用不尽有剩余，便把力役折合成现钱加以征收敛取，把钱送进国库以供随时使用，皇帝诏准。竟陵王萧子良上书报告说：

我认为三吴地区，是国家京都的外围，各种开支用度全都依靠这个地区的赋税收入。这里民众日渐流徙减少，生产生活一天天更加困难，蚕桑农业很少有收成，饥寒状况更加严重，富人稍稍增收些财物，穷人接着就陷入困境，让人痛心的事，难于用言辞说尽。近来钱币增值物品价贱，几乎要达到成倍的差距，凡是钱和物相关的事，无不都是这种情况。农业生产艰难，一斛粮食才卖几十个钱，纺织更是勤苦，一匹布才值三百钱。所以出现这种状况，其实是有原因的。平时一年的税收，既有固定期限，雇佣童隶，全用现钱。东方五郡流通的钱币多半遭到剪削凿损，很少有完整的，公家收敛的钱币，必须又圆又大，民众得用两个钱顶一个钱，百姓陷进交换钱币的困扰之中。官府鞭挞逮捕押禁百姓，更加使百姓落到没有依靠的地步。

我过去曾经在会稽做官，大概熟悉这个地方的物产习俗，塘丁所交的役钱，原本并不上缴官府。实际是因为陂湖需要围堵，桥梁道路必须修通，民夫均摊一定的役钱，留在地方供给民事应用。如果甲处毁坏，那么每年就需要修筑；假如乙项工程坚固完好，那么这一年便没有力役之劳。如今郡里一概收敛这笔钱款，又全都送交国库，这等于在租税之外，又增加一种税收。这就造成了陂塘道路崩塌毁坏，湖水流泄散出，既扰害百姓又败坏了政事，这实在是太严重了。

建元初，狡虏游魂，军用殷广。浙东五郡，丁税一千，乃有质卖妻儿，以充此限，道路愁穷，不可闻见，所逋尚多，收上事绝，臣登其启闻。即蒙蠲原。而此年租课，三分逋一，明知徒足扰民，实自弊国。愚谓塘丁一条，宜还复旧，在所逋恤优量原除。凡应受钱，不限大小，仍令在所，折市布帛。若民有杂物，是军国所须者，听随价准直，不必（其）（一）应送钱，于分不亏其用，在私实荷其渥。

昔晋氏初迁，江左草创，绢布所直，十倍于今，赋调多少，因时增减。永初中，官布一匹，直钱一千，而民间所输，听为九百。渐及元嘉，物价转贱，私侧则束直六千，官受则匹准五百，所以每欲优民，必为降落。今入官好布，匹堪百余，其四民所送，犹依旧制。昔为刻上，今为刻下，氓庶空俭，岂不由之。

救民拯弊，莫过减赋。时和岁稔，尚尔虚乏，傥值水旱，宁可熟念。且西京炽强，实基三辅，东都全固，实赖三河，历代所同，古今一揆。石头以外，裁足自供府州，方山以东，深关朝廷根本。夫股肱要重，不可不恤。宜蒙宽政，少加优养。略其目前小利，取其长久大益，无患民赀不殷，国财不阜也。宗臣重寄，咸云利国，窃如愚管，未见可安。上不纳。

**【译文】**

建元初年，北方的强敌不断进犯侵扰，军费大量增加。浙东五郡，每丁抽税一千，竟造成有的人家典卖妻子儿女，用来完足这种税额，道路上随处可见陷入愁苦中的百姓，令人不忍听不忍看。民间逃税的很多，官府该收的租税已经断绝了来路，我当即启奏呈上，立刻得到免除抽税的命令。但是近年来的税租，有三分之一逃避不交，从表面上说这是白白地扰乱百姓，从事实上看这是损害国家。按我的意见塘丁一事，应当恢复原有的制度，所有逃避拖欠的租税，应当采取宽大的政策加以免除。凡是官府该收的现钱，不限多少，便可下令各地方，折价买成布匹。假如百姓有各种物品，凡是对军事或国家有用的，准许按市价定值抵税，不必完全缴纳现钱，这样对公家并不减少需用的物资，对私人实际上得到了宽惠。

当年东晋刚刚南迁时，江南地面才得到进一步开发，那时绢布的价钱，比现在高出十倍，国家赋调多少，随时加以调整增减。永初年间，官布一匹，价值一千，可是民间交来的，价格只算九百。等到元嘉年间，物品价格趋贱，私价十匹布值六千，官府收受反而一匹布只折价五百，所以每次想让惠给平民，最终还是降低了百姓的实惠。限令缴送官府的好布，每匹才百多个钱，但是四方民众需要缴纳的钱数，还是按照先前的旧价不变。过去是侵夺官府的利益，如今成为损害百姓的利益，百姓的贫穷困苦，难道不是由这种政策造成的？

解救民众挽回弊政，莫过于减轻赋税。即使时令调和年成丰收，百姓尚且贫乏空虚，一旦遭到水旱之灾，又怎么指望能有收获。何况西汉时期的强盛，完全靠三辅地区的物产，东汉时期的坚固，完全靠三河地面的物产，这是历代相同，古今一理。现在京城以外地区，租税收入才仅能满足供应本州本府的需要，方山以东地区，深深关系到朝廷的存亡。就像股肱是人体重要的部分一样，对会稽等郡不可不加以照顾调养。应该得到宽大的政策，稍稍加以优待。减少目前的小利，可以获得长远的大利，这样就不愁百姓的资财不富裕起来，国库的积财不充足。我是皇帝宗亲之臣受到国家的重托，所说的都应当是有利于国家的事，上面说的意见可能愚陋短浅，不见得妥当。齐武帝并没采纳这一意见。

三年，进号征东将军。宋广州刺史王翼之子妾路氏，刚暴，数杀婢，翼之子法明告敬则，敬则付山阴狱杀之，路氏家诉，为有司所奏，山阴令刘岱坐弃市刑。敬则入朝，上谓敬则曰：“人命至重，是谁下意杀之？都不启闻？”敬则曰：“是臣愚意。臣知何物科法，见背后有节，便言应得杀人。”刘岱亦引罪，上乃赦之。敬则免官，以公领郡。

明年，迁侍中、中军将军。寻与王俭俱即本号开府仪同三司，俭既固让，敬则亦不即受。七年，出为使持节、散骑常侍、都督豫州郢州之西阳司州之汝南二郡军事、征西大将军、豫州刺史，开府如故。进号骠骑。十一年，迁司空，常侍如故。世祖崩，遗诏改加侍中。高宗辅政，密有废立意，隆昌元年，出敬则为使持节、都督会稽东阳临海永嘉新安五郡军事、会稽太守，本官如故。海陵王立，进位太尉。

敬则名位虽达，不以富贵自遇，危拱傍遑，略不尝坐，接士庶皆吴语，而殷勤周悉。初为散骑使虏，于北馆种杨柳，后员外郎虞长耀北使还，敬则问："我昔种杨柳树，今若大小？"长耀曰："虏中以为甘棠。"敬则笑而不答。

【译文】

三年，王敬则进号做征东将军。宋朝广州刺史王翼之儿子的姬妾路氏，性格刚烈暴虐，多次杀死婢女，王翼之儿子王法明向王敬则告发此事，王敬则把路氏交付给山阴狱官杀掉，路氏家族起诉，被有关衙门上奏，山阴县令因此被判死刑。王敬则上朝时，齐武帝对他说："人命至关重要不得轻易处决，是谁决定杀路氏的？连这样的事都不启奏。"王敬则说："是我的愚见。我不知道什么是法律文件，看到身后有朝廷赐下的符节，我认为就有权力判决杀人。"刘岱也向上承认罪过，皇帝便赦免了他。王敬则被免官，以公爵身份担任郡守职务。

明年，转官做侍中、中军将军。不久与王俭一起根据原有官号加赐开府仪同三司，王俭既坚决辞让，王敬则也不肯接受。七年，出京做使持节、散骑常侍、都督豫州、郢州的西阳、司州的汝南两郡军事、征西大将军、豫州刺史，开府不变。又进号骠骑将军。十一年，转调做司空，常侍不变。齐武帝驾崩，遗诏另加官做侍中。明帝萧鸾当朝辅政，暗中有废立皇帝的意图。隆昌元年，放王敬则出京做使持节、都督会稽、东阳、临海、永嘉、新安五郡军事、会稽太守，原官不变。海陵王萧昭文立为皇帝时，进位做太尉。

王敬则的名号官位虽然显达，但是从来不自恃富贵，端庄恭谨不敢苟安，几乎不曾安然闲坐，接待士大夫和庶人全说当地吴语，而且殷勤周到。当初做散骑常侍时曾经出使北魏，在北方客馆亲手种过杨柳，后来员外郎虞长耀出使从北魏回来，王敬则问：“我当年种的杨柳树，如今多么大小？”虞长耀说：“北方人都把它当作召公种的甘棠树哩！”王敬则听了笑而不答。

世祖御座赋诗，敬则执纸曰：“臣几落此奴度内。”世祖问：“此何言？”敬则曰：“臣若知书，不过作尚书都令史耳，那得今日？”敬则虽不大识书，而性甚警黠，临州郡，令省事读辞，下教判决，皆不失理。

明帝即位，进大司马，增邑千户。台使拜授日，雨大洪注，敬则文武皆失色，一客在傍曰：“公由来如此，昔拜丹阳吴兴时亦然。”敬则大悦，曰：“我宿命应得雨。”乃列羽仪，备朝服，道引出听事拜受，意犹不自得，吐舌久之，至事竟。

帝既多杀害，敬则自以高、武旧臣，心怀忧恐。帝虽外厚其礼，而内相疑备，数访问敬则饮食体干堪宜，闻其衰老，且以居内地，故得少安。三年中，遣萧坦之将斋仗五百人，行武进陵。敬则诸子在都。忧怖无计。上知之，遣敬则世子仲雄入东安慰之。仲雄善弹琴，当时新绝。江左有蔡邕焦尾琴，在主衣库，上敕五日一给仲雄。仲雄于御前鼓琴作《懊侬曲歌》曰：“常叹负情侬，郎今果行许！”帝愈猜愧。

**【译文】**

武帝曾在宴席上和众臣一起作诗，王敬则拿着纸说：“我什么时候落进到这东西的圈子里。”武帝问：“这说的是什么？”王敬则说：“我假如知书识字，不过只能做个尚书都令史而已，哪里会有今天的地位。”王敬则虽然不大识字读书，但是禀性很精明聪慧，做州郡官时，让省事给他读公文，他下发告谕决断案件，全都不违背法令准则。

齐明帝即位后，进位做大司马，增加食邑一千户。朝廷使臣来授官那天，大雨倾盆，王敬则左右的文武官员都惊慌失色，一个门客在旁说：“您从来是这样，当年拜受丹阳、吴兴官职时也下这么大的雨。”王敬则非常高兴，说：“（看来是）我命中注定（受官时）会得雨。”于是排列开仪仗，穿好朝服，由随从引领出来到办事厅前行礼拜受官职，王敬则心里还是不自在，久久吐着舌头，直到仪式结束。

明帝杀害很多宗室大臣，王敬则认为自己是高帝、武帝的老臣，心里恐惧不安。明帝虽然在表面上对王敬则厚礼相待，其实内心里对他猜疑提防，多次打听王敬则的饮食和身体状况，听说王敬则衰老，况且就处在京城附近，因此多少有点放心。建武三年，明帝派萧坦之率领官仪仗兵五百人，巡视武进陵。当时王敬则的几个儿子在京城里，为王敬则担忧恐惧而没有办法。当明帝知道后，派王敬则长子王仲雄到东边去安慰王敬则。王仲雄善于弹琴，在当时新巧绝伦。江左有蔡邕的焦尾琴，收藏在宫内主衣库，皇帝下令每隔五天让王仲雄演奏一回。王仲雄在皇帝面前弹琴时曾唱过《懊侬曲歌》："常常叹息怕你对我负情，郎今天果然如此！"明帝更加猜忌不安。

永泰元年，帝疾，屡经危殆。以张瓌为平东将军、吴郡太守，置兵佐，密防敬则。内外传言当有异处分。敬则闻之，窃曰："东今有谁？只是欲平我耳！"诸子怖惧，第五子幼隆遣正员将军徐岳密以情告徐州行事谢朓为计，若同者，当往报敬则。朓执岳驰启之。敬则城局参军徐庶家在京口，其子密以报庶，庶以告敬则五官王公林。公林，敬则族子，常所委信。公林劝敬则急送启赐儿死，单舟星夜还都。敬则令司马张思祖草启，既而曰："若尔，诸郎在都，要应有信，且忍一夕。"其夜，呼僚佐文武樗蒲赌钱，谓众曰："卿诸人欲令我作何计？"莫敢先答。防阁丁兴怀曰："官只应作耳。"敬则不作声。明旦，召山阴令王询、台（侍）〔传〕御史钟离祖愿，敬则横刀跂坐，问询等："发丁可得几人？传库见有几钱物？"询答："县丁卒不可上。"祖愿称"传物多未输入"。敬则怒，将出斩之。王公林又谏敬则曰："官是事皆可悔，惟此事不可悔！官讵不更思！"敬则唾其面曰："小子！我作事，何关汝小子！"乃起兵。

上诏曰："谢朓启事腾徐岳列如右。王敬则禀质凶猾，本谢人纲。直以宋季多艰，颇有膂力之用，驱奖所至，遂升荣显。皇连肇基，预闻末议，功非匡国，赏实震主。爵冠执珪，身登衣衮，固以《风》《雅》作刺，缙绅侧目。而溪谷易盈，鸱枭难改，猜心内骇，丑辞外布。永明之朝，履霜有渐，隆昌之世，坚冰将著，从容附会，朕有力焉。及景历惟新，推诚尽礼，中使相望，轩冕成阴。乃嫌迹愈兴，祸图兹构，收合亡命，结党聚群，外候边警，内伺国隙。元迁兄弟，中萃渊薮，奸契潜通，将谋窃发。朓即姻家，岳又邑子，取据匪他，昭然以信。方、邵之美未闻，韩、彭之衅已积。此而可容，孰寄刑典！便可即遣收掩，肃明国宪。大辟所加，其父子而已；凡诸诖误，一从荡涤。”收敬则子员外郎世雄、记室参军季哲、太子洗马幼隆、太子舍人少安等，于宅杀之。长子黄门郎元迁，为宁朔将军，领千人于徐州击虏，敕徐州刺史徐玄庆杀之。

【译文】

永泰元年，明帝病重，多次病危。这时用张瓌做平东将军、吴郡太守，设置兵佐，严密防备王敬则。京城内外谣传将有非常的行动。王敬则听到消息后，私下说：“如今东边还有谁？只是想要削平我罢了。”他的几个儿子也十分恐惧忧虑，第五子王幼隆派正员将军徐岳把情况秘密报告给徐州行事谢朓寻求对策，假如意见相同，将去向王敬则报告。谢朓抓住徐岳并火速向皇帝告发。王敬则成局参军徐庶的家在京口，他儿子把情况秘密报告给徐庶，徐庶把情况转告给王敬则的五官王公林。王公林是王敬则同族兄弟的儿子，常受到王敬则的重用和信任。王公林劝王敬则赶快向皇帝启奏请求把王幼隆赐死，派一条快船连夜进京。王敬则让司马张思祖草拟奏书，然后又说：“假如事情是这么严重，我儿子在京里，总会派人来的，暂且再忍一夜。”当晚，王敬则召呼文武僚佐在一起赌博，王敬则这时对众人说：“你们诸位打算让我采取什么对策？”没有人敢首先回答。防阁丁兴怀说：“官家应当有所作为！”王敬则不作声。第二天一早，召来山阴令王询、台传御史钟离祖愿，王敬则横刀垂脚坐着，问王询等说：“征召壮丁能有多少人？府库里现存多少钱财物资？”王询说：“县里的丁卒不能抽调上来。”祖愿说：“府库里的财物多半还没有收缴上来。”王敬则大怒，将要把这两个人推出去杀掉。王公林又劝王敬则说：“官家所有的事都可以反悔，唯独我说的事不能反悔；官家难道不再往深里想一想吗？”王敬则唾他的脸，发怒说：“小子！我做事，跟你小子有什么关系！”于是王敬则起兵造反。

明帝下诏书说："谢朓启奏的徐岳的罪状开列在右边。王敬则生性凶残狡猾，根本违背了做人臣的纲纪。只是因为刘宋末年时局多难，很需要武人出力，他得到朝廷的重用和嘉奖，由此才升做荣耀显赫的高官。本朝开始创立基业，他参与过朝廷中一些事情的议论，并没有辅助国家的功勋，他受到的奖赏过高过重反而构成了对君主的威胁。他的爵位是最高等的，身穿三公的衮服，本来风雅人士中对这类武夫就有所讥刺，朝中大臣更是对他怒目而视。但是山溪河谷容易填满，他鸱枭一般的本性难改，内里引起了猜忌之心，外边露出了丑恶的话。永明年间，危害朝廷的事迹已经有了开始，隆昌年间，更严重的威胁便已显现，安心地对他加以保护，我是尽了大力的。当新的年代开始，我对他推诚尽礼，派去的使臣不断，他父子为官轩冕遮天。然而怨恨朝廷的表现越来越多，从此图谋作乱祸国，收集亡命之徒，结党聚众，对外等候边境上的骚动，对内窥伺朝廷的空子。王元迁兄弟，会集在京城里成为罪恶的渊薮，暗中交通谋划奸计，打算秘密起事发难。谢朓是他的姻家女婿，徐岳是他同邑人的儿子。所获得的证据不是其他，而是明显地可以使人相信。对国家没听说有像方叔、邵公那样建功辅国的美德，却如同韩信、彭越一样对朝廷怀有深仇大恨。这种罪过如果可以容忍，那么还有谁该受刑律的处罚！现在就该立刻派人收捕，严肃明正国法。处死刑的，只是王敬则父子而已；凡是一时有错误受到牵连的，一概从轻免除刑罚。"逮捕了王敬则的儿子员外郎王世雄、记室参军王季哲、太子洗马王幼隆、太子舍人王少安等，全把他们在家里杀掉。长子黄门郎王元迁，任宁朔将军，带领一千人在徐州同外敌作战，下令徐州刺史徐玄庆把他杀掉。

敬则招集配衣，二三日便发，欲劫前中书令何胤还为尚书令，长史王弄璋、司马张思祖止之。乃率实甲万人过浙江，谓思祖曰："应须作檄。"思祖曰："公今自还朝，何用作此。"敬则乃止。

朝廷遣辅国将军前军司马左兴盛、后军将军直阁将军崔恭祖、辅国将国刘山阳、龙骧将军直阁将军马军主胡松三千余人，筑垒于曲阿长冈，右仆射沈文季为持节都督，屯湖头，备京口路。

敬则〔以〕旧将举事，百姓担篙荷锸随逐之，十余万众。至晋陵，南沙人范修化杀县令公上延孙以应之。敬则至武进陵口，恸哭乘肩举而前。遇兴盛、山阳二砦，尽力攻之。兴盛使军人遥告敬则曰："公儿死已尽，公持许底作？"官军不敌欲退，而围不开，各死战。胡松领马军突其后，白丁无器仗，皆惊散，敬则军大败。敬则索马，再上不得上，兴盛军（客）〔容〕袁文旷斩之，传首。是时上疾已笃，敬则仓卒东起，朝廷震惧。东昏侯在东宫，议欲叛，使人上屋望，见征虏亭失火，谓敬则至，急装欲走。有告敬则者，敬则曰："檀公三十六策，走是上计。汝父子唯应急走耳。"敬则之来，声势甚盛，裁少日而败，时年七十余。

封左兴盛新吴县男，崔恭祖遂兴县男，刘山阳湘阴县男，胡松沙阳县男，各四百户，赏平敬则也。又赠公上延孙为射声校尉。

【译文】

王敬则起事时召集兵众分配衣甲，两三天后便出发，他打算劫持前中书令何胤复职做尚书令，长史王弄璋、司马张思祖阻止王敬则这样做。于是带领甲士一万人渡过浙江，王敬则对张思祖说："应该作一篇檄文。"张思祖说："如今您亲自回朝，作檄文有什么用。"王敬则同意不作了。

朝廷派遣辅国将军前军司马左兴盛、后军将军直阁将军崔恭祖、辅国将军刘山阳、龙骧将军直阁将军马军主胡松三千多人，在曲阿、长冈修筑营垒，右仆射沈文季做持节都督，驻军湖头，警戒去京口的道路。

王敬则带领旧日部将起事，百姓都扛着船篙、铁锹跟随着他，有十多万人。到晋陵，南沙人范修化杀掉县令公上延孙来响应王敬则。王敬则走到武进陵口，伤心痛哭乘着竹轿子前进。遇到左兴盛、刘山阳筑的两道木栅，尽力攻击。左兴盛让军人远远喊话告诉王敬则说："你的儿子全都死净了，你还拿什么作战？"官军不敌，打算退却，可是王敬则的包围严密，冲突不开，双方各自拼力死战。这时胡松带领骑兵突袭王敬则军队的背后，随从作战的百姓没有兵器，都惊慌逃散，王敬则军大败。王敬则要来战马，上两次都没上去，左兴盛的军容袁文旷杀了王敬则，把头传送到京城。这时齐明帝已经病危，王敬则突然在东方起兵，朝廷震惊恐惧。东昏侯萧宝卷在东宫，商议准备叛乱，派人登上屋顶观望，看到征虏亭着火，说是王敬则来到，急忙整装准备逃走。有人向王敬则报告，王敬则说：“檀道济有三十六计，逃跑是上计。你们萧家父子只有赶快逃跑这一条路了。”王敬则的到来，队伍声势很大，只有几天便失败了，当时王敬则已经七十多岁。

事后封左兴盛为吴县男爵，崔恭祖为遂兴县男爵，刘山阳为湘阴县男爵，胡松为沙阳县男爵，各封食邑四百户，是奖赏平定王敬则的功劳的。又赠赐公上延孙做射声校尉。

# 刘瓛列传

刘瓛字子圭，沛国相人，晋丹阳尹惔六世孙也。祖弘之，给事中。父惠，治书御史。

瓛初州辟祭酒主簿。宋大明四年，举秀才，兄璲亦有名，先应州举，至是别驾东海王元曾与瓛父惠书曰："比岁贤子充秀，州闾可谓得人。"除奉朝请，不就。

少笃学，博通《五经》。聚徒教授，常有数十人。丹阳尹袁粲于后堂夜集，瓛在座，粲指庭中柳树谓瓛曰："人谓此是刘尹时树，每想高风；今复见卿清德，可谓不衰矣。"荐为秘书郎，不见用。除邵陵王郡主簿，安陆王国常侍，安成王抚军行参军，公事免。瓛素无宦情，自此不复仕。除车骑行参军，南彭城郡丞，尚书祠部郎，并不拜。袁粲诛，瓛微服往哭，并致赙助。

【译文】

刘瓛字子圭，沛国相人，晋丹阳尹刘惔的六代孙。他的祖父刘弘之，官至给事中，父亲刘惠，累官至治书御史。

刘瓛起先被州刺史举为祭酒主簿，宋大明四年，举为秀才。他的哥哥刘璲也很有名，先应州举，为秀才。至此，州别驾东海人王元曾给刘瓛的父亲刘惠的书信说："贤子连年充举秀才，本州闾里可称得人。"朝廷除官奉朝请，不曾就职。

刘瓛少年时笃好儒学，于是博通五经。招收生徒讲授，常有数十人。丹阳尹袁粲在后堂举行晚宴，刘瓛也在座，袁粲指着庭院中的柳树对刘瓛说："人们传说这棵树是您的六世祖刘尹所栽，常思念他的高风亮节；今又见您清德关行，可以说不减当年了。"举荐刘瓛为秘书郎，未被朝廷任用。先后除拜邵陵王的郡主簿，安陆王的国常侍，安成王的抚军行参军，因公事被免职。刘瓛本来就没有做官的愿望，从此就不再出仕。朝廷先后除车骑行参军、南彭城郡丞、尚书祠部郎，都不曾就职。后来袁粲被杀，刘瓛身穿平民服装前往哭灵，并赠给送葬和抚恤的财物。

太祖践阼，召瓛入华林园谈语，谓瓛曰："吾应天革命，物议以为何如？"瓛对曰："陛下诫前轨之失，加之以宽厚，虽危可安；若循其覆辙，虽安必危矣。"既出，帝顾谓司徒褚渊曰："方直乃尔！学士故自过人。"敕瓛使数人，而瓛自非诏见，未尝到宫门。

上欲用瓛为中书郎，使吏部尚书何戢喻旨。戢谓瓛曰："上意欲以凤池相处，恨君资轻，可且就前除，少日当转国子博士，便即后授。"瓛曰："平生无荣进意，今闻得中书郎而拜，岂本心哉！"后以母老阙养，重拜彭城郡丞。谓司徒褚渊曰："自省无廊庙之才，所愿唯保彭城丞耳。"上又以瓛兼总明观祭酒，除豫章王骠骑记室参军，丞如故，瓛终不就。武陵王晔为会稽太守，上欲令瓛为晔讲，除会稽郡丞，学徒从之者转众。

永明初，竟陵王子良请为征北司徒记室。瓛与张融王思远书曰："奉教使恭召，会当停公事，但念生平素抱，有乖恩顾。吾性拙人闲，不习仕进，昔尝为行佐，便以不能及公事免黜，此皆眷者所共知也。量己审分，不敢期荣。夙婴贫困，加以疏懒，衣裳容发，有足骇者。中以亲老供养，褰裳徒步，脱尔退今，二代一纪。先朝使其更自修正，勉厉于阶级之次，见其褴褛，或复赐以衣裳，袁、褚诸公咸加劝励，终不能自反也。一不复为，安可重为哉？昔人有以冠一免不重加于首，每谓此得进止之仪。古者以贤制爵，或有秩满而辞老，以庸制禄，或有（徐令上文长）〔身病而求归〕者，永瞻前良，在己何若。又上下年尊，益不顾居官次，废晨昏也。先朝为此，曲申从许，故得连年不拜荣授，而带帖薄禄。既习此岁久，又齿长疾侵，岂宜摄斋河间之听，厕迹东平之僚？本无绝俗之操，亦非能偃蹇为高，此又诸贤所当深察者也。近奉初教，便自希得托迹于客游之末，而固辞荣级，其故何耶？以古之王侯大人，或以此延四方之士，甚美者则有辐凑燕路，慕君王之义，骧镳魏阙，高公子之仁，继有追申、白而入楚，羡邹枚而游梁，吾非敢叨夫曩贤，庶欲从九九之遗踪。既于闻道集泮不殊，而幸无职司拘碍，可得奉温清，展私计，志在此尔。"除步兵校尉，并不拜。

【译文】

齐太祖萧道成称帝，宣召刘瓛进华林园中谈话，对他说："我响应天意改朝换代，人们如何评论此事？"刘瓛回答说："陛下惩戒前朝的失误，再加上宽厚，虽然危险也可转化为平安，如果重蹈前代的覆辙，就是平安也会变得危险。"刘瓛退出，太祖对司徒褚渊说："他竟然这么方正直率，这正是学士超过常人之处。"敕令刘瓛可常进宫中，但刘瓛如果不是皇帝召见，不曾到达宫门。

皇上打算让刘瓛担任中书郎，派吏部尚书何戢宣喻旨意。何戢对刘瓛说："皇上想让你居官凤凰池，遗憾您的资历轻浅，可暂且就任前职，过些天当转为国子博士，然后再授任后职。"刘瓛说："我平素没有荣显进取之心，如今听说得为中书郎而拜受，这难道是我的本心吗？"后因母亲年迈需人孝养，再拜彭城郡丞。他对司徒褚渊说："自我省察没有廊庙之才，所希望的只是保有彭城丞罢了！"皇上又要刘瓛兼任总明观祭酒，除豫章王骠骑记室参军，依旧保留郡丞，刘瓛终究不肯接受。武陵王萧晔当时为会稽太守，皇上想让刘瓛为萧晔讲经。除任会稽郡丞，跟随他的学生日益增多。

永明初年，竟陵王萧子良请刘瓛为征北司徒记室。刘瓛给张融、王思远的书信说："奉教使恭敬召请，应当停办公事。但思念平生的抱负，与恩顾有所乖异。我本性拙于人世事务，不习惯仕进，往昔曾经担任行佐，便因无能及公事被罢免废黜，这都是眷顾者所周知的。衡量审视自己的天分，不敢希冀荣显。平素为贫困所系绕，再加上疏懒，不修边幅，衣服容颜和头发，足以让人惊异。中间因为双亲年迈需要供养，揭起衣裳徒步行走，简慢轻率之习惯，至今已有两代十二年。先朝让再自我修正，用官秩阶次相勉励，见我穿着褴褛，有时还赏赐衣裳，袁粲、褚渊诸公都加以规劝勉励，但仍不能自改。一次不能行，怎么能再来第二次呢？前人有'冠一免就不重加于首'的说法，常以为这符合进退的法度。古人以贤设爵，也有秩满而以年老辞退的，以功赐禄，也有患病而请求回家的。瞻视前贤的事例，自身又如何呢？加上父母年迈，更不愿因居官位，废除早晚的请安探视。因此前朝曲从我的申述，能够连年不拜荣显的官职，而兼领薄禄。这种习惯年月已久，加上年长患病，怎适宜升登河间王的厅堂，厕身于东平王的僚属？我没有与世俗隔绝的节操，也不以傲慢为高尚。这又是诸贤应当深察的。近期奉初次下教，自己便希望能托形迹在游客的末位，而又坚决辞去荣显的职级，其原因何在呢？因为古代的王侯大人，多以此延揽四方的士人，最美的则有聚集在通往燕国之路途，以仰慕君王的高义；奔驰于魏国的朝门，以高尚公子的仁德。继而有追随申公、白公而入楚，羡慕邹阳、枚乘而游梁，我不敢忝承前贤，希望跟随九九的遗踪。既和闻道入学没有区别，而庆幸没有职司的拘束和妨碍，可以侍奉父母，嘘寒问暖，施展私人的计划，我的心志就在于此。”后除步兵校尉，都未拜受。

瓛姿状纤小，儒学冠于当时，京师士子贵游莫不下席受业。性谦率通美，不以高名自居。游诣故人，惟一门生持胡床随后，主人未通，便坐问答。住在檀桥，瓦屋数闲，上皆穿漏。学徒敬慕，不敢指斥，呼为青溪焉。竟陵王子良亲往修谒。七年，表世祖为瓛立馆，以扬烈桥故主第给之，生徒皆贺。瓛曰：“室美为人灾，此华宇岂吾宅邪？幸可诏作讲堂，犹恐见害也。”未及徙居，遇病，子良遣从瓛学者彭城刘绘、从阳范缜将厨于瓛宅营斋。及卒，门人受学〔者〕并吊服临送。时年五十六。

瓛有至性，祖母病疽经年，手持膏药，渍指为烂。母孔氏甚严明，谓亲戚曰：“阿称便是今世曾子。”阿称，瓛小名也。年四十余，未有婚对。建元中，太祖与司徒褚渊为瓛娶王氏女。王氏椓壁挂履，土落孔氏床上，孔氏不悦，瓛即出其妻。及居父丧，不出庐，足为之屈，杖不能起。今上天监元年，下诏为瓛立碑，谥曰贞简先生。所著文集，皆是《礼》义，行于世。

初，瓛讲《月令》毕，谓学生严植曰：“江左以来，阴阳律数之学废矣。吾今讲此，曾不得其仿佛。”时济阳蔡仲熊礼学博闻，谓人曰：“凡钟律在南，不容复得调平。昔五音金石，本在中土；今既来南，土气偏陂，音律乖爽。”〔瓛亦以为然〕。仲熊历安西记室，尚书左丞。

**【译文】**

刘瓛身材瘦小，儒学为当时之冠，京城的士子贵族无不下席听受学业。他秉性谦虚直率通达，不以有盛名自居。拜访故旧，只让一个门生手持胡床跟随身后，主人尚未到，便坐下问答。他家住在檀桥，有瓦房数间，房顶都穿透漏雨。学生尊敬仰慕，不敢明言，称作青溪。竟陵王萧子良亲自前往送束脩谒见。永明七年，上表世祖为刘瓛立学馆，以扬烈桥故主府第给他，生徒都向他祝贺。刘瓛说："房室华美是人的灾害，这样华美的房子难道是我的住宅吗？幸亏诏令作为讲堂，我还怕被累害呢！"未来得及迁居，遇疾病，萧子良派遣跟随刘瓛学习的彭城人刘绘、从阳人范缜带炊具在刘瓛住宅准备斋饭。待刘瓛去世，门人和听他讲学的都吊唁服丧哭灵送葬。享年五十六岁。

刘瓛有纯厚的性情，祖母生毒疮一年多，他手拿膏药，手指被溃烂。母亲孔氏十分严明，对亲戚说："阿称便是当代的曾子。"阿称是刘瓛的小名。他年龄四十多岁时，尚未婚配。建元年间，太祖和司徒褚渊为他娶了王家的女儿。王氏在墙上钉钉子挂鞋子，土落到孔氏床上，孔氏不高兴，刘瓛就将王氏休出。待到为父亲服丧，不出墓庐，脚因此弯曲，拄杖才能站起。当今皇上天监元年，下诏书为刘瓛立碑，谥号贞简先生。所著的文集，都是关于《礼》的经义，流传于世。

起初，刘瓛讲完《月令》，对学生严植说："王室自迁江南以来，阴阳律数之学废而不传。我今天讲这些，不曾得它约略的形迹。"当时济阳人蔡仲熊礼学博洽，对人说："凡钟律在江南，不可能再调平。过去五音金石，本来在中原，今既已南来，土气偏潮湿，音律出现差错。"刘瓛也认为是如此。蔡仲熊历任安西记室，尚书左丞。

瓛弟琎。

琎字子璥。方轨正直。宋泰豫中，为明帝挽郎。举秀才，建平王景素征北主簿，深见礼遇。邵陵王征虏安南行参军。建元初，为武陵王晔冠军征虏参军。晔与僚佐饮，自割鹅炙。琎曰："应刃落俎，膳夫之事，殿下亲执鸾刀，下官未敢安席。"因起请退。与友人孔澈同舟入东，澈留目观岸上女子，琎举席自隔，不复同坐。豫章王太尉板行佐。兄瓛夜隔壁呼琎共语，琎不答，方下床著衣立，然后应。瓛问其久，琎曰："向束带未竟。"其立操如此。文惠太子召琎入侍东宫，每上事，辄削草。寻署中兵，兼记室参军、大司马军事、射声校尉，卒官。

【译文】

刘瓛的弟弟刘琎。

刘琎字子璥。行为方正直率而有遵循。宋泰豫年间，任明帝挽郎。被举为秀才，迁建平王刘景素的征北主簿，深受礼遇。转邵陵王的征虏安南行参军。建元初年，任武陵王萧晔的冠军征虏参军。萧晔和僚佐宴饮，亲自动手割烤鹅肉。刘琎说："操刀切割，是膳夫的事，殿下亲手执鸾刀，下官不敢在席上安坐。"于是起身请求退席。和友人孔澈同舟东行，孔澈注目观看岸上的女子，刘琎举起席子自我隔离，不再和他同坐。豫章王太尉辟为行佐。哥哥刘瓛夜晚在隔壁呼唤刘琎共同谈话，刘琎不马上答应，待下床穿好衣服站立，才答应。刘瓛问他为何这么长时间不答应，他说："刚才衣带还没有束好。"他的立身操行就是这样。文惠太子召刘琎进东宫侍侯，每次上书言事，常毁灭草稿，以示缜密。不久署任中兵，兼记室参军、大司马军事、射声校尉，病死在任所。

# 祖冲之传

祖冲之字文远，范阳遒人也。祖昌，宋大匠卿。父朔之，奉朝请。

冲之少稽古，有机思。宋孝武使直华林学省，赐宅宇车服。解褐南徐州迎从事，公府参军。

**【译文】**

祖冲之字文远，范阳郡遒县人。祖父名昌，在刘宋时担任过大匠卿。父亲名朔之，做一散官奉朝请。

冲之少年时代就研习古事，思想机敏。刘宗孝武帝把他安排在华林园省察工作，赐给他住宅、车马和衣物。又派他到南徐州任从事史，走上仕途，后来被调回中央任公府参军。

宋元嘉中，用何承天所制历，比古十一家为密，冲之以为尚疏，乃更造新法。上表曰：

臣博访前坟，远稽昔典，五帝躔次，三王交分，《春秋》朔气，《纪年》薄食，谈、迁载述，彪、固列志，魏世注历，晋代《起居》，探异今古，观要华戎。书契以降，二千余稔，日月离会之征，星度疏密之验。专功耽思咸可得而言也。加以亲量圭尺，躬察仪漏，目尽毫厘，心穷筹策，考课推移，又曲备其详矣。

然而古历疏舛，类不精密，群氏纠纷，莫审其会。寻何承天所上，意存改革，而置法简略，今已乖远。以臣校之，三睹厥谬，日月所在，差觉三度，二至晷影，几失一日，五星见伏，至差四旬，留逆进退，或移两宿。分至失实，则节闰非正；宿度违天，则伺察无准。

**【译文】**

刘宋元嘉时，所使用的历法是何承天所制的《元嘉历》，比古代十一家的历法都要精密，可祖冲之还是认为粗疏，于是更造新的历法。给皇帝上奏说：

我广泛搜访前人的书籍，深入研究古代经典，五帝时的躔次，三王时的交分，《春秋》中的气朔，《竹书纪年》中的薄食，司马谈、司马迁的载述，班彪、班固的列志，曹魏时的注历，晋代的《起居注》，以寻求古今的不同，考察并总结了各民族的历法。自有文字以来，两千多年，日、月相离相会的迹象，五星行度疏密之验证。我是专门下功夫入迷似的思考，都是能够得到而可讲述的。特别是自己测量圭尺，亲自观察仪器和计时器漏，眼睛完全看到毫厘小数，心中进行计算，考察变迁，这就深入掌握了它历法的详情了。

然而古代历法粗疏错误，大都不够精密，各家互相矛盾，他们未能研究出对它的理解。得到何承天所献上的历法，他愿望是要改革，可是设置的法则简略，现在已经差远了。根据我的校验，看到它的三个错误：日月所在位置，发觉其差误有三度；冬至、夏至晷影长度几乎失误一天；五星见伏的日期，误差达到四十天，留逆进退，有的推移了两个星宿。春秋分夏至失去真实，则节气置闰就不正确；宿度不与天象实际相符，则等候观察就无准。

臣生属圣辰，询逮在运，敢率愚瞽，更创新历。谨立改易之意有二，设法之情有三。改易者一：以旧法一章，十九岁有七闰，闰数为多，经二百年辄差一日。节闰既移，则应改法，历纪屡迁，实由此条。今改章法三百九十一年有一百四十四闰，令却合周、汉，则将来永用，无复差动。其二：以《尧典》云“日短星昴，以正仲冬”。以此推之，唐尧世冬至日，在今宿之左五十许度。汉代之初，即用秦历，冬至日在牵牛六度。汉武改立《太初历》，冬至日在牛初。后汉四分法，冬至日在斗二十二。晋世姜岌以月蚀检日，知冬至在斗十七。今参以中星，课以食望，冬至之日，在斗十一。通而计之，未盈百载，所差二度。旧法并令冬至日有定处，天数既差，则七曜宿度，渐与舛讹。乖谬既著，辄应改易。仅合一时，莫能通远。迁革不已，又由此条。今令冬至所在岁岁微差，却检汉注，并皆审密，将来久用，无烦屡改。又设法者，其一：以子为辰首，位在正北，爻应初九升气之端，虚为北方列宿之中。元气肇初，宜在此次。前儒虞喜，备论其义。今历上元日度，发自虚一。其二：以日辰之号，甲子为先，历法设元，应在此岁。而黄帝以来，世代所用，凡十一历，上元之岁，莫值此名。今历上元岁在甲子。其三：以上元之岁，历中众条，并应以此为始。而《景初历》交会迟疾，元首有差。又承天法，日月五星，各自有元，交会迟疾，亦并置差，裁得朔气合而已，条序纷错，不及古意。今设法日月五纬交会迟疾，悉以上元岁首为始，群流共源，庶无乖误。

若夫测以定形，据以实效。悬象著明，尺表之验可推；动气幽微，寸管之候不忒。今臣所立，易以取信。但综核始终，大存缓密，革新变旧，有约有繁。用约之条，理不自惧，用繁之意，顾非谬然。何者？夫纪闰参差，数各有分，分之为体，非不细密，臣是用深惜毫厘，以求全妙之准，不辞积累，以成永定之制，非为思而莫知，悟而弗改也。若所上万一可采，伏愿颁宣群司，赐垂详究。

**【译文】**

我生逢圣明的时候，又赶上好运气，敢于直率愚盲，再次创造新的历法。谨慎建立改变的思想有二，设置法则的情况有三。改变的第一点：按旧法一章，为十九年设有七闰，闰数多了，经过二百年就差一天。节气置闰既然变动，则相应改变闰法，日月运行轨道的分纪就屡次迁改，是由于这一条。现在改章法为三百九十一年设有一百四十四闰，令其往前符合周代、汉代，那么将来就能永远使用，不会再出现差误变动。第二点：根据《尚书·尧典》所说“日短星昴，以正仲冬”。以此推之唐尧之世的冬至日，在现在星宿之左边差不多五十度。汉代初期，仍用秦代历法，冬至日在牵牛六度。汉武帝改革建立《太初历》，冬至日在牵牛初度。后汉的四分历，冬至日在斗宿二十二度。晋代的姜岌用月食检验日之所在，知道冬至日在斗宿十七之日，在斗宿十一度。通而计之，不满一百年，就差了二度。旧法都令冬至日有固定位置，天文数据既然差错，则日月五星的宿度，就逐渐出现错误。乖谬既然显著就相应改变。这样做只能符合一时，而不能通行长久。改来改去不停，又是由于这条。现在使冬至所在位置岁岁微差，回过头检验汉代历注，都很审密，将来永久施用，不必烦劳屡次修改。还有设置法则，其一，以子时为时辰之首，（从方向来说）子位在正北，卦爻应在初九为升气的开始，虚的北方七宿之中宿。元气的发端，应当在这个“次”。前代学者虞喜，详细讨论了其意义。我的历法上元度日，发端于虚宿。其二，用日辰之号子，甲子日为前导，历法设起算年（上元），应当在此年。但是黄帝以来，世代所用，总共有十一种历法，“上元”之年，没有相当于这个名称的。我的历法上元那年在甲子。其三，以上元之年，历法中的众多条款，都应以此为（计算的）起点。可是《景初历》的交会迟疾，历元的开始参差不齐。又如何承天的历法，日月五星，各自有各自的历元，交食迟疾，也都设置不同起点，剪裁使得朔气相合而已，条件次序纷繁错误，未达到古代的意境。现在设法使日月五星交会迟疾，都是以上元岁首为起点，众多支流有共同的源泉，大多没有错误。

如果对定形进行测量，就能得到真实效果。悬挂的星象显著明亮，用天表等仪器测验可以推算，变动的气虽不明显而微弱，可用径寸的竹管候测不会有差错。现在我所建立的，容易使人取信。但是综合研究始终，大多存在不精密，革新变旧，有简有繁。用简的条款，道理上不必自我恐惧；用较繁的意思，不过不是谬误。为什么？就是记闰不整齐，数据各有分数，把分数作为主体，并非不细密，我这样做是特别珍惜毫厘之类的小数，以完成求解出美妙之则，不去掉累积，以成就永久固定的著述，不是经思考而不知道，也不是明白了还不改。如果所献上的历法万一可以采用，我愿意由皇帝向各部门宣传，给予详细考究。

事奏。孝武令朝士善历者难之，不能屈。会帝崩，不施行。出为娄县令，谒者仆射。

初，宋孝武平关中，得姚兴指南车，有外形而无机巧，每行，使人于内转之。升明中，太祖辅政，使冲之追修古法。冲之改造铜机，圆转不穷，而司方如一，马钧以来未有也。时有北人索驭麟者，亦云能造指南车，太祖使与冲之各造，使于乐游苑对共校试，而颇有差僻，乃焚毁之。永明中，竟陵王子良好古，冲之造欹器献之。

文惠太子在东宫，见冲之历法，启世祖施行，文惠寻薨，事又寝。

转长水校尉，领本职。冲之造《安边论》，欲开屯田，广农殖。建武中，明帝使冲之巡行四方，兴造大业，可以利百姓者，会连有军事，事竟不行。

冲之解钟律，博塞当时独绝，莫能对者。以诸葛亮有木牛流马，乃造一器，不因风水，施机自运，不劳人力。又造千里船，于新亭江试之，日行百余里。于乐游苑造水碓磨，世祖亲自临视。又特善算。永元二年，冲之卒。年七十二。著《易》、《老》、《庄》义，释《论语》、《孝经》，注《九章》，造《缀术》数十篇。

**【译文】**

上报到皇帝。孝武帝让朝廷的官员们中懂得历法的人提出质难，都不能使他屈服。赶上孝武帝死后未能施行。派祖冲之出去担任娄县令，又调回任谒者仆射。

缴获后秦姚兴时制作的指南车，有外部形状而没有机巧，每当行走，使人在车内旋转指向。到宋升明时，齐太祖肖道成辅佐朝政，使祖冲之按古代的理论建造指南车。祖冲之改用铜制机械，圆转不穷，而指示方向保持不变，是三国时马钧以来所没有的。当时有一位北方人索驭麟，也说能制造指南车，肖道成就让他与祖冲之各造一辆，让他们在京城的乐游苑相对同时进行校对试验，结果索驭麟的颇有偏差，于是折毁烧掉了。齐永明（483—493）中，竟陵王肖子良爱好古物，祖冲之制造了一件欹器献给他。

文惠太子肖长懋在东宫，看到了祖冲之的历法，启奏给齐武帝施行，文惠太子不久死去，事情又被搁置。祖冲之转任长水校尉，领本职。他写作《安边论》奏章，建议开屯田，发展农殖。齐建武（494—498）中，明帝肖鸾派祖冲之巡行四方，兴造大业，可以有利于百姓的恰好连年有战争，事情终究没有实行。

祖冲之懂得乐律学，博塞游戏当时独绝，没有能和他匹敌的。他认为诸葛亮有木牛流马，于是制造一件器械，不依靠风、水，施用机关能自己运行，不靠人力。又造千里船，在长江的新亭江段试验，一日能走一百多里。在乐游苑造水碓磨，齐世祖即武帝亲自到场观看。又特别精通数学。永元二年，祖冲之去世，终年七十二岁。著《易经》、《老子》、《庄子》义，注释《论语》、《孝经》，注解《九章算术》，著《缀术》数十篇。

〔梁书〕

# 曹景宗列传

曹景宗字子震，新野人也。父欣之，为宋将，位至征虏将军、徐州刺史。

景宗幼善骑射，好畋猎，常与少年数十人泽中逐獐鹿，每众骑赴鹿，鹿马相乱，景宗于众中射之，人皆惧中马足，鹿应弦辄毙，以此为乐。未弱冠，欣之于新野遣出州，以匹马将数人，于中路卒逢蛮贼数百围之。景宗带百余箭，乃驰骑四射，每箭杀一蛮，蛮遂散走，因是以胆勇知名。颇爱史书，每读穰苴、乐毅传，辄放卷叹息曰："丈夫当如是！"辟西曹不就。宋元徽中，随父出京师，为奉朝请、员外，迁尚书左民郎。寻以父忧去职，还乡里。服阕，刺史萧赤斧板为冠军中兵参军，领天水太守。

时建元初，蛮寇群动，景宗东西讨击，多所擒破。齐鄱阳王锵为雍州，复以为征虏中兵参军，带冯翊太守，督岘南诸军事，除屯骑校尉。少兴州里张道门厚善。道门，齐车骑将军敬儿少子也，为武陵太守。敬儿诛，道门于郡伏法，亲属故吏莫敢收，景宗自襄阳遣人船到武陵，收其尸骸，迎还殡葬，乡里以此义之。

**【译文】**

曹景宗字子震，新野人。父亲名欣之，是宋朝武将，官做到征虏将军、徐州刺史。

曹景宗少年时善于骑马射箭，喜爱围猎，经常会同几十个少年到大草泽里去追逐獐子、野鹿，每当众多骑手赶野鹿时，野鹿和人马混杂在一起，曹景宗在众人中放箭射鹿，人们都怕射中马腿，野鹿却随着弓弦一响就被射倒，曹景宗就以此当作乐趣。刚到二十岁时，曹欣之在新野派曹景宗出州去办事，他单身匹马只带几个从人，半路上意外地遇到几百蛮人的包围。曹景宗带上百余支箭，便驰马向四面射箭，每发一箭就射死一个蛮人，蛮人四散逃走，因此他凭自己的胆量和勇气获得了名声。他很喜爱读史书，每次读《穰苴》、《乐毅传》，便放下书卷感叹说：“男儿应当做这样的人！”被征召任西曹官职，没去受任。宋朝后废帝元徽年间，随同父亲离开本州去京城建康，任奉朝请、员外，调任尚书左民郎。不久因父亲去世离职，回到故乡。服丧期满后，刺史萧赤斧任命他做冠军中兵参军，兼任天水太守。

当时是南齐高祖建元初年，蛮人聚众暴乱，曹景宗东征西讨，战斗中多次擒贼破敌。齐鄱阳王萧锵做雍州刺史，又用他做征虏中兵参军，兼任冯翊太守，督岘南诸军事，又授官做屯骑校尉。年少时和同乡张道门友谊情深。张道门是南齐车骑将军张敬儿的小儿子，做武陵太守。张敬儿被杀，张道门在郡中也被株连处死，亲属故吏没人敢前来收尸，曹景宗从襄阳派遣人员船只到武陵，收取张道门的尸体，接回来加以殡葬，同乡人都因此认为曹景宗重义气。

建武二年，魏主托跋宏寇赭阳，景宗为偏将，每冲坚陷阵，辄有斩获，以勋除游击将军。四年，太尉陈显达督众军北围马圈，景宗从之，以甲士二千设伏，破魏援托跋英四万人。及克马圈，显达论功，以景宗为后，景宗退无怨言。魏主率众大至，显达宵奔，景宗导入山道，故显达父子获全。

五年，高祖为雍州刺史，景宗深自结附，数请高祖临其宅。时天下方乱，高祖亦厚加意焉。永元初，表为冠军将军、竟陵太守。及义师起，景宗聚众，遣亲人杜思冲劝先迎南康王于襄阳即帝位，然后出师，为万全计。高祖不从，语在高祖纪。高祖至竟陵，以景宗与冠军将军王茂济江，围郢城，自二月至于七月，城乃降。复帅众前驱至南州，领马步军取建康，道次江宁，东昏将李居士以重兵屯新亭，是日选精骑一千至江宁行顿，景宗始至，安营未立；且师行日久，器甲穿弊，居士望而轻之，因鼓噪前薄景宗。景宗被甲驰战，短兵裁接，居士弃甲奔走，景宗皆获之，因鼓而前，径至皂荚桥筑垒。景宗又与王茂、吕僧珍掎角，破王珍国于大航。茂冲其中坚，应时而陷，景宗纵兵乘之。景宗军士皆桀黠无赖，御道左右，莫非富室，抄掠财物，掠夺子女，景宗不能禁。及高祖入顿新城，严申号令，然后稍息。复与众军长围六门。城平，拜散骑常侍、右卫将军，封湘西县侯，食邑一千六百户。仍迁持节、都督郢司二州诸军事、左将军、郢州刺史。天监元年，进号平西将军，改封竟陵县侯。

**【译文】**

南齐明帝建武二年，北魏国主托跋宏进攻赭阳，曹景宗任偏将，每次冲击强敌攻陷敌阵，总是有所斩杀和俘获，因为有功勋授官做游击将军。四年，太尉陈显达统率众军北上围攻马圈，曹景宗随军出征，带领甲士二千人设埋伏，击破北魏托跋英带领的四万援兵。攻克马圈之后，陈显达论功行赏，把曹景宗排在最后，曹景宗退兵回来毫无怨言。北魏国主又率大军来进攻，陈显达在夜里逃跑，曹景宗引导他进入山道，因此陈显达父子得以安全脱险。

五年，梁武帝萧衍做雍州刺史，曹景宗同他深相结交，多次邀请他到自己的家中做客。当时天下正处在动乱之中，梁武帝也有意重视曹景宗。南齐东昏侯永元初年，梁武帝上表请求任曹景宗做冠军将军、竟陵太守。当梁武帝起兵东下，曹景宗集聚兵力，派亲信杜思冲劝梁武帝先迎接南康王萧伟在襄阳即皇帝位，然后再出兵，这是万全的计策。梁武帝没采纳这意见，事情记载在《高祖纪》中。梁武帝率兵到竟陵，派曹景宗会同冠军将军王茂渡过长江，围攻郢城，从二月到七月，郢城守军才投降。又统领众军为前锋挺进到南州，率领马步军取道向建康前进，中途驻军在江宁，东昏侯的部将李居士带领重兵驻扎在新亭，这天选出一千精锐的骑兵到江宁暂驻，曹景宗的部队刚刚到达，营垒还没能建造起来；况且部队行军日久，兵器铠甲破损穿漏。李居士看到曹景宗队伍的状况便轻敌大意，于是趁势击鼓呐喊前来攻逼曹景宗。曹景宗披甲上马驰驱迎战，短兵刚一交战，李居士便弃甲败逃，曹景宗把李居士的兵马全部俘获，顺势乘胜击鼓追敌，一直前进到皂荚桥筑起营垒。曹景宗又和王茂、吕僧珍分兵合击，在大航打败王国珍。王茂攻击王国珍的主力，立刻冲垮敌阵，曹景宗乘势纵兵进击。曹景宗部队的军士都是凶暴狡猾的无赖汉，御街两侧的住户，全都是富贵之家，军士抢夺财物，掠取子女，曹景宗制止不住。当梁武帝进驻到新城，严肃申明军纪，此后掠夺事件才稍有收敛。曹景宗又会同众军长围攻六门。破城之后，授官做散骑常侍、右卫将军，封湘西县侯，食邑一千六百户。于是又迁为持节、都督郢、司二州诸军事、左将军、郢州刺史。梁高祖天监元年，进号平西将军，改封为竟陵县侯。

景宗在州，鬻货聚敛。于城南起宅，长堤以东，夏口以北，开街列门，东西数里，而部曲残横，民颇厌之。二年十月，魏寇司州，围刺史蔡道恭。时魏攻日苦，城中负板而汲，景宗望门不出，但耀军游猎而已。及司州城陷，为御史中丞任昉所奏，高祖以功臣寝而不治，征为护军。既至，复拜散骑常侍、右卫将军。

五年，魏托跋英寇钟离，围徐州刺史昌义之，高祖诏景宗督众军援义之，豫州刺史韦睿亦预焉，而受景宗节度。诏景宗顿道人洲，待众军齐集俱进。景宗固启，求先据邵阳洲尾，高祖不听。景宗欲专其功，乃违诏而进，值暴风卒起，颇有渰溺，复还守先顿。高祖闻之，曰："此所以破贼也。景宗不进，盖天意乎！若孤军独往，城不时立，必见狼狈。今得待众军同进，始大捷矣。"及韦睿至，与景宗进顿邵阳洲，立垒去魏城百余步。魏连战不能却，杀伤者十二三，自是魏军不敢逼。景宗等器甲精新，军仪甚盛，魏人望之夺气。魏大将杨大眼对桥北岸立城，以通粮运，每牧人过岸伐刍藁，皆为大眼所略。景宗乃募勇敢士千余人，径渡大眼城南数里筑垒，亲自举筑。大眼率众来攻，景宗与战破之，因得垒成。使别将赵草守之，因谓为赵草城，是后恣刍牧焉。大眼时遣抄掠，辄反为赵草所获。先是，高祖诏景宗等逆装高舰，使与魏桥等，为火攻计。令景宗与睿各攻一桥，睿攻其南，景宗攻其北。六年三月，春水生，淮水暴长六七尺。睿遣所督将冯道根、李文钊、裴邃、韦寂等乘舰登岸，击魏洲上军尽殪。景宗因使众军皆鼓噪乱登诸城，呼声震天地，大眼于西岸烧营，英自东岸弃城走。诸垒相次土崩，悉弃其器甲，争投水死，淮水为之不流。景宗令军主马广蹑大眼至涉水上，四十余里，伏尸相枕。义之出逐英至洛口，英以匹马入梁城。缘淮百余里，尸骸枕藉，生擒五万余人，收其军粮器械，积如山岳，牛马驴骡，不可胜计。景宗乃搜军所得生口万余人，马千匹，遣献捷，高祖诏还本军，景宗振旅凯入，增封四百，并前为二千户，进爵为公。诏拜侍中、领军将军，给鼓吹一部。

【译文】

曹景宗在郢州，买卖货物聚敛钱财。在城南修建住宅，自长堤以东，到夏口以北，开辟街道排列门户，东西长几里，而部队凶残横暴，百姓极为厌恶。天监二年十月，北魏入侵司州，包围刺史蔡道恭。当时北魏的攻势一天天严重，城里的人要背着门板防箭去汲水，曹景宗却坐在家里观望而不出兵援救，只是耀武扬威地出游打猎而已。司州城被攻陷之后，曹景宗受到御史中丞任防奏本弹劾，武帝因为曹景宗是功臣便压下这事不予制裁，反而召回曹景宗任护军。曹景宗到京之后，又拜官任散骑常侍、右卫将军。

五年，北魏托跋英入侵钟离，围攻徐州刺史昌义之，武帝下诏命令曹景宗统率众军援救昌义之，豫州刺史韦睿也参加了这次军事行动，并且受曹景宗的节制。诏命曹景宗驻屯在道人洲，等候各军集齐之后一同进发。曹景宗一再启奏，要求允许他的部队首先占据邵阳洲尾，武帝不准许。曹景宗打算独得这次战功，便违抗诏命向前开进，恰好突然刮起暴风，很多士兵落水淹死，不得已又回兵据守先前的驻地。高祖知道这个消息后，说："这是能够破贼的条件。曹景宗不能前进，原来是天意安排的吧！假如曹景宗孤军独往，营垒不能及时修筑起来，一定会遭到狼狈的惨败。如今能够等待众军同时前进，这样就能大获全胜了。"当韦睿到来，和曹景宗前进屯兵在邵阳洲，在距离魏城百多步远的地方构筑营垒。魏军接连出战不能打退南军，被杀伤的人数有十分之二三，从此魏军不敢逼近南军作战。曹景宗等各部分军队的兵器甲胄精良新美，军容盛大，魏军见到后感到气馁。魏大将杨大眼面对桥在北岸筑城，使运粮道路通畅，每当南边牧人过岸来打刍藁，皆被杨大眼俘虏去。曹景宗便召募一千多勇敢的军士，一直渡河在离杨大眼城南面几里远的地方修筑营垒，曹景宗亲自举筑打夯。杨大眼率部队来进攻，曹景宗迎战并把他击败，因此能够把营垒筑成。曹景宗派遣将领赵草据守新垒，便把这座军垒叫作赵草城，从这以后牧人便可以随意在这里打草放牧。杨大眼不时地派兵来抄掠，每每反被赵草俘获。在这之前，武帝曾诏命曹景宗等预先建造高大的战船，使船上的高楼和桥一般高，目的是用来实现火攻的计划。命令曹景宗和韦睿各攻一座敌桥，韦睿攻打魏军的南桥，曹景宗攻击北面的桥。六年三月，春水涨起来，淮河水暴涨六七尺高。韦睿派出由他统领的将军冯道根、李文钊、裴邃、韦寂等乘战船登岸，进攻北魏在洲岸上的驻军并把他们全部歼灭。曹景宗乘机下令众军一齐击鼓呐喊，混乱中登上魏军的营垒，杀声震动天地，杨大眼在西岸烧掉营垒，托跋英在东岸弃城逃走。魏军各个营垒接连崩溃，全都丢弃了他们的兵器铠甲，争着跳进河里淹死，淮水都被堵塞不能流通。曹景宗下令军主马广跟踪追击杨大眼直到涉水岸边，在四十多里的路上，倒毙的敌尸枕压在一起。昌义之出兵追击托跋英到洛口，托跋英单人匹马逃进梁城。沿着淮河百多里，遍地死尸叠压，活捉五万多魏兵，缴获魏军的粮食器械，堆积起来如同山岳，牛马驴骡，更是不计其数。曹景宗于是搜集所俘虏的活口有一万多人，战马千匹，派人押送去京城献捷。高祖下诏命令曹景宗还归本军，曹景宗的部队排着队列得胜回朝，增赐四百户，连同以前赐的共为二千户，进爵升为公。诏命拜官侍中、领军将军，赐给鼓吹乐队一部。

景宗为人自恃尚胜，每作书，字有不解，不以问人，皆以意造焉。虽公卿无所推揖；惟韦睿年长，且州里胜流，特相敬重，同宴御筵，亦曲躬谦逊，高祖以此嘉之。景宗好内，妓妾至数百，穷极锦绣。性躁动，不能沉默，出行常欲褰车帷幔，左右辄谏以位望隆重，人所具瞻，不宜然。景宗谓所亲曰："我昔在乡里，骑快马如龙，与年少辈数十骑，拓弓弦作霹雳声，箭如饿鸱叫。平泽中逐獐，数肋射之，渴饮其血，饥食其肉，甜如甘露浆。觉耳后风生，鼻头出火，此乐使人忘死，不知老之将至。今来扬州做贵人，动转不得，路行开车幔，小人辄言不可。闭置车中，如三日新妇。遭此邑邑，使人无气。"为人嗜酒好乐，腊月于宅中，使作野虖逐除，遍往人家乞酒食。本以为戏，而部下多剽轻，因弄人妇女，夺人财货。高祖颇知之，景宗乃止。高祖数宴见功臣，共道故旧，景宗醉后谬忘，或误称下官，高祖故纵之以为笑乐。

七年，迁侍中、中卫将军、江州刺史。赴任卒于道，时年五十二。诏赙钱二十万，布三百匹，追赠征北将军、雍州刺史、开府仪同三司。谥曰壮。子皎嗣。

## 【译文】

曹景宗为人自恃有功好胜，每次写信，有不会写的字，也不去问别人，都按自己的臆想生造。即使对待公卿高官也从不谨敬谦让；唯独韦睿比他年长，而且是同州里中的名流人物，曹景宗对他加意敬重，一同参加御赐的宴会，曹景宗也能尽礼谦逊，武帝也因此称赞他。曹景宗好女色，家中歌妓妻妾有几百人，穿着都是极其华贵的锦绣。他性格急躁好动，不能沉默安静，每次外出时总想挑开车上的帷幔向外观望，左右从人总是拿地位声望隆重加以劝告，说让所有的人都看到他，这是不合适的。曹景宗对他亲近的人说："我过去在乡里，骑快马有如龙腾，会同年少朋友几十个骑手，弓弦弹出霹雷般的震响，急箭发出饿鹰一样尖啸。在平野大泽中追射獐子，数着肋条射它，渴了喝它的血，饿了吃它的肉，味道甜美有如甘露琼浆。只觉得耳后生风，鼻头冒火，这样的快乐让人不知道会死，更不知道老年还会到来。如今来扬州成了贵人，行动不得自由，走在路上打开车幔，小人便说不行。憋闷闭坐在车里，如同三天不许见人的新媳妇。遭到这种郁闷，让人不得顺气。"曹景宗为人嗜酒好乐，腊月在自己的宅院里，让人们呼喊着驱病除鬼，还到所有的人家去乞讨酒饭。本来这样做是为的戏耍取乐，但是他的部下大多是剽悍轻薄之辈，就趁机调戏人家妇女，抢夺人家的财宝。武帝非常清楚这些情况，曹景宗知道后便停止这种取乐。高祖曾经多次设宴席会见功臣，一同叙谈昔日的交情，曹景宗醉了之后总是说些谬言妄语，或有时对皇帝误称自己是下官，高祖也是有意让他胡来以此取笑作乐。

七年，曹景宗转任侍中、中卫将军、江州刺史。赴任时死在路上，时年五十二岁。皇帝下诏赐丧葬钱二十万，布三百匹，追赠做征北将军、雍州刺史、开府仪同三司。谥号为壮。曹景宗的儿子曹皎继任父亲的爵位。

# 范云列传

范云字彦龙，南乡舞阴人，晋平北将军汪六世孙也。年八岁，遇宋豫州刺史殷琰于涂，琰异之，要就席，云风姿应对，旁若无人。琰令赋诗，操笔便就，坐者叹焉。尝就亲人袁照学，昼夜不怠。照抚其背曰："卿精神秀朗而勤于学，卿相才也。"少机警，有识具，善属文，便尺牍，下笔辄成，未尝定藁，时人每疑其宿构。父抗，为郢府参军，云随父在府，时吴兴沈约、新野庾杲之与抗同府，见而友之。

起家郢州西曹书佐，转法曹行参军。俄而沈攸之举兵围郢城，抗时为府长流，入城固守，留家属居外。云为军人所得，攸之召与语，声色甚厉，云容貌不变，徐自陈说。攸之乃笑曰："卿定可儿，且出就舍。"明旦，又召令送书入城。城内或欲诛之。云曰："老母弱弟，悬命沈氏，若违其命，祸必及亲，今日就戮，甘心如荠。"长史柳世隆素与云善，乃免之。

齐建元初，竟陵王子良为会稽太守，云始随王，王未之知也。会游秦望，使人视刻石文，时莫能识，云独诵之，王悦，自是宠冠府朝。王为丹阳尹，召为主簿，深相亲任。时进见齐高帝，值有献白乌者，帝问此为何瑞？云位卑，最后答曰："臣闻王者敬宗庙，则白乌至。"时谒庙始毕。帝曰："卿言是也。感应之理，一至此乎！"转补征北南郡王刑狱参军事，领主簿如故，迁尚书殿中郎。子良为司徒，又补记室参军事，寻授通直散骑侍郎、领本州大中正。出为零陵内史，在任洁己，省烦苛，去游费，百姓安之。明帝召还都，及至，拜散骑侍郎。复出为始兴内史。郡多豪猾大姓，二千石有不善者，谋共杀害，不则逐去之。边带蛮俚，尤多盗贼，前内史皆以兵刃自卫。云入境，抚以恩德，罢亭候，商贾露宿，郡中称为神明。仍迁假节、建武将军、平越中郎将、广州刺史。初，云兴尚书仆射江祏善，祏姨弟徐艺为曲江令，深以托云。有谭俨者，县之豪族，艺鞭之，俨以为耻，诣京诉云，云坐征还下狱，会赦免。永元二年，起为国子博士。

【译文】

范云字彦龙，南乡舞阴人，晋朝平北将军荃汪的第六代子孙。八岁时，有一次在路上遇见宋国的豫州刺史殷琰，殷琰见他外貌很不寻常，便邀请他一同入座，席间范云风度从容，应对自如，一副旁若无人的样子。殷琰让他赋诗，他拿起笔来马上就写成了。在座的人无不赞叹。范云曾经跟从他的亲戚袁照学习，日夜都不懈怠。袁照拍着他的肩背说："你精神秀逸明朗，学习又勤奋。将来一定会是个相才。"范云从小机智灵活，遇事颇有见地，善于写文章，熟习书信等各类文体，下笔即成，从不打草稿，当时人们常怀疑他是预先构思好的。父亲范抗，任郢府参军，范云随父住在府裏。当时吴兴人沈约、新野人庾杲之跟范抗同在郢府任职，范云跟他们相见后立即成为好友。

范云一开始任郢州西曹书佐，转任法曹行参军。不久沈攸之叛变起兵围攻郢城，范抗当时任郢府的长流，入城担任防务，把家属都留在城外。范云被敌方军人捉住，攸之亲自审问他，声色非常严厉，可范云却容貌不变，沉着应答。攸之听了笑着说："你真是个可人意的小孩，暂且回家去吧。"第二天早上，攸之又派人把范云找来，命他给城里送信。城内守军有人主张把范云杀掉。范云说："我城外的家里有老迈的母亲、年幼的弟弟，他们的性命全掌握在沈氏手里，我若违抗命令，必定要祸及他们。我今天为他们而被杀，甘心如荠，死而无悔。"长史柳世隆平素和范云友好，设法让他免于一死。

齐武帝建元初年，竟陵王萧子良做会稽太守，当范云开始追随竟陵王时，竟陵王还不了解范云的才智。等到竟陵王到秦望山游览时，他让人们识别辨认石刻上的古文字，当时没有人认识，唯有范云能够诵读刻石文辞，竟陵王很高兴，从此对范云的宠信高过府中的其他人。竟陵王转任丹阳尹，召范云来做主簿，对他十分亲近信任。一次觐见齐武帝时，正值有来献白乌鸦的人，齐武帝问这是什么祥瑞？因为范云的职位低下，最后他回答说："我听说，帝王敬祀宗庙，就有白乌鸦到来。"当时武帝刚刚拜谒过祖庙，说："你的话是对的。天意和人事相互感应的道理，竟然会是如此神妙啊！"调范云补做征北南郡王刑狱参军事，兼任主簿不变，升迁做尚书殿中郎。萧子良做司徒，范云又补做记室参军事，不久授官做通直散骑侍郎、兼任本州大中正。后出任零陵郡内史，在任期间洁身奉己，减免烦苛的政令，免掉多余的费用，使百姓得到安定。齐明帝召范云回京，到来后，授官做散骑侍郎。又出任始兴内史。郡里有很多豪猾大姓，凡是他们不中意的太守，他们就一同密谋加以杀害，不然就把太守赶走。边界和蛮俚部落相连，盗贼尤其众多，前任的内史都是身佩兵刃用来自卫。范云来到始兴境内，用恩德抚恤百姓，撤除边境的哨所，商贩可以露宿过夜，郡中人称赞范云是神明。又晋升做假节、建武将军、平越中郎将、广州刺史。起初，范云同尚书仆射江祏友好，江祏的姨弟徐艺做曲江县令，江祏把徐艺托付给范云请求关照。有个名叫谭俨的人，是曲江县的豪族，徐艺曾罚他受鞭刑，谭俨认为受了羞辱，便到京城上诉范云的罪状，范云因此被召回下狱，逢上大赦免于受罚。东昏侯永元二年，重新起用做国子博士。

初，云与高祖遇于齐竟陵王子良邸，又尝接里闬，高祖深器之。及义兵至京邑，云时在城内。东昏既诛，侍中张稷使云衔命出城，高祖因留之，便参帷幄，仍拜黄门侍郎，与沈约同心翊赞。俄迁大司马谘议参军、领录事。梁台建，迁侍中。时高祖纳齐东昏余妃，颇妨政事，云尝以为言，未之纳也。后与王茂同入卧内，云又谏曰："昔汉祖居山东，贪财好色；及入关定秦，财帛无所取，妇女无所幸，范增以为其志大故也。今明公始定天下，海内想望风声，奈何袭昏乱之踪，以女德为累。"王茂因起拜曰："范云言是，公必以天下为念，无宜留惜。"高祖默然。云便疏令以余氏赉茂，高祖贤其意而许之。明日，赐云、茂钱各百万。

天监元年，高祖受禅，柴燎于南郊，云以侍中参乘。礼毕，高祖升辇，谓云曰："朕之今日，所谓懔乎若朽索之驭六马。"云对曰："亦愿陛下日慎一日。"高祖善之。是日，迁散骑常侍、吏部尚书；以佐命功封霄城县侯，邑千户。云以旧恩见拔，超居佐命，尽诚翊亮，知无不为。高祖亦推心任之，所奏多允。尝侍宴，高祖谓临川王宏、鄱阳王恢曰："我与范尚书少亲善，申四海之敬；今为天下主，此礼既革，汝宜代我呼范为兄。"二王下席拜，与云同车还尚书下省，时人荣之。其年，东宫建，云以本官领太子中庶子，寻迁尚书右仆射，犹领吏部。顷之，坐违诏用人，免吏部，犹为仆射。

【译文】

起初，范云和梁武帝萧衍曾在齐竟陵王萧子良的官邸相会，又曾住在邻近的街坊，梁武帝很器重他。当反对东昏侯的军队到了京城，范云这时正在城里。东昏侯被杀之后，侍中张稷派范云带着使命出城，梁武帝便留下范云，参与机密大事，又授官做黄门侍郎，和沈约一起同心协力辅佐梁武帝。不久晋升做大司马谘议参军兼录事。梁朝建立之后，升任侍中。这时梁武帝收纳东昏侯的余妃，为此严重影响了国家政务，范云曾经进言劝阻，未被采纳。后来范云和王茂一同来到梁武帝的卧室，范云又进谏说："过去汉高祖刘邦在山东的时候，贪财好色。等进入函谷关平定秦地之后，不敛取财帛，不接近妇女，范增认为这是刘邦有大志向打算成就大事业的缘故。如今明公刚刚安定天下，天下的人都想看到你的风度和威名，为什么要因袭昏乱的事情，让女色拖累贻误大事。"王茂也借机起身施礼说："范云说的正确，主公一定要以天下大事为重，不应该对女色表示留恋惋惜。"萧衍沉默不语。范云便写奏疏建议把余氏赐给王茂。高祖萧衍认为这是忠贤之言并准许了范云的请求。第二天，赏赐给范云、王茂每人一百万钱。

天监元年，梁武帝接受齐和帝禅位做天子，在南郊举行柴燎祭天的仪式，范云以侍中身份陪乘。祭礼完毕，高祖坐上御辇，对范云说："我今天的心情，正是所谓战战兢兢如同用糟烂的缰绳驾驭六马一样。"范云说："我也深愿陛下一天比一天更加谨慎。"武帝认为范云所说很好。当天，晋升范云做散骑常侍、吏部尚书；由于辅佐武帝即皇帝位有功封霄城县侯，食邑一千户。范云凭旧日与武帝的关系受到提拔，超过常人升任为佐命大臣，他竭尽忠诚辅助皇帝，凡是该做的无不尽力去做。武帝也拿诚心待他、信任他，范云奏请的事大多得到准许。范云曾经陪侍御宴，武帝对临川王萧宏、鄱阳王萧恢说："我和范尚书从少年时起便友好亲善，对他怀有兄弟般的情意；如今我成了皇帝，这种朋友的礼节变成了君臣关系，你们应当代替我称他为兄。"二王离席施礼，和范云同乘一辆车回到尚书省，当时人们都为范云感到荣耀。这一年，皇帝立太子，范云以原官身份兼任太子中庶子，不久升做尚书右仆射，还兼任吏部尚书。过不久，因为范云违背诏令意旨用人而获罪，被免除吏部尚书职务，仍然保留仆射职务。

云性笃睦，事寡嫂尽礼，家事必先谘而后行。好节尚奇，专趣人之急。少时与领军长史王畡善，畡亡于官舍，贫无居宅，云乃迎丧还家。躬营含殡。事竟陵王子良恩礼甚隆，云每献损益，未尝阿意。子良尝启齐武帝论云为郡。帝曰："庸人，闻其恒相卖弄，不复穷法，当宥之以远。"子良曰："不然。云动相规诲，谏书具存，请取以奏。"既至，有百余纸，辞皆切直。帝叹息，因谓子良曰："不谓云能尔。方使弼汝，何宜出守。"齐文惠太子尝出东田观获，顾谓众宾曰："刈此亦殊可观。"众皆唯唯。云独曰："夫三时之务，实为长勤。伏愿殿下知稼穑之艰难，无徇一朝之宴逸。"既出，侍中萧缅先不相识，因就车握云手曰："不图今日复闻谠言。"及居选官，任守隆重，书牍盈案，宾客满门，云应对如流，无所壅滞，官曹文墨，发擿若神，时人咸服其明赡。性颇激厉，少威重，有所是非，形于造次，士或以此少之。初，云为郡号称廉洁，及居贵重，颇通馈饷；然家无蓄积，随散之亲友。

二年，卒，时年五十三。高祖为之流涕，即日舆驾临殡。诏曰："追远兴悼，常情所笃；况问望斯在，事深朝寄者乎！故散骑常侍、尚书右仆射、霄城侯云，器范贞正，思怀经远，爰初立志，素履有闻。脱巾来仕，清绩仍著。燮务登朝，具瞻惟允。绸缪翊赞，义简朕心，虽勤非负靮，而旧同论讲。方骋远涂，永毗庶政；奄致丧殒，伤悼于怀。宜加命秩，式备徽典。可追赠侍中、卫将军，仆射、侯如故。并给鼓吹一部。"礼官请谥曰宣，敕赐谥文。有集三十卷。子孝才嗣，官至太子中舍人。

【译文】

范云性格诚厚亲和，对待寡嫂尽心有礼，家里的事一定要事先问过嫂嫂然后才办。他喜好气节，崇尚不同寻常的作为，专意帮助别人的急难。少年时和领军长史王畡友好，后来王畡死在官署里，穷得没有自己的住宅，范云便把死者运回到家来，亲自办理含殓殡葬的事。侍奉竟陵王萧子良时受到的恩惠礼遇都很隆重，但是范云每次进言批评或鼓励，从来没有曲意奉承。萧子良曾经启奏齐武帝建议派范云出任郡守的事。武帝说："范云是个平庸的人，听说他经常卖弄权势，我现在不再依法深究，从宽让他到远方去任职。"萧子良说："不是这样。范云对我规劝教诲，写的谏书全在，让我取来呈上。"拿来之后，有一百多张纸，言辞都很重要而且是直言不讳。齐武帝赞叹不已，便对萧子良说："想不到范云竟是这样的人。正好让他辅助你，怎么可以让他出去做郡守。"齐文惠太子曾经出宫到东田观看农夫收割庄稼，回头对众宾客说："收割也是很好看的。"众人都唯唯称是，只有范云说："一年三季的劳动，实在是长期勤苦的事。我只愿殿下了解稼穑的艰难，不要贪图一朝一夕的宴乐安逸。"出来之后，侍中萧缅先前同范云并不相识，临上车的时候他握着范云的手说："想不到在今天又听到了忠直之言。"当范云官居吏部的时候，责任职守极其重要，书信文件堆满公案，宾客满门，范云应接对答自如，毫无拖沓阻滞，官属们的文稿，发现并指出不当之处快速如神，当时人们全都佩服他聪明博学。性格极其坦率正直，不重视威仪权势，凡是认为对的或不对的，都在言行中表现出来，有的士大夫就因此对他不满。起初，范云做郡守时人们都称颂他的廉洁，等到在朝中做高官时，很重视与人相互馈赠，但是家里没有积蓄，得到的钱财随时都分送给亲朋故友。

天监二年，逝世，当时五十三岁。梁武帝为他流泪，当天亲临吊唁。颁诏书说："追念往日令人产生悲伤的情绪，这是人们所重视的感情；更何况他的声名威望还在，又是个深受朝廷委以重任的大臣呢！已故散骑常侍、尚书右仆射、霄城侯范云，器度风范忠贞正直，为国家大事深思远谋，早年便立有大志，平常行事负有盛名。自从任官以来，清明的政绩一贯显著。在朝中经理国政，实在是公辅之臣。他勤心辅政，大义记在我心上，虽然他操劳的不是军务，但他却是长久和我共同议论谋划大政的文臣。正当任重道远驰骋才力，长久辅政理事的时候，忽然丧命殒逝，使人满怀悲痛。应当加赐官位秩禄，用来作为美好的典范。可以追赠做侍中、卫将军，仆射、侯爵不变。并且赏赐鼓吹乐队一部。"礼部官员请加谥号为宣，皇帝下令改称文。有文集三十卷。他儿子范孝才继承了爵位，官做到太子中舍人。

# 萧统传

昭明太子统字德施，高祖长子也。母曰丁贵嫔。初，高祖未有男，义师起，太子以齐中兴元年九月生于襄阳。高祖既受禅，有司奏立储副，高祖以天下始定，百度多阙，未之许也。群臣固请，天监元年十一月，立为皇太子。时太子年幼，依旧居于内，拜东宫官属，文武皆入直永福省。

太子生而聪睿，三岁受《孝经》、《论语》，五岁遍读《五经》，悉能讽诵。五年六月庚戌，始出居东宫。太子性仁孝，自出宫，恒思恋不乐。高祖知之，每五日一朝，多便留永福省，或五日三日乃还宫。八年九月，于寿安殿讲《孝经》，尽通大义。讲毕，亲临释奠于国学。

**【译文】**

昭明太子萧统，字德施，梁高祖萧衍的长子。母亲是丁贵嫔。当初，高祖没有儿子，等起兵之后，太子于齐中兴元年九月出生于襄阳。高祖受禅即帝位后，有关部门奏请立皇太子，高祖以天下刚刚平定，各种制度多有缺失，没有允许。群臣反复请求，天监元年十一月，立萧统为皇太子。当时，太子年纪幼小，依旧居住在宫内，拜东宫官属，文武官员都到永福省入直。

太子天性非常聪明敏捷，三岁时开始学习《孝经》、《论语》，五岁时便读遍《五经》，都能背诵。天监五年六月庚戌日，才出居东宫。太子天性仁义孝顺，自出宫之后，总是思恋旧宫而不高兴。高祖知道后，让他每五天入宫朝见一次，大多顺便留在永福省，或过了三五天才回东宫。天监八年九月，在寿安殿讲解《孝经》，能将文中大义都讲通。讲完之后，亲自到国学去举行祭祀。

十四年正月朔旦，高祖临轩，冠太子于太极殿。旧制，太子著远游冠，金蝉翠緌缨；至是，诏加金博山。

太子美姿貌，善举止。读书数行并下，过目皆忆。每游宴祖道，赋诗至十数韵。或命作剧韵赋之，皆属思便成，无所点易。高祖大弘佛教，亲自讲说；太子亦崇信三宝，遍览众经。乃于宫内别立慧义殿，专为法集之所。招引名僧，谈论不绝。太子自立二谛、法身义，并有新意。普通元年四月，甘露降于慧义殿，咸以为至德所感焉。

**【译文】**

天监十四年正月朔旦，高祖临轩，在太极殿为太子加行冠礼。依照旧制，太子戴远游冠，金蝉翠緌缨；到此时，诏令加上金博山。

太子容貌俊美，举止有仪。读书时数行并下，过目不忘。每次游宴饯别，赋诗可达十几韵。有时命一些较难的韵让他赋诗，他都立时便成，无所改易。高祖萧衍大力弘扬佛教，亲自讲说，太子也崇信三宝，遍读佛教经典。还在宫内别修慧义殿，专门作为讲习佛教法令的场所。招引当时著名僧人，和他们讲论不绝。太子自己还创立二谛、法身义，都很有新意。普通元年四月，甘露降于慧义殿，人们都认为这是太子的至德所感。

三年十一月，始兴王憺薨。旧事，以东宫礼绝傍亲，书翰并依常仪。太子意以为疑，命仆刘孝绰议其事。孝绰议曰："案张镜撰《东宫仪记》，称'三朝发哀者，逾月不举乐；鼓吹寝奏，服限亦然'。寻傍绝之义，义在去服，服虽可夺，情岂无悲，铙歌辍奏，良亦为此。既有悲情，宜称兼慕，卒哭之后，依常举乐，称悲竟，此理例相符。谓犹应称兼慕，至卒哭。"仆射徐勉、左率周舍、家令陆襄并同孝绰议。太子令曰："张镜《仪记》云'依《士礼》，终服月称慕悼'。又云'凡三朝发哀者，逾月不举乐'。刘仆议，云'傍绝之义，义在去服，服虽可夺，情岂无悲，卒哭之后，依常举乐，称悲竟，此理例相符'。寻情悲之说，非止卒哭之后，缘情为论，此自难一也。用张镜之举乐，弃张镜之称悲，一镜之言，取舍有异，此自难二也。陆家令止云'多历年所'，恐非事证；虽复累稔所用，意常未安。近亦常经以此问外，由来立意，谓犹应有慕悼之言。张岂不知举乐为大，称悲事小；所以用小而忽大，良亦有以。至如元正六佾，事为国章；虽情或未安，而礼不可废。铙吹军乐，比之亦然，书疏方之，事则成小，差可缘心。声乐自外，书疏自内，乐自他，书自己。刘仆之议，即情未安。可令诸贤更其详哀。”司农卿明山宾、步兵校尉朱异议，称“慕悼之解，宜终服月”。于是令付典书遵用，以为永准。

【译文】

普通三年十一月，始兴王萧儋去世。按照旧规矩，东宫太子和旁系亲属所享礼节不同，书信来往都依常仪。太子认为不妥，命仆刘孝绰议论这件事。刘孝绰议论说：“案张镜撰写《东宫仪记》一书，称‘三朝发哀者，超过一月不奏乐；鼓吹乐不奏，服丧之限制也是如此’。按东宫傍绝之义，义在去除丧服。丧服虽然可去，情感难道能没有悲伤？铙歌中止不奏，确实为此之故。既有悲情，应该称为兼慕，哭完之后，依常举乐，悲伤已完结，此理例相符。这是说还应称兼慕之义，到哭完为止。”仆射徐勉、左率周舍、家令陆襄都和刘孝绰的意见相同。太子下令说：“张镜《仪记》中说‘依照《士礼》，终丧服之月称为慕悼’。又说‘凡三朝发哀者，逾月不举乐’。刘孝绰的议论，认为‘傍绝之义，义在去除丧服，丧服虽然可去，情感难道能没有悲伤？哭完之后，依常举乐，悲伤已完结，此理例相符’。按情感悲伤之说，不仅止于哭完之后，缘情为论，这是一难。用张镜举乐之说，弃张镜称悲之言，同样是张镜的话，取舍不同，这是第二难。陆家令只说‘多历年所’，恐怕没有事证。虽然是累年所用，意常未安。近年也常有此问之外，从来立意，说还应该有爱慕悲悼之言。张镜难道不知道举乐为大，称悲事小吗？所以用小事而忽略大事，已是不应该了。至于说元正六佾，事为国家典章；于情虽然或有不安，而礼不可废。铙吹为军乐，与之相比，道理也是如此。以书疏论之，事则成小，仅可缘心自慰而已。声乐发自外，书疏发自内，乐自他人，书疏由己。刘孝绰之议，于情未为安妥。可令各位贤士再在一起详加议论。”司农卿明山宾、步兵校尉朱异议论此事，认为“慕悼之解除，应终丧服之月”。于是，太子令将此议付典书遵用，以为长远的标准。

七年十一月，贵嫔有疾，太子还永福省，朝夕侍疾，衣不解带。及薨，步从丧还宫，至殡，水浆不入口，每哭辄恸绝。高祖遣中书舍人顾协宣旨曰：“毁不灭性，圣人之制。《礼》，不胜丧比于不孝。有我在，那得自毁如此！可即强进饮食。”太子奉敕，乃进数合。自是至葬，日进麦粥一升。高祖又敕曰：“闻汝所进过少，转就羸瘵。我比更无余病，正为汝如此，胸中亦圮塞成疾。故应强加如粥，不使我恒尔悬心。”虽屡奉敕劝逼，日止一溢，不尝菜果之味。体素壮，腰带十围，至是减削过半。每入朝，士庶见者莫不下泣。

太子自加元服，高祖便使省万机，内外百司奏事者填塞于前。太子明于庶事，纤毫必晓，每所奏有谬误及巧妄，皆即就辨析，示其可否，徐令改正，未尝弹纠一人。平断法狱，多所全宥，天下皆称仁。

性宽和容众，喜愠不形于色。引纳才学之士，赏爱无倦。恒自讨论篇籍，或与学士商榷古今；闲则继以文章著述，率以为常。于时东宫有书几三万卷，名才并集，文学之盛，晋、宋以来未之有也。

**【译文】**

普通七年十一月，丁贵嫔生了病，太子还永福省，从早到晚侍候母亲，连衣带都不解。等丁贵嫔去世，太子步行随丧柩还宫。到装敛之日，一直茶饭不食，常常哭得昏绝过去。高祖派中书舍人顾协宣布旨意说：“哀毁不丧失本性是圣人之制。《礼》，经不起丧事等于不孝。有我在，你怎能自毁如此！快起来强进饮食。”太子奉勒之后，才勉强吃了点东西。从这天起到下葬之日，每天吃一升麦粥。高祖又下诏说：“听说你吃的太少，越来越瘦。我本来没什么病，正因为你这样，胸中也圮塞成疾。所以，你要强加饮食，不要让我为你担心。”太子显然屡次奉勒劝逼，但每天只吃一溢（一镒），没有尝过疏菜水果的味道。太子本来身体十分强壮胖大，腰带有十围，而到这时已减削过半。每次入朝，士庶百姓见到他的莫不掉下眼泪。

太子自加元服之后，高祖便让他处理国家政事，内外百司向太子奏事的人堵塞宫门。太子对治理民众之事十分通晓，连纤毫小事也必然知道。每次臣下所奏有谬误和使巧妄为之事，都立即辨析，示其可否，令其慢慢改正，未曾为此而纠弹一人。平断法狱，多所保全，天下人都称道太子仁德。

太子天性宽和容众，声怒不形于色。引纳才学之士，欣赏珍爱他们而不知倦。总是亲自讨论篇籍，或者和学士们商榷古今之事；有空便写文章著述，习以为常。当时，东宫有书近三万卷，当世有名的才子尽集于此，文学之盛，是晋代、宋代以来所不曾有的。

性爱山水，于玄圃穿筑，更立亭馆，与朝士名素者游其中。尝泛舟后池，番禺侯轨盛称“此中宜奏女乐”。太子不答，咏左思《招隐诗》曰：“何必丝与竹，山水有清音。”侯惭而止。出宫二十余年，不畜声乐。少时，敕赐太乐女妓一部，略非所好。

普通中，大军北讨，京师谷贵，太子因命菲衣减膳，改常馔为小食。每霖雨积雪，遣腹心左右，周行闾巷，视贫困家，有流离道路，密加振赐。又出主衣绵帛，多作襦袴，冬月以施贫冻。若死亡无可以敛者，为备棺槥。每闻远近百姓赋役勤苦，辄敛容色。常以户口未实，重于劳扰。

【译文】

太子性爱山水，在玄圃挖沟修筑，重新修建亭馆，和朝士声名素著之人在里边游乐。一次在后池泛舟，番禺侯萧轨盛称“这里应奏女乐”。太子不回答，咏左思《招隐诗》说：“何必丝与竹，山水有清音。”萧轨盛惭愧而止。出宫二十多年，没有蓄养过声乐艺人。少年时，高祖赐给太子太乐女伎一部，却不是太子所好。

普通年间，梁朝大军北伐，京师粮价变贵，太子因此下令穿菲薄的衣服，减少膳食，改常馔为小食。每次遇到连绵阴雨或下大雪的天气，总要派遣心腹之人到闾巷之中去巡察，见到贫困的百姓有流离于道路的，便暗中加以赈济。又拿出绵布锦帛，做了许多襦袴，冬天送给贫饿冻馁之人。如果人死了没有东西收敛，便为之准备棺材。每次听说远近的百姓赋役勤苦，总是敛容改色。常常以百姓户口未实而为之忧劳不已。

吴兴郡屡以水灾失收，有上言当漕大渎以泻浙江。中大通二年春，诏遣前交州刺史王弁假节，发吴郡、吴兴、义兴三郡民丁就役。太子上疏曰：“伏闻当发王弁等上东三郡民丁，开漕沟渠，导泄震泽，使吴兴一境，无复水灾，诚矜恤之至仁，经略之远旨。暂劳永逸，必获后利。未萌难睹，窃有愚怀，所闻吴兴累年失收，民颇流移。吴郡十城，亦不全熟。唯义兴去秋有稔，复非常役之民。即日东境谷稼犹贵，劫盗屡起，在所有司，不皆闻奏。今征戍未归，强丁疏少，此虽小举，窃恐难合，吏一呼门，动为民蠹。又出丁之处，远近不一，比得齐集，已妨蚕农。去年称为丰岁，公私未能足食；如复今兹失业，虑恐为弊更深。且草窃多伺候民间虚实，若善人从役，则抄盗弥增，吴兴未受其益，内地已罹其弊。不审可得权停此功，待优实以不？、圣心垂矜黎庶，神量久已有在。臣意见庸浅，不识事宜，苟有愚心，愿得上启。”高祖优诏以喻焉。

【译文】

吴兴郡屡次因遭水灾而粮食欠收，有人上言应当开挖大渠以泄浙江的水。中大通二年春天，高祖诏派前交州刺史王弁代行其事节，发吴郡、吴兴、义兴三郡民丁服役。太子上疏说：“听说让王弁等发东三郡民丁，开漕沟渠，导泄震泽，使吴兴郡境内不再有水灾，诚然是矜恤之至仁，经略上的远者。暂时劳苦而得永逸，必然获得后利。未萌之事难以预见，臣私地有一种想法。听说吴兴郡累年欠收，百姓颇为流移。吴郡的十个城邑也不全熟，唯义兴郡去年丰收，却又不是常役之民。如今东境州郡粮价仍很贵，盗贼屡起，有关地方官府没有全部上奏。如今征戍未归，强丁很少，此事虽然是小的举动，但私下地担心难以合于民之所需。官吏一叫门，使动辄为百姓的蠹害。另外，出壮丁的地方，远近不一，等到集合在一起，已经妨害了农功。去年可以说是丰收年，公家和私门粮食还不够食用；如果加上现在失于劳作，恐怕为害更深。而且，草窃盗贼大多伺候民间虚实，如果好人都去从役，则抄盗劫略之事必然增加，吴兴郡还未受益，内地已受其弊。不知道能不能暂时停止这个功役，以待以后条件许可不？圣心垂矜黎庶百姓，神量久已有在。臣意见庸浅，不识事宜，苟有愚心，但愿对上启迪。”高祖萧衍专门下诏说明了此事。

太子孝谨天至，每入朝，未五鼓便守城门开。东宫虽燕居内殿，一坐一起，恒向西南面台。宿被召当入，危坐达旦。

三年三月，寝疾。恐贻高祖忧，敕参问，辄自力手书启。及稍笃，左右欲启闻，犹不许，曰“云何令至尊知我如此恶”，因便呜咽。四月乙巳薨，时年三十一。高祖幸东宫，临哭尽哀。诏敛以衮冕，谥曰昭明。五月庚寅，葬安宁陵。诏司徒左长史王筠为哀册，文曰：（略）

太子仁德素著，乃薨，朝野惋愕。京师男女，奔走宫门，号泣满路。四方氓庶，及疆徼之民，闻丧皆恸哭。所著文集二十卷；又撰古今典诰文言，为《正序》十卷；五言诗之善者，为《文章英华》二十卷，《文选》三十卷。

**【译文】**

太子仁孝恭谨是天性，每次入朝，不到五鼓便等着城门开启。在东宫之中虽然燕居内殿，一起一坐，总是面向西南台宫。晚上得到诏令要入宫，便危坐达旦，不敢稍歇怠慢。

中大通三年三月，太子病重。害怕高祖为自己担忧，每次诏劾参问，总要打起精神亲自写书信回报。等病情加重，左右的人想报告高祖，还不允许，说：“为什么要至尊知道我病成这样？”说着便呜咽感伤。四月乙巳日，太子病逝，时年三十一岁。高祖临幸东宫，哭得非常悲痛。下诏以衮冕敛尸，谥号曰昭明。五月庚寅日，埋葬于安宁陵。诏令司徒左长史王筠作哀册，文中说：（略）

昭明太子仁德平素著于内外，等他去世，朝野无不惊愕惋惜。京城中的男女百姓，都奔走于宫门前，满路都是号哭的人。四方百姓以及边疆吏民，听说太子去世，无不恸哭。昭明太子著有文集二十卷；又撰集古今典诰文言，为《正序》十卷；集五言诗中的佳作，为《文章英华》二十卷；《文选》三十卷。

# 韦睿传

韦睿字怀文，京兆杜陵人也。自汉丞相贤以后，世为三辅著姓。祖玄，避吏隐于长安南山。宋武帝入关，以太尉掾征，不至。伯父祖征，宋末为光禄勋。父祖归，宁远长史。睿事继母以孝闻。睿兄纂、阐，并早知名。纂、睿皆好学，阐有清操。祖征累为郡守，每携睿之职，视之如子。时睿内兄王憕，姨弟杜恽，并有乡里盛名。祖征谓睿曰："汝自谓何如憕、恽？"睿谦不敢对。祖征曰："汝文章或小减，学识当过之；然而干国家，成功业，皆莫汝逮也。"外兄杜幼文为梁州刺史，要睿俱行。梁土富饶，往者多以贿败；睿时虽幼，独用廉闻。

**【译文】**

韦睿，字怀文，是京兆杜陵人。韦家自汉代丞相韦贤以后世代为三辅地区大姓。祖父韦玄，为逃避做官隐居在长安南山。宋武帝刘裕入关中，请他出任太尉掾，他没有出来。伯父韦祖征，在宋末任光禄勋。父亲韦祖归，任宁远长史。韦睿服侍继母以孝顺闻名。他的哥哥韦纂、韦阐，都很早就有点名声。韦纂、韦睿都好学不倦，而韦阐则有高尚的道德操行。韦祖征接连升官为郡守，每次携带韦睿上任，总把他看作自己的儿子。当时韦睿的妻兄王憕、姨弟杜恽，在乡里都有很高的名声。韦祖征对韦睿说："你自己以为比起憕、恽来怎么样？"韦睿不敢回答。祖征说："你文章比起他们来略为逊色，学识则超过他们，而为国家建立功业，他们都比不上你呀。"表兄杜幼文为梁州刺史，要韦睿一起去。梁州土地富饶，过去的官吏大多受贿而身败名裂；韦睿当时虽然还年幼，却以清廉而闻名。

宋永光初，袁抃为雍州刺史，见而异之，引为主簿。抃到州，与邓琬起兵，睿求出为义成郡，故免抃之祸。后为晋平王左常侍，迁司空桂阳王行参军，随齐司空柳世隆守郢城，拒荆州刺史沈攸之。攸之平，迁前军中兵参军。久之，为广德令。累迁齐兴太守、本州别驾、长水校尉、右军将军。齐末多故，不欲远乡里，求为上庸太守，加建威将军。俄而太尉陈显达、护军将军崔慧景频逼京师，民心遑骇，未有所定。西土人谋之于睿，睿曰："陈虽旧将，非命世才；崔颇更事，懦而不武。其取赤族也，宜哉。天下真人，殆兴于吾州矣。"乃遣其二子，自结于高祖。

义兵檄至，睿率郡人伐竹为筏，倍道来赴，有众二千，马二百匹。高祖见睿甚悦，拊几曰："他日见君之面，今日见君之心，吾事就矣。"义师克郢、鲁，平加湖，睿多建谋策，皆见纳用。大军发郢，谋留守将，高祖难其人；久之，顾睿曰："弃骐骥而不乘，焉遑遑而更索？"即日以为冠军将军，江夏太守，行郢府事。初，郢城之拒守也，男女口垂十万，闭垒经年，疾疫死者十七八，皆积尸于床下，而生者寝处其上，每屋辄盈满。睿料简隐恤，成为营理，于是死者得埋藏，生者反居业，百姓赖之。

**【译文】**

宋前废帝永光初年，袁抃出任雍州刺史，见韦睿后感到惊异，引用为自己的主簿。袁抃到雍州，与邓琬一起起兵反朝廷，韦睿请求外出到义成郡任事，因此而避免了一场灾祸。后被任命为晋平王刘休佑左常侍，晋升为司空桂阳王刘休范行参军，随齐朝司空柳世隆守郢城，抗拒荆州刺史沈攸之。宋末沈攸之的叛乱平定后，升为前军中兵参军。过了一段时期，任广德县令。又接连升迁为齐兴太守、本州别驾、长水校尉、右军将军。齐朝末年社会动乱，韦睿不想远离家乡，要求担任了上庸太守，加建威将军。不久，太尉陈显达、护军将军崔慧景起兵，逼近京师，人心惶惶，不知所措。西部地区的人们请韦睿出谋划策，韦睿说："陈显达虽然是老将，但不是个有盖世之才的人，崔慧景常更换主子，懦弱而不英武，他们最后遭到灭族之灾，也是活该。天下的真命天子，将要出现在我们州了。"于是派遣其第二子，去联络和投靠梁武帝。

梁武帝起兵后，檄文到郡，韦睿率领郡中百姓伐竹造筏，加速赶来，共有两千人，二百匹马。梁武帝见到韦睿十分高兴，抚着几案说："前日只见到你的面，今日才知道你的心，我的事业能够成功了。"梁武帝的义师攻克郢、鲁，平定加湖，韦睿多次出谋划策，都被采纳。大军从郢出发，要留个守将，梁武帝感到难找人选，过了很久，回头对韦睿说："抛弃眼前千里马而不骑，何必再遑遑然去寻找？”当天就任命韦睿为冠军将军、江夏太守，行郢府事。最初，郢城在抗拒守城时，男女有近十万，关门拒守一年，因疾病而死亡的达十分之七八，都把尸体堆积在床下，而活人则睡在上面，每个房屋都挤满了人。韦睿都一一做了处理抚恤，于是死人得到埋葬，活人能安居乐业，百姓由此得到安宁。

梁台建，征为大理。高祖即位，迁廷尉，封都梁子，邑三百户。天监二年，改封永昌，户邑如先。东宫建，迁太子右卫率，出为辅国将军、豫州刺史、领历阳太守。三年，魏遣众来寇，率州兵击走之。

四年，王师北伐，诏睿都督众军。睿遣长史王超宗、梁郡太守冯道根攻魏小岘城，未能拔。睿巡行围栅，魏城中忽出数百人陈于门外，睿欲击之，诸将皆曰：“向本轻来，未有战备，徐还授甲，乃可进耳。”睿曰：“不然。魏城中二千余人，闭门坚守，足以自保，无故出人于外，必其骁勇者也，若能挫之，其城自拔。”众犹迟疑，睿指其节曰：“朝廷授此，非以为饰，韦睿之法，不可犯也。”乃进兵。士皆殊死战，魏军果败走，因急攻之，中宿而城拔。遂进讨合肥。先是，右军司马胡略等至合肥，久未能下，睿按行山川，曰：“吾闻‘汾水可以灌平阳，绛水可以灌安邑’，即此是也。”乃堰肥水，亲自表率，顷之，堰成水通，舟舰继至。魏初分筑东西小城夹合肥，睿先攻二城。既而魏援将杨灵胤帅军五万奄至，众惧不敌，请表益兵。睿笑曰：“贼已至城下，方复求军，临难铸兵，岂及马腹。且吾求济师，彼亦征众，犹如吴益巴丘，蜀增白帝耳。‘师克在和不在众’，古之义也。”因与战，破之，军人少安。

**【译文】**

梁朝建国后，韦睿被征召为大理。梁武帝即位，升为廷尉，封爵都梁子，食邑三百户。梁天监二年，改封到永昌，户邑数照旧不变。东宫建立后，升为太子右卫率，又外出为辅国将军、豫州刺史、统领历阳太守。天监三年，北魏派兵来侵犯，韦睿率领州兵击退了他们。

天监四年，梁军北伐，诏命韦睿都督众军。韦睿派长史王超宗、梁郡太守冯道根进攻北魏的小岘城，未能攻克。韦睿在围城的木栅周围巡行，城中忽然有数百人出城，韦睿想攻击他们，各位将领都说：“我们都是临时而来，没有做战斗的准备，让我们回去穿上盔甲后，再向他们进攻。”韦睿说：“不对。北魏城中共两千余人，关闭城门固守，足以自保，现在无故出城于外，必然是其中骁勇的人，如果能挫败他们，这城就自然可以攻下。”众将仍犹豫不决，韦睿指着自己的节说：“朝廷授给我这节，不是为了装饰，韦睿的法，是不可违反的。”于是向魏军发起进攻。将士们都拼死战斗，魏军果然都败退而逃，趁势急攻，到第二天晚上便把小岘城攻下了。于是进讨合肥。早先，右军司马胡略等到了合肥，久攻不能攻下，韦睿考察了地图上的山川，说：“我听说‘汾水可以灌平阳，绛水可以灌安邑’，这里也是这样。”于是在肥水上修筑堤坝，并亲自带头劳动做表率。不久，堤坝筑成水通了，舟舰相继来到。北魏初曾在合肥东西部分别筑起两小城，韦睿先攻此两城。不久北魏将领杨灵胤率领五万大军突然前来支援，大家都十分恐惧，请求增兵。韦睿说：“贼军已到了城下，再去求救兵，好像碰到危难再去铸造兵器，哪里还来得及。而且我们去求援军，他们也会这样，好像吴国增兵巴丘，蜀国增兵白帝。‘克敌制胜的原因在于人和而不在人多’，这是自古以来的经验。”于是发起了战斗，打败了敌人，军队稍稍安定。

初，肥水堰立，使军主王怀静筑城于岸守之，魏攻陷怀静城，千余人皆没。魏人乘胜至睿堤下，其势甚盛，军监潘灵□劝睿退还巢湖，诸将又请走保三叉。睿怒曰：“宁有此邪！将军死绥，有前无却。”因令取伞扇麾幢，树之堤下，示无动志。睿素羸，每战未尝骑马，以板舆自载，督厉众军。魏兵来凿堤，睿亲与争之，魏军少却，因筑垒于堤以自固。睿起斗舰，高与合肥城等，四面临之。魏人计穷，相与悲哭，睿攻具既成，堰水又满，魏救兵无所用。魏守将杜元伦登城督战，中弩死，城遂溃。俘获万余级，牛马万数，绢满十间屋，悉充军赏。睿每昼接客旅，夜算军书，三更起张灯达曙，抚循其众，常如不及，故投募之士争归之。所至顿舍修立，馆宇藩篱墙壁，皆应准绳。

合肥既平，高祖诏众军进次东陵。东陵去魏甓城二十里，将会战，有诏班师。去贼既近，惧为所蹑，睿悉遣辎重居前，身乘小舆殿后，魏人服睿威名，望之不敢逼，全军而还。至是迁豫州于合肥。

**【译文】**

先前，肥水堰建立时，韦睿命军主王怀静在岸上筑城防守它，北魏军队攻下了此城，千余人都成了俘虏。魏军乘胜到达韦睿的堤下，其军势很盛，军监潘灵□劝韦睿退还巢湖，其他诸将又请求退保三叉。韦睿发怒，说："岂有此理！《司马法》云：'将军因退军而死'。只能前进，不准后退。"于是命令把旌旗仪仗，树立在堤下，表示决心不走。韦睿素来体弱，每次作战不曾骑马，而是坐在木板轿子上指挥。但这次北魏军来破坏堤，韦睿亲自出来与之争战，魏军稍为退却，他就在堤上修筑营垒以加强防御。韦睿造起战船，其高度相当于合肥城，从四面居高临下。北魏军队没有办法，相互对着痛哭起来。韦睿造好了进攻的武器，堰水又满，魏救兵已不起作用。魏守将杜元伦到城上指挥督促战斗，中箭而死，于是合肥城被攻破，俘虏和杀死敌人一万多、牛马上万匹，满屋的绢共十间，所有这些都赏赐给了军队。韦睿每天白天接待客人，夜半起来研究军书，从三更开始张灯直到天明。他安抚部下，常恐不够，因而人们争先恐后来投归他。所到之处，建立住所，其藩篱墙壁，都有一定标准。

合肥平定后，梁武帝命令众军进到东陵。东陵离开魏甓城二十里，将要会战时，有诏书下来要求回军。离开敌人那么近，怕敌人从后面追来，韦睿便把军用物资安排在最前方，自己则坐小轿在最后压阵，魏军佩服韦睿的威武，只是远远看望他退走而不敢追逼。于是韦睿全军而还。到此，把豫州治所迁到了合肥。

五年，魏中山王元英寇北徐州，围刺史昌义之于钟离，众号百万，连城四十余。高祖遣征北将军曹景宗，都督众军二十万以拒之。次邵阳洲，筑垒相守，高祖诏睿率豫州之众会焉。睿自合肥迳道由阴陵大泽行，值涧谷，辄飞桥以济。师人畏魏军盛，多劝睿缓行。睿曰："钟离今凿穴而处，负户而汲，车驰卒奔，犹恐其后，而况缓乎！魏人已堕吾腹中，卿曹勿忧也。"旬日而至邵阳。初，高祖敕景宗曰："韦睿，卿之乡望，宜善敬之。"景宗见睿，礼甚谨。高祖闻之，曰："二将和，师必济矣。"

睿于景宗营前二十里，夜掘长堑，树鹿角，截洲为城，比晓而营立。元英大惊，以杖击地曰："是何神也！"明旦，英自率众来战，睿乘素木舆，执白角如意麾军，一日数合，英甚惮其强。魏军又夜来攻城，飞矢雨集，睿子黯请下城以避箭，睿不许。军中惊，睿于城上厉声呵之，乃定。魏人先于邵阳洲两岸为两桥，树栅数百步，跨淮通道。睿装大舰，使梁郡太守冯道根、庐江太守裴邃、秦郡太守李文钊等为水军。值淮水暴长，睿即遣之，斗舰竞发，皆临敌垒，以小船载草，灌之以膏，从而焚其桥。风怒火盛，烟尘晦冥，敢死之士，拔栅砍桥，水又漂疾，倏忽之间，桥栅尽坏。而道根等皆身自搏战，军人奋勇，呼声动天地，无不一当百。魏人大溃。元英见桥绝，脱身遁去。魏军趋水死者十余万，斩首亦如之。其余释甲稽颡，乞为囚奴，犹数十万。所获军实牛马，不可胜纪。睿遣报昌义之，义之且悲且喜，不暇答语，但叫曰"更生！更生！"高祖遣中书郎周舍劳于淮上，睿积所获于军门，舍观之，谓睿曰："君此获复与熊耳山等。"以功增封七百户，进爵为侯，征通直散骑常侍、右卫将军。

**【译文】**

天监五年，北魏中山王元英进攻北徐州，包围了在钟离的刺史昌义之，众号百万，连接城市四十余座。梁武帝派征北将军曹景宗，都督众军二十万去抵抗他。到了邵阳洲，修筑宫垒相守，梁武帝诏命韦睿率领豫州的军队去会师。韦睿从合肥取直道由阴陵大泽北行，碰到河涧就架桥渡过去。军队中人怕魏军强盛，多劝韦睿慢行。韦睿说："钟离现在挖地洞住人，头顶门板取水，我们尽快奔跑去还怕后到，怎么能缓慢呢！魏人已落到我们的圈套中，你们不要担忧。"仅十天时间就到了邵阳。先前，梁武帝对曹景宗说："韦睿，是你们乡中的名门望族，应该敬重他。"曹景宗见到韦睿后，十分礼敬。梁武帝知道后，说："两将和好，军队必然能胜利。"韦睿在曹景宗营前二十里，连夜挖掘长沟，树立起木栅，垒土筑城，到第二天拂晓营垒已经建立。元英知道后大惊，用杖击地，说："这是何处来的神呀！"次日一早，元英亲自率领部众来攻，韦睿乘白色木轿，手拿白角如意指挥军队，一天大战几个回合，元英害怕其强而退走。晚上魏军又来攻城，飞矢像雨点般落下来，韦睿儿子韦黯要求下城避箭，韦睿不许。军队中出现惊乱，韦睿在城上厉声呵斥，总算安定下来。北魏军队早先在邵阳洲两岸设有两座桥，树立木栅数百步，在淮河上造成了通道。韦睿造了大的战船，命令梁郡太守冯道根、庐江太守裴邃、秦郡太守李文钊等率领水军。等到淮河水暴涨时，即令战船迅速出发，都靠近敌军营垒，再用小船装满干草，灌浇了油膏，然后点火烧敌人的桥。狂风怒吼，火势炽盛，浓烟滚滚，尘埃飞扬，挡住了天色。一些敢死的士兵，拔栅砍桥，再加水流冲激，一忽儿工夫，桥和木栅都已毁坏。而冯道根等都身先士卒，与敌人搏斗，士兵们个个奋勇向前，呼杀声振天动地，没有一个不是以一当百。北魏军队彻底溃败。元英见桥已断，单身偷偷溜走。魏军在逃命中落水而死的有十多万，被斩首的也相当此数。其余放下武器叩头求降，成为囚犯和奴隶的，还有数十万。所缴获的军用物资、牛马等，不可胜数。韦睿派人回报昌义之，昌义之又悲又喜，不及回答，只是叫嚷："我们再生了，我们再生了！"梁武帝派中书郎周舍到淮河上去慰劳军队，韦睿把所有战利品堆在军门外，周舍看了，对韦睿说："你这次的收获与熊耳山相等了。"因这次功劳增封给韦睿食邑七百户，并进为侯爵，召为通直散骑常侍、右卫将军。

七年，迁左卫将军，俄为安西长史、南郡太守，秩中二千石。会司州刺史马仙琕北伐还军，为魏人所蹑，三关扰动，诏睿督众军援焉。睿至安陆，增筑城二丈余，更开大堑，起高楼，众颇讥其示弱。睿曰："不然，为将当有怯时，不可专勇。"是时元英复追仙琕，将复邵阳之耻，闻睿至，乃退，帝亦诏罢军。明年，迁信武将军、江州刺史。九年，征员外散骑常侍、右卫将军，累迁左卫将军、太子詹事，寻加通直散骑常侍。十三年，迁智武将军、丹阳尹，以公事免。顷之，起为中护军。

十四年，出为平北将军、宁蛮校尉、雍州刺史。初，睿起兵乡中，客阴俊光泣止睿，睿还为州，俊光道候睿，睿笑谓之曰："若从公言，乞食于路矣。"饷耕牛十头。睿于故旧，无所遗惜，士大夫年七十以上，多与假板县令，乡里甚怀之。十五年，拜表致仕，优诏不许。十七年，征散骑常侍、护军将军，寻给鼓吹一部，入直殿省。居朝廷，恂恂未尝忤视，高祖甚礼敬之。性慈爱，抚孤兄子过于己子，历官所得禄赐，皆散之亲故，家无余财。后为护军，居家无事，慕万石、陆贾之为人，因画之于壁以自玩。时虽老，暇日犹课诸儿以学。第三子棱，尤明经史，世称其洽闻，睿每坐棱使说书，其所发擿，棱犹弗之逮也。高祖方锐意释氏，天下咸从风而化；睿自以信受素薄，位居大臣，不欲与俗俯仰，所行略如他日。

【译文】

天监七年，韦睿升为左卫将军，不久为安西长史、南郡太守，秩禄年满两千石。刚好司州刺史马仙琕北伐回军，被北魏军所追，三关扰动，梁武帝命韦睿督领众军去支援。韦睿到安陆，加筑城墙二丈多，又开大沟，筑起高楼，大家颇有点讥笑他在敌人面前表示软弱。韦睿说："不对，做将领应当有胆怯的时候，不可以一意勇猛。"此时元英正在追击马仙琕，想洗刷和报复邵阳洲失败的耻辱，听说韦睿到来，也就退兵了。梁武帝也命韦睿回军。第二年，韦睿升为信武将军、江州刺史。天监九年，召为员外散骑常侍、右卫将军，接连加官升到左卫将军、太子詹事，不久加官通直散骑常侍。天监十三年，升为智武将军、丹阳尹，因公家的事免职。不久，又起用为中护军。

天监十四年，外出为平北将军、宁蛮校尉、雍州刺史。早先，韦睿在乡中起兵，宾客阴俊光哭着劝阻韦睿，现韦睿回到家乡任州刺史，阴俊光前来问候，韦睿笑着对他说："如果当时听从你的话，我要在路上讨饭了。"送给他十头耕牛。韦睿对于乡里的故旧老人，从来是宽厚不吝惜的，士大夫年龄在七十以上，多给以假板县令，因此乡里人都很怀念他。天监十五年，上表要求退休，梁武帝下优诏不许。天监十七年，召为散骑常侍、护军将军，不久赐给鼓吹乐队一部，在宫中值班。韦睿在朝廷中，为人厚道从不怒目而视，梁武帝很敬重他。韦睿性格慈祥爱人，抚养已成孤儿的侄子胜过自己的儿子，他历次任官所得的俸禄和赏物，都散给了亲戚故旧，家里没有多余财物。后来被任为护军，在家里没有事，羡慕万石、陆贾的为人，因而把他们的像画在墙上而自我欣赏。当时年虽已老，在空暇日子还是督促帮助诸儿们读书学习。第三子韦棱，对五经史书尤其熟悉，当时人称他通达古今，韦睿经常坐着让韦棱讲述书的内容，有时韦睿解说疑难之义，韦棱往往比不上。梁武帝当时正迷信佛教，全国也都流行这股风气，而韦睿自以为信佛一向较淡薄，而位居大臣，不想与常人一样去拜佛，所以行动仍和平常日子一样。

普通元年夏，迁侍中、车骑将军，以疾未拜。八月，卒于家，时年七十九。遗令薄葬，敛以时服。高祖即日临哭甚恸。赐钱十万，布二百匹，东园秘器，朝服一具，衣一袭，丧事取给于官，遣中书舍人监护。赠侍中、车骑将军、开府仪同三司。谥曰严。

初，邵阳之役，昌义之甚德睿，请曹景宗与睿会，因设钱二十万官赌之，景宗掷得雉，睿徐挪得卢，遽取一子反之，曰“异事”，遂作塞。景宗时与群帅争先启捷，睿独居后，其不尚胜，率多如是，世尤以此贤之。子放、正、棱、黯，放别有传。

**【译文】**

梁武帝普通元年夏天，升为侍中、车骑将军，因病没有拜受。八月，死于家中，时年七十九岁。遗言薄葬，大敛用平时衣服。梁武帝当日前往看望，哭得非常悲痛。赐钱十万，布二百匹，东园署的棺木，朝服一具，衣一袭。丧事的费用都由官府支给，派中书舍人监护。追赠做侍中、车骑将军、开府仪同三司，谥号为“严”。

早先，邵阳洲之役，昌义之非常感德于韦睿，请曹景宗与睿一起来，拿出二十万钱在徐州府赌博，曹景宗掷得个“雉”，睿再掷得个“卢”，急忙取一子反过来，说道“怪事”，于是得于“塞”。曹景宗当时与其他将帅争先报告战胜捷报，睿独立在后，他的不喜欢争胜的性格，大多是与这次赌博一样，世人因此而更敬重他。儿子韦放、韦正、韦棱、韦黯，韦放另外有传。

# 陶弘景传

陶弘景字通明，丹阳秣陵人也。初，母梦青龙自怀而出，并见两天人执香炉来至其所，已而有娠，遂产弘景。幼有异操，年十岁，得葛洪《神仙传》，昼夜研寻，便有养生之志。谓人曰："仰青云，睹白日，不觉为远矣。"及长，身长七尺四寸，神仪明秀，朗目疏眉，细形长耳。读书万余卷。善琴棋，工草隶。未弱冠，齐高帝作相，引为诸王侍读，除奉朝请。虽在朱门，闭影不交外物，唯以披阅为务，朝仪故事，多取决焉。永明十年，上表辞禄，诏许之，赐以束帛。及发，公卿祖之于征卢亭，供帐甚盛，车马填咽，咸云宋齐已来，未有斯事。朝野荣之。

**【译文】**

陶弘景字通明，丹阳秣陵地方人。开始，母亲做梦梦见有青龙从怀中出来，并且还看见两位天人手拿着香炉来到他们的房里，不久便怀孕了，于是生下了陶弘景。他小的时候有奇怪的行为，十岁年纪，得到葛洪《神仙传》，白天黑夜地攻读，于是有了养生的志向。常对人家说："仰视青云，观看太阳，不觉得是很遥远的事了。"等到长大了，身高有七尺四寸，神态和仪表都很出众，眼睛明亮有神，眉毛宽广，身材修长，耳朵肥大，读书超过万卷，善于抚琴下棋，工于草书隶书，还不到二十岁，齐高帝任相，把他封为诸王的伴读，并官拜奉朝请。虽然生活在贵族群中，但他将门关起来从不与别人来往，只以看书为要事，朝廷规仪礼章等事，一般都向他请教决断。永明十年，上表辞去俸禄，皇帝下诏同意，并赏赐丝帛。等到他动身离开朝廷的时候，公卿大夫设宴于征卢亭与之饯别，因设帐太多车马把道路都填满了，都说宋、齐以来，还没有出现过这种事情，朝廷和民间都认为是件有面子的事。

于是止于句容之句曲山。恒曰："此山下是第八洞宫，名金坛华阳之天，周回一百五十里。昔汉有咸阳三茅君得道，来掌此山，故谓之茅山。”乃中山立馆，自号华阳隐居。始从东阳孙游岳受符图经法。遍历名山，寻访仙药。每经涧谷，必坐卧其间，吟咏盘桓，不能已已。时沈约为东阳郡守，高其志节，累书要之，不至。

弘景为人，圆通谦谨，出处冥会，心如明镜，遇物便了，言无烦舛，有亦辄觉。建武中，齐宜都王铿为明帝所害，其夜，弘景梦铿告别，因访其幽冥中事，多说神异，因著《梦记》焉。

【译文】

从这以后，陶弘景居住在句容的句曲山，常说：“这座山下面是道教第八洞宫，名叫金坛华阳之天，周围有一百五十里，从前汉代有咸阳三茅君修炼得道，来掌管这座山，所以称之为茅山。”于是在山中建了一座道馆，自名为华阳隐居。开始跟随东阳孙游岳学习传授道符图经书道法，登访经历了许多名山，寻找访求仙药，每次经过山涧溪谷，一定端坐仰卧其间，吟咏盘旋，不能停止。当时沈约担任东阳郡太守，认为陶弘景志节高尚，多次写信向他提出邀请，都不去。

陶弘景为人圆通谦虚，小心谨慎，事情的变化曲折，心中如镜子一样清澈明白，遇到什么事情从不挂在心上，说话也没有什么过错，即使有也能很快发觉出来。建武年间，齐宜都王铿为齐明帝所杀害，那天夜里，陶弘景梦见铿来告别，因此搜访宜都王幽冥之间的事迹，大多讲的是神秘怪异之事，因此写下了《梦记》一书。

永元初，更筑三层楼，弘景处其上，弟子居其中，宾客至其下，与物遂绝，唯一家童得侍其旁。特爱松风，每闻其响，欣然为乐。有时独游泉石，望见者以为仙人。

性好著述，尚奇异，顾惜光景，老而弥笃。尤明阴阳五行，风角星算，山川地理，方图产物，医术本草。著《帝代年历》，又尝造浑天仪，云“修道所须，非止史官是用”。

义师平建康，闻议禅代，弘景援引图谶，数处皆成“梁”字，令弟子进之。高祖既早与之游，及即位后，恩礼逾笃，书问不绝，冠盖相望。

天监四年，移居积金东涧，善辟谷导引之法，年逾八十而有壮容，深慕张良之为人，云“古贤莫比”。曾梦佛授其菩提记，名为胜力菩萨。乃诣鄮县阿育王塔自誓，受五大戒。后太宗临南徐州，钦其风素，召至后堂，与谈论数日而去，太宗甚敬异之。大通初，令献二刀于高祖，其一名善胜，一名威胜，并为佳宝。

大同二年，卒，时年八十五。颜色不变，屈申如恒。诏赠中散大夫，谥曰贞白先生，仍遣舍人监护丧事。弘景遗令薄葬，弟子遵而行之。

**【译文】**

永元初年，又筑三层楼，陶弘景住在上面一层，弟子住中间一层，来访宾客则在下层，于是和外人全部隔绝，只有一个家童在身边侍候。特别喜欢松风，每次听到松风声，就感到十分高兴愉快。有时他一个人游览于泉石之间，看见的人都认为是神仙。

陶弘景本性喜欢著述，更追求奇异，爱惜时间，越老越勤奋，尤其了解阴阳五行、风角星算、山川地理、方图产物、医术本草。著有《帝代年历》，又曾经制造浑天仪，说是“修炼道法所需要，不仅仅是史官才用”。

义师平定建康，听说议论禅让帝位，陶弘景援引图书谶文，多处都成“梁”字，让弟子进上，梁高祖既早就与他有交情，等到即了帝位，恩情礼谊更加敦厚，写信问候没有间断，总有达官贵人不断地到他家去。

天监四年，移居到茅山积金东边的水溪边。擅长于辟谷气功等养生方法，过了八十岁仍然显得青春年少，十分爱慕汉代张良的为人处世，称赞他“古代的贤人没有谁能比拟”。曾经做梦梦见佛祖传授给他菩提记，并称他为胜力菩萨。于是到鄮县阿育王塔去发誓表愿，接受五大戒。后来太宗来到南徐州，钦佩他的高风清名，召他到后堂之中，和他谈论了多日才离开，太宗十分敬佩叹异他。大通初年，派人送两把宝刀给梁高祖，一把名叫“善胜”，一把称“威胜”，都是难得的好宝物。

大同二年去逝，卒年八十五，死时颜色不变，弯曲伸直如平常一样，皇帝下诏赠号为中散大夫，谥称贞白先生，并派皇宫中的官吏监督照料丧事。陶弘景留下遗书要薄葬，弟子们遵照予以办理。

# 〔陈书〕

## 后主本纪

后主讳叔宝，字元秀，小字黄奴，高宗嫡长子也。梁承圣二年十一月戊寅生于江陵。明年，江陵陷，高宗迁关右，留后主于穰城。天嘉三年，归京师，立为安成王世子。天康元年，授宁远将军，置佐史。光大二年，为太子中庶子，寻迁侍中，余如故。太建元年正月甲午，立为皇太子。

十四年正月甲寅，高宗崩。乙卯，始兴王叔陵作逆，伏诛。丁巳，太子即皇帝位于太极前殿。诏曰："上天降祸，大行皇帝奄弃万国，攀号擗踊，无所追及。朕以哀茕，嗣膺宝历。若涉巨川，罔知攸济，方赖群公，用匡寡薄。思播遗德，覃被亿兆，凡厥遐迩，咸与惟新。可大赦天下。在位文武及孝悌力田为父后者，并赐爵一级。孤老鳏寡不能自存者，赐谷人五斛、帛二匹。"癸亥，以侍中、翊前将军、丹阳尹长沙王叔坚为骠骑将军、开府仪同三司、扬州刺史，右卫将军萧摩诃为车骑将军、南徐州刺史，镇西将军、荆州刺史樊毅进号征西将军，平南将军、豫州刺史任忠进号镇南将军，护军将军沈恪为特进、金紫光禄大夫，平西将军鲁广达进号安西将军，仁武将军、丰州刺史章大宝为中护军。乙丑，尊皇后为皇太后，宫曰弘范。丙寅，以冠军将军晋熙王叔文为宣惠将军、丹阳尹。丁卯，立弟叔重为始兴王，奉昭烈王祀。己巳，立妃沈氏为皇后。辛未，立皇弟叔俨为寻阳王，皇弟叔慎为岳阳王，皇弟叔达为义阳王，皇弟叔熊为巴山王，皇弟叔虞为武昌王。壬申，侍中、中权将军、开府仪同三司鄱阳王伯山进号中权大将军，军师将军、尚书左仆射晋安王伯恭进号翊前将军、侍中，翊右将军、中领军庐陵王伯仁进号安前将军，镇南将军、江州刺史豫章王叔英进号征南将军，平南将军、湘州刺史建安王叔卿进号安南将军。以侍中、中书监、安右将军徐陵为左光禄大夫，领太子少傅。甲戌，设无玥大会于太极前殿。

【译文】

陈后主，名叔宝，字元秀，小字黄奴，陈宣帝的嫡长子。陈叔宝于梁承圣二年十一月戊寅日在江陵降生。第二年，江陵失陷，其父高宗迁移到关右，将后主留在穰城。至天嘉三年，接叔宝回京城建康，并立他为安成王太子。天康元年，任命叔宝为宁远将军，并为他设置佐史。光大二年，又授为太子中庶子，不久升为侍中，其他官职依旧保留。到太建元年正月甲午日，父亲陈顼登基称帝，叔宝被立为皇太子。

太建十四年正月甲寅日，陈高宗病逝。乙卯日，高宗次子始兴郡王陈叔陵发动叛乱，被处死。丁巳日，太子叔宝在太极前殿继皇帝位。颁布诏书说："上天降下大祸，大行皇帝忽然故去，举国上下，无不悲痛至极。我以忧伤悲痛的心情登基继承皇位。如同渡大江，不知凭借什么，今后就要依靠诸公辅佐我。要把先王的遗德，广泛普及到亿万百姓，使远近地方都变化革新。可大赦全国的犯人。在位的文武大臣及推荐出的孝悌力田者，他们的继承人可赐爵一级。孤老鳏寡生活不能自理者每人赏赐五斛谷，二匹帛。"癸亥日，任命侍中、翊前将军、丹阳尹长沙王叔坚为骠骑将军、开府仪同三司、扬州刺史，右卫将军萧摩诃为车骑将军、南徐州刺史，镇西将军，荆州刺史樊毅进称征西将军，平南将军、豫州刺史任忠进称镇南将军，护军将军沈恪为特进、金紫光禄大夫，平西鲁广达进称安西将军，仁武将军、丰州刺史章大宝为中护军。乙丑日，尊封皇后为皇太后，其宫名为弘范。丙寅日，任命冠军将军晋熙王叔文为宣惠将军、丹阳尹。丁卯日，立弟弟叔重为始兴王，祭礼昭烈王。己巳日，立皇妃沈氏为皇后。辛未日，立皇弟叔俨为寻阳王，皇弟叔慎为岳阳王，皇弟叔达为义阳王，皇弟叔熊为巴山王，皇弟叔虞为武昌王。壬申日，侍中、中权将军、开府仪同三司鄱阳王伯山进称中权大将军，军师将军、尚书左仆射晋安王伯恭进称翊前将军、侍中，翊右将军、中领军庐陵王伯仁进称安前将军，镇南将军、江州刺史豫章王叔英进称征南将军，平南将军、湘州刺史建安王叔卿进称安南将军。任命侍中、中书监、安右将军徐陵为左光禄大夫，兼太子少傅。甲戌日，在太极殿前举行无碍大会。

三月辛亥，诏曰："躬推为劝，义显前经，力农见赏，事昭往诰。斯乃国储是资，民命攸属，丰俭隆替，靡不由之。夫入赋自古，输藁惟旧，沃饶贵于十金，硗确至于三易，腴堉既异，盈缩不同。诈伪日兴，簿书岁改。稻田使者，著自西京，不实峻刑，闻诸东汉。老农惧于祇应，俗吏因以侮文。辍耒成群，游手为伍，永言妨蠹，良可太息。今阳和在节，膏泽润下，宜展春耨，以望秋坻。其有新辟塍畎，进垦蒿莱，广袤勿得度量，征租悉皆停免。私业久废，咸许占作，公田荒纵，亦随肆勤。倘良守教耕，淳民载酒，有兹督课，议以赏擢。外可为格班下，称朕意焉。"癸亥，诏曰："夫体国经野，长世字氓，虽因革倘殊，弛张或异，至于旁求俊缃，爰逮侧微，用适和羹，是隆大厦，上智中主，咸由此术。朕以寡薄，嗣膺景祚，虽哀疚在躬，情虑愍舛，而宗社任重，黎庶务殷，无由自安拱默，敢忘康济，思所以登显髦彦，式备周行。但空劳宵梦，屡勤史卜，五就莫来，八能不至。是用申旦凝虑，景夜损怀。岂以食玉炊桂，无因自达？将怀宝迷邦，咸思独善？应内外众官九品已上，可各荐一人，以会汇征之旨。且取备实难，举长或易，小大之用，明言所施，勿得南箕北斗，名而非实。其有负能仗气，摈压当时，著《宾戏》以自怜，草《客嘲》以慰志，人生一世，逢遇诚难，亦宜去此幽谷，翔兹天路，趋铜驰以观国，望金马而来庭，便当随彼方圆，饬之矩矱。"又诏曰："昔睿后宰民，哲王御寓，虽德称汪涉，明能普烛，犹复纡己乞言，降情访道，高咨岳牧，下听舆台，故能政若神明，事无悔吝。朕纂承丕绪，思隆大业，常惧九重已邃，四聪未广，欲听昌言，不疲痹足，若逢廷折，无惮批鳞。而口柔之辞，倘闻于在位，腹诽之意，或隐于具僚，非所以弘理至公，缉熙帝载者也。内外卿士文武众司，若有智周政术，心练治体，救民俗之疾苦，辩禁网之疏密者，各进忠谠，无所隐讳。朕将虚已听受，择善而行，庶深鉴物情，匡我王度。"己巳，以侍中、尚书左仆射，新除翊前将军晋安王伯恭为安南将军、湘州刺史，新除翊左将军、永阳王伯智为尚书仆射，中护军章大宝为丰州刺史。

夏四月丙申，立皇子永康公胤为皇太子，赐天下为父后者爵一级，王公已下赉帛各有差。庚子，诏曰："朕临御区宇，抚育黔黎，方欲康济浇薄，蠲省繁费，奢僭乖衷，实宜防断。应镂金银薄及庶物化生土木人綵花之蜀，及布帛幅尺短狭轻疏者，并伤财废业，尤成蠹患。又僧尼道士，挟邪左道，不依经律，民间淫祀妖书诸珍怪事，详为条制，并皆禁绝。”癸卯，诏曰：“中岁克定淮、泗，爰涉青、徐，彼土酋豪，并输罄诚款，分遣亲戚，以为质任。今旧土沦陷，复成异域，南北阻远，未得会同，念其分乖，殊有爱恋。夷狄吾民，斯事一也。何独讥禁，使彼离析？外可即检任子馆及东馆并带保任在外者，并赐衣粮，颁之酒食，遂其乡路，所之阻远，便发遣船仗卫送，必令安达。若已预仕宦及别有事义不欲去者，亦随其意。”

**【译文】**

三月辛亥日，颁布诏书说：“用身体力行，作为劝导，其道理前代的经典已经写明，努力耕种的人就受重赏，这样的事以往书中也有记载。国家的储蓄依赖于此，百姓的生命也与此相关，丰收还是欠收，兴旺还是衰败，无不由此决定。自古人们就交纳赋税，旧时人们又输纳蒿草，富饶的土地缴的超过十金，贫瘠的土地则一减再减，变化再三。肥沃的土地与贫瘠的土地既然有差别，其收成当然也不相同。于是弄虚作假的风气日益兴盛，上计簿年年改动。西汉时有稻田使者监督，东汉时用严刑峻法惩治。农民惧怕赋敛，俗吏因此歪曲法令。于是弃农不耕者成帮结伙，游手好闲者成群结队，总是讲防止害农，却总也没有能够防止，实在让人叹息！现在节气适宜，风调雨顺，正是开展春耕、秋收有望的好时节。有些人开辟荒田，斩除蒿草，其新开垦的土地不用丈量，租税全部免收。私人田地长期废置的，都允许占有耕种，荒废了的公田，也随意让人开垦。假若有清廉贤良的官吏教人耕种，使民风淳厚，民生富裕，有此成绩，要论功提升。另外可作为条例规定颁布下去，以符合我的心意。”癸亥日，颁诏书说：“治理国家，繁衍百姓，虽然因情况变化不一，会有松弛紧张的不同，但寻求德高望众的贤德之人，以至于到平民百姓中搜寻，以便辅助君王，调和阴阳，兴盛年拍，登基继位，虽然悲痛哀伤，神情昏乱，但国家的重任，百姓的繁杂事务，使我不能贪图安逸，无所事事，不敢忘怀治理国家，所以要选取有才德的人，充任朝廷官员。但尽管昼思夜想，不断占卜，却贤臣不来，能人不至，为此我早晚劳神，昼夜忧心。难道是因为帝王难见，无人引荐？还是身怀宝玉不想贡献，而想洁身自好？朝廷内外的众官员，凡九品以上者均可举一人，以符合征召贤人的旨意。况且，选取人才，求全责备很难，推荐一技之长容易，大才小才，都要讲清其实用价值，不要像南箕北斗星辰，有箕斗之名而无实际用途。或有人恃才傲物，气压当时，像班固那样著《宾戏》而自怜，像扬雄那样写《客嘲》而自慰，人生在世，得遇识才的明主确实很难，但也应离开幽居之处，走上光明大道，奔赴宫门外的铜弛夹路，投奔金马门而上朝廷。朝廷便应量才录用，用相应的规则约束。”又颁布诏书说：“以前明智的君主管理人民，贤圣的帝王治理国家，虽说已是恩德深广，智能遍及四方，仍要屈己去采纳谏言，四处察访了解民情，向上咨询管理各方政务的百官及封疆大吏，向下听取地位低微的平民百姓的意见。所以才能政治清明，无往而不利。我继承先王的大业，并要使其兴盛，常常惧怕自己身居九重之深，听视不能广达四方，所以要听取好的建议，不惜足力，四处采纳。若遇到不怕触怒帝王，在朝廷上当众辩驳的言论，要能够接受。而对于奉承献媚的言辞，我在位时听到，官吏们口虽不言，内心实不同意，那就不是治理公正光辉帝业的道理了。内外卿士文武各大臣，若有人周密地考虑施政方针，用心地研究治国大计，能解救百姓的疾苦，分辨禁令的宽严，望各进忠直之言，无所隐藏忌讳。我将虚心听取，择善而行，希望能够透彻体察物理人情，辅佐帝王大业。”己巳日，任命侍中、尚书左仆射、新任的翊前将军晋安王伯恭为安南将军、湘州刺史，新任翊左将军、永阳王伯智为尚书仆射，中护军章大宝为丰州刺史。

夏四月丙申日，立皇子永康公陈胤为皇太子，赏赐全国继承父亲爵位者爵一级，王公以下的都按不同等级赏给布帛。庚子日，颁布诏书说：“我登基继位，抚育人民，正是要振兴国家，富足百姓，免除繁重的杂税。奢侈腐化违背我的心意，的确应当防止。那些镂金银薄及庶物化生土木人綵花之类，以及布帛尺幅过短过窄，轻飘不合实用的，都是劳民伤财，成为祸害。还有僧尼道士，依仗邪道歪教，不遵守例律法令，及民间泛滥的祭祀、妖书等诸种怪事，都应依照条例，予以杜绝禁止。”癸卯日，颁布诏书说：“中年曾平定了淮、泗一带，又渡过青、徐，那些地方的部族首领，都前来贡献物品表达诚意，并分别遣送来他们的亲族做人质。现在这些旧有国土沦陷了，变成了异国土地，南北阻隔相距甚远，亲人不能会合，考虑到分离之苦，实在让人同情。夷狄的百姓也是我国的人民，应一视同仁，为何要歧视他们，使他们离析？应立即检查任子馆和东馆及携带保任人员在外的，一并赐给他们衣服、粮食、美酒，送他们踏上回乡之路。若路远险阻，便派遣车船护卫，一定要他们安全到达。若已经做官或有其他的打算不愿回去的，也应遵从他们的意愿。”

六月癸酉朔，以明威将军、通直散骑常侍孙玚为中护军。

秋七月辛未，大赦天下。是月，江水色赤如血，自京师至于荆州。

八月癸未夜，天有声如风水相击。乙酉夜亦如之。丙戌，以使持节、都督缘江诸军事、安西将军鲁广达为安左将军。

九月丙午，设无㝵大会于太极殿，舍身及乘舆御服，大赦天下。辛亥夜，天东北有声如虫飞，渐移西北。乙卯，太白昼见。丙寅，以骠骑将军、开府仪同三司、扬州刺史长沙王叔坚为司空，征南将军、江州刺史豫章王叔英即本号开府仪同三司。

至德元年春正月壬寅，诏曰：“朕以寡薄，嗣守鸿基，哀茕切虑，疹恙缠织，训俗少方，临下靡算，惧甚践冰，栗同驭朽。而四气易流，三光遄至，缨绂列陛，玉帛充庭，具物匪新，节序疑旧，缅思前德，永慕昔辰，对轩闼而哽心，顾筵而懔气。思所以仰遵遗构，俯励薄躬，陶铸九流，休息百姓，同弘宽简，取叶阳和。可大赦天下，改太建十五年为至德元年。”以征南将军、江州刺史、新除开府仪同三司豫章王叔英为中卫大将军，骠骑将军、开府仪同三司、扬州刺史长沙王叔坚为江州刺史，征东将军、开府仪同三司、东扬州刺史司马消难进号车骑将军，宣惠将军、丹阳尹晋熙王叔文为扬州刺史，镇南将军、南豫州刺史任忠为领军将军，安左将军鲁广达为平南将军、南豫州刺史，祠部尚书江总为吏部尚书。癸卯，立皇子深为始安王。

【译文】

六月癸酉初一日，任命明威将军、通直散骑常侍孙玚为中护军。

秋七月辛未日，大赦全国犯人。这个月，自京师至荆州一段的江水呈现出血红色。

八月癸未日夜，天空有声音如风水相击一般。乙酉日夜又出现同样的声音。丙戌日，任命以使臣身份持符节、都督缘江诸军事、安西将军鲁广达为安左将军。

九月丙午日，在太极殿举行无翊大会，布施车轿、衣服并舍身，大赦全国犯人。辛亥日夜，天空东北方有响声如虫飞一般，渐渐移至西北。乙卯日，白天太白星出现。丙寅日，任命骠骑将军、开府仪同三司、扬州刺史长沙王叔坚为司空，让征南将军、江州刺史豫章王叔英具有开府仪同三司的称号。

至德元年春正月壬寅日，颁布诏书说："我以寡薄之才，登基继位，哀伤深切，悲痛缠绕，移风易俗缺少方法，治理国家束手无策，内心惧怕，如履薄冰，如以朽绳驾车。而四时变化如流水，日、月、星三光流失迅速，朝廷官员排列阶下，金玉布帛充满宫廷，品物不新，节令依旧，缅怀先帝恩德，常常追慕以往的时光，面对宫门而哭泣，顾盼展屏几筵而伤心。想遵奉先人留下的大政方针，勉励自己，整治天下，休养百姓，宽松政治，调和阴阳。可大赦全国犯人，改年号太建十五年为至德元年。"任命征南将军、江州刺史、新任开府仪同三司豫章王叔英为中卫大将军，骠骑将军、开府仪同三司、扬州刺史长沙王叔坚为江州刺史，征东将军、开府仪同三司、东扬州刺史司马消难进称为车骑将军，宣惠将军、丹阳尹晋熙王叔文为扬州刺史，镇南将军、南豫州刺史任忠为领军将军，安左将军鲁广达为平南将军、南豫州刺史，祠部尚书江总为吏部尚书。癸卯日，立皇子陈深为始安王。

二月丁丑，以始兴王叔重为扬州刺史。

夏四月戊辰，交州刺史李幼荣献训象。己丑，以前轻车将军、扬州刺史晋熙王叔文为江州刺史。

秋八月丁卯，以骠骑将军、开府仪同三司长沙王叔坚为司空。

九月丁巳，天东南有声如虫飞。

冬十月丁酉，立皇弟叔平为湘东王，叔敖为临贺王，叔宣为阳山王，叔穆为西阳王。戊戌，侍中、安右将军、左光禄大夫、太子少傅徐陵卒。癸丑，立皇弟叔俭为南安王，叔澄为南郡王，叔兴为沅陵王，叔韶为岳山王，叔纯为新兴王。

十二月丙辰，头和国遣使献方物。司空长沙王叔坚有罪免。戊午夜，天开自西北至东南，其内有青黄色，隆隆若雷声。

二年春正月丁卯，分遣大使巡省风俗。平南将军、豫州刺史鲁广达进号安南将军。癸巳，大赦天下。

夏五月戊子，以尚书仆射永阳王伯智为平东将军、东扬州刺史，轻车将军、江州刺史晋熙王叔文为信威将军、湘州刺史，仁威将军、扬州刺史始兴王叔重为江州刺史，信武将军、南琅邪彭城二郡太守南平王嶷为扬州刺史，吏部尚书江总为尚书仆射。

【译文】

二月丁丑日，任命始兴王叔重为扬州刺史。

夏四月戊辰日，交州刺史李幼劳献给朝廷驯象。己丑日，任命前轻车将军、扬州刺史晋熙王叔文为江州刺史。

秋八月丁卯日，任命骠骑将军、开府仪同三司长沙王叔坚为司空。

九月丁巳日，天空东南方有声音如飞虫一般。

冬十月丁酉日，立皇弟叔平为湘东王，叔敖为临贺王，叔宣为阳山王，叔穆为西阳王。戊戌日，侍中、安右将军、左光禄大夫、太子少傅徐陵去世。癸丑日，立皇弟叔俭为南安王，叔澄为南郡王，叔兴为沅陵王，叔韶为岳山王，叔纯为新兴王。

十二月丙辰日，头和国派遣使臣来献地方特产。司空长沙王叔坚因有罪被免职。戊午日夜，天空从西北到东南裂开，其中有青黄色光，响声隆隆犹如雷鸣。

至德二年春季正月丁卯日，分别派遣使臣到各省巡视民间风俗。平南将军、豫州刺史鲁广达进称安南将军。癸巳日，大赦全国犯人。

夏五月戊子日，任命尚书仆射永阳王伯智为平东将军、东扬州刺史，轻车将军、江州刺史晋熙王叔文为信威将军、湘州刺史，仁威将军、扬州刺史始兴王叔重为江州刺史，信武将军、南琅邪彭城二郡太守南平王嶷为扬州刺史，吏部尚书江总为尚书仆射。

秋七月戊辰，以长沙王叔坚为侍中、镇左将军。壬午，太子加元服，在位文武赐帛各有差，孝悌力田为父后者各赐一级，鳏寡癃老不能自存者人谷五斛。

九月癸未，太白昼见。

冬十月己酉，诏曰："耕凿自足，乃曰淳风，贡赋之兴，其来尚矣。盖《由庚》极务，不获已而行焉。但法令滋章，奸盗多有，俗尚浇诈，政鲜惟良。朕日旰夜分，矜一物之失所，泣辜罪己，愧三千之未措。望订初下，使强荫兼出，如闻贫富均起，单弱重弊，斯岂振穷扇暍之意欤？是乃下吏箕敛之苛也。故云'百姓不足，君孰与足'。自太建十四年望订稍调逋未入者，并悉原除。在事百僚，辩断庶务，必去取平允，无得便公害民，为己声绩，妨紊政道。"

十一月丙寅，大赦天下。壬申，盘盘国遣使献方物。戊寅，百济国遣使献方物。

三年春正月戊午朔，日有蚀之。庚午，以镇左将军长沙王叔坚即本号开府仪同三司，征西将军、荆州刺史樊毅为护军将军，守吏部尚书、领著作陆琼为吏部尚书，金紫光禄大夫袁敬加特进。

**【译文】**

秋七月戊辰日，任命长沙王叔坚为侍中、镇左将军。壬午日，太子加冕，在位的文武百官按不同等级赏赐布帛。继承父位的孝悌力田者分别赐爵一级，老弱病残及鳏夫寡妇生活不能自理者每人赐五斛谷。

九月癸未日，白天太白星出现。

冬十月己酉日，颁布诏书说："自己耕种自己富足，可谓风俗质朴淳厚，贡奉租赋由来已久。这就是《诗·由庚》所说的万物都循此道，身不由己而行。但法令日益增加，奸诈强取的事却不少，风俗日益浇薄虚伪，政治很少贤明。我日夜操劳，每一件事处置不当，都为自己的罪过哭泣伤心，惭愧众多的事情都没办好。望订租调刚实行时，使那些豪强及荫封之人都交租赋，听说贫富都起来作乱，贫弱之人受害重，这难道是救济穷困、解人寒热的用意吗？这是那些小官吏强征暴敛的结果。所以说：'百姓不富足，君王谁又能富足。'建安十四年以来，望订租调拖欠未交者，一律免除。在职的官吏，处理事务要分析判断，秉公办理，不得为公害民，为了自己的政绩声誉，而干扰治国的大政方针。”

十一月丙寅日，大赦全国犯人。壬申日，盘盘国派使臣献上地方特产。戊寅日，百济国派遣使臣献上地方特产。

至德三年春正月戊午初一日，有日食出现。庚午日，让镇左将军长沙王叔坚具有开府仪同三司称号，任命征西将军、荆州刺史樊毅为护军将军，守吏部尚书、领著作陆琼为吏部尚书，金紫光禄大夫袁敬加特进头衔。

三月辛酉，前丰州刺史章大宝举兵反。

夏四月庚戌，丰州义军主陈景详斩大宝，传首京师。

秋八月戊子夜，老人星见。己酉，以左民尚书谢伷为吏部尚书。

九月甲戌，特进、金紫光禄大夫袁敬卒。

冬十月己丑，丹丹国遣使献方物。

十一月己未，诏曰：“宣尼诞膺上哲，体资至圣，祖述宪章之典，并天地而合德，乐正《雅》《颂》之奥，与日月而偕明，垂后昆之训范，开生民之耳目。梁季湮微，灵寝忘处，鞠为茂草，三十余年，敬仰如在，永惟忾息。今《雅》道雍熙，《由庚》得所，断琴故履，零落不追，阅笥开书，无因循循。外可详之礼典，改筑旧庙，蕙房桂栋，咸使惟新，芳蘩洁潦，以时飨奠。”辛巳，舆驾幸长干寺，大赦天下。

十二月丙戌，太白昼见。辛卯，皇太子出太学，讲《孝经》，戊戌，讲毕。辛丑，释奠于先师，礼毕，设金石之乐，会宴王公卿士。癸卯，高丽国遣使献方物。是岁，萧岿死，子琮代立。

**【译文】**

三月辛酉日，前丰州刺史章大宝举兵反叛。

夏四月庚戌日，丰州义军首领陈景详将章大宝斩首，传送首级入京师。

秋八月戊子日夜，老人星出现。己酉日，任命左民尚书谢伷为吏部尚书。

九月甲戌日，特进、金紫光禄大夫袁敬去世。

冬十月己丑日，丹丹国派遣使者献地方特产。

十一月己未日，颁布诏书说：“孔子为至贤至圣的哲人，遵奉古代的宪法典章，与天地同德，考定《雅》、《颂》音乐中深奥的道理，与日月同辉，为后世树立了榜样，对百姓起到了开导启迪的作用。梁代湮没了孔子，坟墓都找不到了，长满了繁茂的野草，三十余年了，缅怀思念，敬仰不已，实在令人叹息感伤。现在《雅》道光明，《由庚》所指示的途径得到承认，而断弦的琴、过去的鞋，这些令人怀念的旧物，却零落得无处可寻。看看书箱，打开书卷，都无法因循恢复。外臣可详察记载礼仪的典籍，修建旧庙，蕙房桂栋的庙宇，都重新修建，用芳蘩洁潦这些香草，按时祭奠。”辛巳日，皇帝到长干寺，大赦全国犯人。

十二月丙戌日，白天太白星出现。辛卯日，皇太子到太学，讲《孝经》，戊戌日，讲完。辛丑日，祭奠先师孔子，祭礼结束后，奏金石之乐，设宴款待王公卿士。癸卯日，高丽国遣使者献地方特产。这一年，萧岿死，儿子萧琮继位。

四年春正月甲寅，诏曰：“尧施谏鼓，禹拜昌言，求之异等，久著前无，举以淹滞，复闻昔典，斯乃治道之深规，帝王之切务。朕以寡昧，丕承鸿绪，未明虚己，日旰兴怀，万机多紊，四聪弗达，思闻蹇谔，采其谋计。王公已下，各荐所知，旁询管库，爰及舆皂，一介有能，片言可用，朕亲加听览，佇于启沃。”中权大将军、开府仪同三司鄱阳王伯山进号镇卫将军，中卫大将军、开府仪同三司豫章王叔英进号骠骑大将军，镇左将军、开府仪同三司长沙王叔坚进号中军大将军，安南将军晋安王伯恭进号镇右将军，翊右将军宜都王叔明进号安右将军。

二月丙戌，以镇右将军晋安王伯恭为特进。丙申，立皇弟叔谟为巴东王，叔显为临江王，叔坦为新会王，叔隆为新宁王。

夏五月丁巳，立皇子庄为会稽王。

秋九月甲午，舆驾幸玄武湖，肆舻舰阅武，宴群臣赋诗。戊戌，以镇卫将军、开府仪同三司鄱阳王伯山为东扬州刺史，智武将军岳阳王叔慎为丹阳尹。丁未，百济国遣使献方物。

冬十月癸亥，尚书仆射江总为尚书令，吏部尚书谢伷为尚书仆射。

【译文】

至德四年春正月甲寅日，颁布诏书说："相传尧时曾设鼓于庭上，使民击之以进谏，禹设倡言官以鼓励百姓进善言，向各色人等征求意见，谏鼓长期放置堂前，询问隐逸、查阅典籍，这事是治国的根本，也是帝王的当务之急。我寡德无才，登基继位，不懂得如何谦虚，日夜挂怀，事务众多，听闻不够广达。现欲听取正直敢言之人的谏言，并采纳他们所提供的计谋。王公以下的诸官吏，每个人都尽他们所知提出建议，并向那些管理仓库之人，以至舆皂小吏征询谏言，有一技之长的人，有片言只语可用的，我都将亲自听取，留意观察，恭候具有开启作用的治国之言。"中权大将军、开府仪同三司鄱阳王伯山进称为镇卫将军，中卫大将军、开府仪同三司豫章王叔英进称为骠骑大将军，镇左将军、开府仪同三司长沙王叔坚进称为中军大将军，安南将军晋安王伯恭进称为镇右将军，翊右将军宜都王叔明进称为安右将军。

二月丙戌日，授镇右将军晋安王伯恭特进头衔。丙申日，立皇弟叔谟为巴东王，叔显为临江王，叔坦为新会王，叔隆为新宁王。

夏五月丁巳日，立皇子陈庄为会稽王。

秋九日甲午日，皇帝驾临玄武湖，检阅陈列的战舰船只，并设宴款待群臣，即兴赋诗。戊戌日，任命镇卫将军、开府仪同三司鄱阳王伯山为东扬州刺史，智武将军岳阳王叔慎为丹阳尹。丁未日，百济国派遣使臣献上地方特产。

冬十月癸亥日，尚书仆射江总升为尚书令，吏部尚书谢伷升为尚书仆射。

十一月己卯，诏曰："惟刑止暴，惟德成物，三才是资，百王不改。而世无抵角，时鲜犯鳞，渭桥惊马，弗闻廷争，桃林逸牛，未见其旨。虽剽悍轻侮，理从钳钛，蠢愚杜默，宜肆矜弘，政乏良哉，明惭则哲，求诸刑措，安可得乎？是同属瘖瘵以轸怀，负黼崚而于邑。复兹合璧轮缺，连珠纬舛，黄钟献吕，和气始萌，玄英告中，履长在御，因时宥过，抑乃斯得。可大赦天下。"

祯明元年春正月丙子，以安前将军衡阳王伯信进号镇前将军，安东将军、吴兴太守卢陵王伯仁为特进，智武将军、丹阳尹岳阳王叔慎为湘州刺史，仁武将军义阳王叔达为丹阳尹。戊寅，诏曰：“柏皇、大庭、鼓淳和于曩曰，姬王、嬴后，被浇风于末载，刑书已铸，善化匪融，礼义既乖，奸宄斯作。何其淳朴不反，浮华竞扇者欤？朕居中御物，纳隍在眷，频恢天网，屡绝三边，元元黔庶，终罹五辟。盖乃康哉寡薄，抑焉法令滋章。是用当宁弗怡，矜此向隅之意。今三元具序，万国朝辰，灵芝献于始阳，膏露凝于聿岁，从春施令，仰乾布德，思与九有，惟新七政。可大赦天下，改至德五年为祯明元年。”乙未，地震。癸卯，以镇前将军衡阳王伯信为镇南将军、西衡州刺史。

【译文】

十一月己卯日，颁布诏书说：“只有刑法才能制止暴行，只有品德高尚才能干成事业，天、地、人三才是国家的依靠，任何君王都无法更改。然而世界上很少有人敢于顶撞君王直言劝谏，渭桥惊马，听不到在朝廷上和皇帝力争的议论；桃林放牛，看不到提出此种意见的人。虽然剽悍轻侮的人，应受到刑法制裁，愚蠢笨拙的人，应该宽免，但政治不贤明，官吏不睿智，想不用刑罚，又怎能做到？为此我日夜忧心，背靠着绣花屏风叹息。如今日月合璧、五星连珠，律当黄钟大吕，和气萌生，冬季恰过了一半，正是献履迎福之时，借此时机宽恕罪过，也许就得到大治。可以大赦全国犯人。”

祯明元年春正月丙子日，安前将军衡阳王伯信进称为镇前将军，授以安东将军、吴兴太守庐陵王伯仁特进头衔，任命智武将军、丹阳尹岳阳王叔慎为湘州刺史，仁武将军义阳王叔达为丹阳尹。戊寅日，颁布诏书说：“柏皇与大庭皇帝，在往日使质朴敦厚之风兴盛，而姬王、嬴后，生于浇薄风俗兴盛的末世，法令依然铸于刑鼎，教化就行不通，礼义一经违背，奸宄祸乱就猖狂。为什么那种质朴淳厚之风一去不复返，而浮华轻薄之风却日益兴盛呢？我统治这个国家，时刻关心着救民于水火之中，屡次试图恢复天纲，阻止幽、并、凉三州的侵扰，但黎民百姓，始终遭受各种刑罚。这是因为才能寡薄，还是因为法令增加？为此应安慰我忧郁之心，同情我悲伤之意。现在三元各都就序，万国前来朝拜，初春献来灵芝，岁末凝成玉露，从春天开始发布命令，依靠上天布施恩德，想在全国更新政治。可大赦全国犯人，改年号至德五年为祯明元年。”乙未日，发生地震。癸卯日，任命镇前将军衡阳王伯信为镇南将军、西衡州刺史。

二月丁未，以特进，镇右将军晋安王伯恭进号中卫将军，中书令建安王叔卿为中书监。丁卯，诏至德元年望订租调逋未入者，并原之。

秋八月癸卯，老人星见。丁未，以车骑将军萧摩诃为骠骑将军。

九月乙亥，以骠骑将军、开府仪同三司豫章王叔英为骠骑大将军。庚寅，萧琮所署尚书令、太傅安平王萧岩，中军将军、荆州刺史义兴王萧瓛，遣其都官尚书沈君公，诣荆州刺史陈纪请降。辛卯，岩等率文武男女十万余口济江。甲午，大赦天下。

冬十一月乙亥，割扬州吴郡置吴州，割钱塘县为郡，属焉。丙子，以萧岩为平东将军、开府仪同三司、东扬州刺史，萧瓛为安东将军、吴州刺史。丁亥，以骠骑大将军、开府仪同三司豫章王叔英兼司徒。

十二月丙辰，以前镇卫将军、开府仪同三司、东扬州刺史鄱阳王伯山为镇卫大将军、开府仪同三司，前中卫将军晋安王伯恭为中为将军、右光禄大夫。

**【译文】**

二月丁未日，特进、镇右将军晋安王伯恭进称中卫将军，中书令建安王叔卿升为中书监。丁卯日，颁布诏书，命令从至德元年以来拖久望订租调未交的，一律免征。

秋八月癸卯日，老人星出现。丁未日，任命车骑将军萧摩诃为骠骑将军。

九月乙亥日，任命骠骑将军、开府仪同三司豫章王叔英为骠骑大将军。庚寅日，萧琮所任命的尚书令、太傅安平王萧岩，中军将军、荆州刺史义兴王萧瓛，派遣他们的都官尚书沈君公，前去向荆州刺史陈纪请求投降。辛卯日，萧岩等率领文武百官，男女百姓十万余口渡江。甲午日，大赦全国犯人。

冬十一月乙亥日，将扬州的吴郡改设为吴州，将钱塘县改设为钱塘郡，钱塘郡归属吴州管辖。丙子日，任命萧岩为平东将军、开府仪同三司、东扬州刺史，萧巘为安东将军、吴州刺史。丁亥日，任命骠骑大将军、开府仪同三司豫章王叔英兼任司徒。

十二月丙辰日，任命前镇卫将军、开府仪同三司、东扬州刺史鄱阳王伯山为镇卫大将军，开府伐同三司，前中卫将军晋安王伯恭为中卫将军、右光禄大夫。

二年春正月辛巳，立皇子恮为东阳王，恬为钱塘王。是月，遣散骑常侍周罗睺帅兵屯峡口。

夏四月戊申，有群鼠无数，自蔡洲岸入石头渡淮，至于青塘两岸，数日死，隋流出江。戊午，以左民尚书蔡徵为吏部尚书。是月，郢州南浦水黑如墨。

五月壬午，以安前将军卢陵王伯仁为特进。甲午，东冶铸铁，有物赤色如数斗，自天坠熔所，有声隆隆如雷，铁飞出墙外烧民家。

六月戊戌，扶南国遣使献方物。庚子，废皇太子胤为吴兴王，立军师将军、扬州刺史始安王深为皇太子。辛丑，平南将军、江州刺史南平王嶷进号镇南将军；忠武将军、南徐州刺史永嘉王彦进号安北将军；会稽王庄为翊前将军、扬州刺史；宣惠将军、尚书令江总进号中权将军；云麾将军、太子詹事袁宪为尚书仆射；尚书仆射谢伷为特进；宁远将军、新除吏部尚书蔡徵进号安右将军。甲辰，以安右将军鲁广达为中领军。丁巳，大风至自西北激涛水入石头城，淮渚暴溢，漂没舟乘。

冬十月己亥，立皇子蕃为吴郡王。辛丑，以度支尚书、领大著作姚察为吏部尚书。己酉，舆驾幸莫府山，大校猎。

**【译文】**

祯明二年春正月辛巳日，立皇子陈恮为东阳王，陈恬为钱塘王。这一月，派遣散骑常侍周罗睺率兵屯驻峡口。

夏四月戊申日，无数成群的老鼠，自蔡洲江岸入石头城，又渡过淮河，到了青塘两岸，数日后就死了，随着水流被冲走。戊午日，任命左民尚书蔡徵为吏部尚书。这一月，郢州南浦水黑如墨色。

五月壬午日，授安前将军卢陵王伯仁特进头衔。甲午日，东冶铸铁，有物呈赤红色，如数斗般大，从天降下，落到冶铁处，伴有隆隆如雷的声音，飞出墙外的铁燃烧了民房。

六月戊戌日，扶南国派遣使臣献上地方土产。庚子日，废皇太子陈胤，改为吴兴王，立军师将军、扬州刺史始安王陈深为皇太子。辛丑日，平南将军、江州刺史南平王嶷进称镇南将军；忠武将军、南徐州刺史永嘉王彦进称安北将军；会稽王陈庄升为翊前将军、扬州刺史；宣惠将军、尚书令江总进称中权将军；云麾将军、太子詹事袁宪升为尚书仆射；授尚书仆射谢伷特进头衔；宁远将军、新任吏部尚书蔡徵进称安右将军。甲辰日，任命安右将军鲁广达为中领军。丁巳日，大风刮起，激起浪涛，从西北涌入石头城，淮渚泛滥，吞没了舟船。

冬十月己亥日，立皇子陈蕃为吴郡王。辛丑日，任命度支尚书、领大著作姚察为吏部尚书。己酉日，皇帝到莫府山，进行大规模阅兵。

十一月丁卯，诏曰："夫议狱缓刑，皇王之所垂范，胜残去杀，仁人之所用心。自画冠既息，刻吏斯起，法令滋章，手足无措。朕君临区宇，属当浇末，轻重之典，在政未康，小大之情，兴言多愧。眷兹狴犴，有轸哀矜，可克日于大政殿讯狱。"壬申，以镇南将军、江州刺史南平王嶷为征西将军、郢州刺史，安北将军、南徐州刺史永嘉王彦为安南将军、江州刺史，军师将军南海王虔为安北将军、南徐州刺史。丙子，立皇弟叔荣为新昌王，叔匡为太原王。是月，隋遣晋王广众军来伐，自巴、蜀、沔、汉下流至广陵，数十道俱人，缘江镇戍，相继奏闻。时新除湘州刺史施文庆、中书舍人沈客卿掌机密用事，并抑而不言，故无备御。

三年春正月乙丑朔，雾气四塞。是日，隋总管贺若弼自北道广陵济京口，总管韩擒虎趋横江，济采石，自南道将会弼军。丙寅，采石戍主徐子建驰启告变。丁卯，召公卿入议军旅。戊辰，内外戒严，以骠骑将军萧摩诃、护军将军樊毅、中领军鲁广达并为都督，遣南豫州刺史樊猛帅舟师出白下，散骑常侍皋文奏将兵镇南豫州。庚午，贺若弼攻陷南徐州。辛未，韩擒虎又陷南豫州，文奏败还。至是隋军南北道并进。后主遣骠骑大将军、司徒豫章王叔英屯朝堂，萧摩诃屯乐游苑，樊毅屯耆暗寺，鲁广达屯白土冈，忠武将军孔范屯宝田寺。己卯，镇东大将军任忠自吴兴入赴，仍屯朱雀门。辛巳，贺若弼进拒钟山，顿白土冈之东南。甲申，后主遣众军与弼合战，众军败绩。弼乘胜至乐游苑，鲁广达犹督散兵力战，不能拒。弼进攻宫城，烧北掖门。是时，韩擒虎率众自新林至于石子冈，任忠出降于擒虎，仍引擒虎经朱雀门趣宫城，自南掖门而入。于是城内文武百司皆遁出，唯尚书仆射袁宪在殿内。尚书令江总、吏部尚书姚察、度支尚书袁权、前度支尚书王瑗、侍中王宽居省中。后主闻兵至，从宫人十余出后堂景阳殿，将自投于井，袁宪侍侧，苦谏不从，后暗舍人夏侯公韵又以身蔽井，后主与争久之，方得入焉。及夜，为隋军所执。丙戌，晋王广入据京城。

三月己巳，后主与王公百司发自建邺，入于长安。隋仁寿四年十一月壬子，薨于洛阳，时年五十二。追赠大将军，封长城县公，谥曰炀，葬河南洛阳之芒山。

【译文】

十一月丁卯日，颁布诏书说："议论案件放宽刑罚，这是帝王树立的榜样，使凶暴的人改恶从善以废除死刑，这是仁爱之心的表现。自从画冠象刑这种宽容的刑罚停止以后，苛刻的官吏兴起，法令日益增多，使百姓手足无措。我治理国家，正当风俗浇薄之时，法律轻重不一，政治不健康，案件有大有小，说起来我很惭愧。我十分关心牢狱案件。同情受刑的人，可以约定时间在大政殿审讯案件。"壬申日，任命镇南将军、江州刺史南平王嶷为征西将军、郢州刺史，安北将军、南徐州刺史永嘉王彦为安南将军、江州刺史，军师将军南海王虔为安北将军、南徐州刺史。丙子日，立皇弟叔荣为新昌王，叔匡为太原王。这一月，隋派遣晋王杨广率领部队前来讨伐，从巴、蜀、沔、汉顺水而下到广陵，数十条路一齐攻入，沿江镇守部队，陆续奏报得知。这时新任湘州刺史施文庆、中书舍人沈客卿掌管机密，压住不讲，所以没有防备。

祯明三年春季正月乙丑初一日，到处弥漫着大雾。这一日，隋总管贺若弼从北道广陵渡水到达京口，总管韩擒虎奔向横江，渡水到采石，从南道将与贺若弼的军队会合。丙寅日，采石守卫将领徐子建飞马奏报紧急变故。丁卯日，召集公卿来讨论军事。戊辰日，朝廷内外都戒严，骠骑将军萧摩诃，护军将军樊毅，中领军鲁广达一并升为都督，派遣南豫州刺史樊猛率领水师从白下出发，散骑常侍皋文奏率领军队镇守南豫州。庚午日，贺若弼攻陷南徐州。辛未日，韩擒虎又攻陷南豫州，皋文奏大败逃回。至此隋军从南北两道同时并进。后主派遣骠骑大将军、司徒豫章王叔英屯兵朝堂，萧摩诃屯兵乐游苑，樊毅屯兵耆暗寺，鲁广达屯兵白土冈，忠武将军孔范屯兵宝田寺。己卯日，镇东大将军任忠从吴兴奔入京城，命令他屯兵朱雀门。辛巳日，贺若弼占据钟山，屯兵在白土冈的东南。甲申日，陈后主派遣众军与弼合战，众军大败。贺若弼乘胜追赶到乐游苑，鲁广达仍督促散兵拼力相战，不能抵抗。贺若弼又进攻宫城，火烧北掖门。这时韩擒虎率领众人从新林到石子冈，任忠向韩擒虎投降，并为韩擒虎带路经朱雀门奔往宫城，从南掖门入宫。于是城内文武百官都仓皇出逃，只有尚书仆射袁宪仍留在殿内。尚书令江总、吏部尚书姚察、度支尚书袁权、前度支尚书王瑗、侍中王宽仍留在宫内。陈后主听说敌兵已到，带着十几个宫人从后堂景阳殿逃出，想投井自尽。袁宪侍奉左右，苦苦相劝，后主不听。后暗舍人夏侯公韵又用身体遮蔽井口，后主与他们争持许久，才跳进井里。到了夜晚，后主被隋军捕获。丙戌日，隋晋王杨广攻占京城。

三月己巳日，后主与王公百官从建邺出发，进入长安。隋仁寿四年十一月壬子日，陈后主死在洛阳，死时五十二岁。死后追赠大将军，封为长城县公，谥号为炀，埋葬在河南洛阳之芒山。

史臣侍中郑国公魏徵曰：

高祖拔起垄亩，有雄桀之姿。始佐下藩，奋英奇之略，弭节南海，职思静乱。援旗北迈，义在勤王，扫侯景于既成，拯梁室于已坠。天网绝而复续，国步屯而更康，百神有主，不失旧物。魏王之延汉鼎祚，宋武之反晋乘舆，懋绩鸿勋，无以尚也。于时内难未弭，外邻勍敌。王琳作梗于上流，周、齐摇荡于江、汉，畏首畏尾，若存若亡，此之不图，遽移天历，虽皇灵有眷，何其速也！然志度弘远，怀抱豁如，或取士于仇雠，或擢才于亡命，掩其受金之过，宥其吠尧之罪，委以心腹爪牙，咸能得其死力，故乃决机百胜，成此三分，方诸鼎峙之雄，足以无惭权，备矣。

世祖天资睿哲，清明在躬，早预经纶，知民疾苦，思择令典，庶几至治。德刑并用，戡济艰虞，群凶授首，强邻震慑。虽忠厚之化未能及远，恭俭之风足以垂训，若不尚明察，则守文之良主也。

临川年长于成王，过微于太甲。宣帝有周公之亲，无伊尹之志，明辟不复，桐宫遂往，欲加之罪，其无辞乎！

【译文】

史臣侍中郎郑国公魏徵说：

高祖从田埂间兴起，有杰出非凡的雄姿。当初扶佐藩国时，就显示出英才奇略，驻屯南海，平定叛乱。高举旗帜向北挺进，目的在于扶佐王室，扫除已获成功的侯景，拯救摇摇欲坠的梁朝，使断色的天纲得以继续，艰难的国运转为昌盛，使百神都有主，旧的典章制度不至废除。魏武帝使汉朝国运得以延续，宗武帝让晋朝恢复，其功劳之大，也没有超过陈高祖。这时内乱尚未平息，外邻强敌又兴起。王琳在上游作梗，周、齐在江、汉制造动乱，朝廷畏首畏尾，国家若存若亡，这时如不图谋，迅速改变天命，虽说是上苍有心照顾，也确实非常迅速！然而高祖志向远大，胸襟豁达，或是以对手中间录用贤士，或是从逃亡的人中提升能人，掩盖他们接受贿赂的过错，宽恕他们各为其主所犯的罪行，委任为心腹，使他们都能拼死出力，所以才能判断各种情况取得胜利，形成现在三分天下的局势，鼎足而立的雄才大略，无愧于孙权、刘备。

世祖天资聪明，神思清朗，早年遍读经书典籍，懂得百姓的疾苦，想选定法令典章，差不多达到完美政治的境地，恩德与刑法并用，平定叛乱，战胜艰难，使群凶投降归顺，使强邻震动惊惧。虽然帝主忠厚的教化不能到达边远的地方，但其恭俭的作风足以成为后人的榜样，即使算不上是明察之君，也够得上是遵守成法的良主。

临川王即位时比周成王年长，其过错比太甲要小。宣帝有周公的和善，却无伊尹的志向，遂使明主不能复辟，放逐却告实现，真是欲加之罪，何患无辞！

高宗爰自在田，雅量宏廓，登庸御极，民归其厚。惠以使下，宽以容众。智勇争奋，师出有名，扬旆分麾，风行电扫，辟土千里，奄有淮、泗，战胜攻取之势，近古未之有也。既而君侈民劳，将骄卒堕，帑藏空竭，折衄师徒，于是秦人方强，遂窥兵于江上矣。李克以为吴之先亡，由乎数战数胜，数战则民疲，数胜则生骄，以骄主御疲民，未有不亡者也。信哉言乎！高宗始以宽大得人，终以骄侈致败，文、武之业，坠于兹矣。

后主生深宫之中，长妇人之手，既属邦国殄瘁，不知稼穑艰难。初惧阽危，屡有哀矜之诏，后稍安集，复扇淫侈之风。宾礼诸公，唯寄情于文酒，昵近群小，皆委之以衡轴。谋谟所及，遂无骨鲠之臣，权要所在，莫匪侵渔之吏。政刑日紊，尸素盈朝，耽荒为长夜之饮，嬖宠同艳妻之孽，危亡弗恤，上下相蒙，众叛亲离，临机不寤，自投于井，冀以苟生，视其以此求全，抑亦民斯下矣。

遐观列辟，纂武嗣兴，其始也皆欲齐明日月，合德天地，高视五帝，俯协三王，然而靡不有初，克终盖寡，其故何哉？并以中庸之才，怀可移之性，口存于仁义，心怵于嗜欲。仁义利物而道远，嗜俗遂性而便身。便身不可久违，道远难以固志。佞谄之伦，承颜候色，因其所好，以悦导之，若下坂以走丸，譬顺流而决壅。非夫感灵辰象，降生明德，熟能遗其所乐，而以百姓为心哉？此所以成、康、文、景千载而罕遇，癸、辛、幽、厉靡代而不有，毒被宗社，身婴戮辱，为天下笑，可不痛乎！古人有言，亡国之主，多有才艺，考之梁、陈及隋，信非虚论。然则不崇教义之本，偏尚淫丽之文，徒长浇伪之风，无救乱亡之祸矣。

**【译文】**

高宗原本也是在田间长起，心胸豁达开朗，登基继位，因为宽厚，所以民心归向。仁爱下人，宽厚百姓。具有非凡的智谋勇气，以武略闻名，扬旗布阵，如风行电扫般迅速，开辟土地千余里，于是有了淮、泗的疆土，其战胜攻取之猛，近古未曾出现。于是君主奢侈，百姓疲劳，将领骄傲，士卒堕落，钱财空竭，将士开始打败仗，于是秦人强盛起来，陈兵江上窥视等待机会。李克认为吴先灭亡的原因，是由于数战数胜。打仗多了则百姓疲惫，胜仗多了则君王骄傲，用骄傲的君主统治疲惫的人民，没有不灭亡的。的确如此！高宗开始用其宽宏大度得人心，最终却因骄奢淫逸导致失败，文帝、武帝的大业，全毁在他手里。

后主生在深宫之中，成长在妇人之手，虽国家在困苦之中，仍不知耕种的艰难。初登基之时，惧怕临近危险，多次颁布一些同情百姓的诏书，而后稍微安定，又鼓动淫侈之风。宴请诸公，寄情于诗文酒色之中，亲近小人，并委任以中枢要职。谋划策略，也就没能让正直忠臣参与，权力要职，无不是些巧取豪夺的官吏充任。政治法律日益混乱，居位食禄而不理事之人充满朝廷，通宵狂饮，纵欲美色，耽误荒废朝政，国家危亡无人怜悯，上下相欺，众叛亲离，临近危机而不醒悟，只能自己跳入井中，希望苟且偷生。他用这种方法保全自已，也算等而下之了。

纵观诸位君主，登基称帝，在建国伊始，都想使他的国家与日月同辉，与天地共存，仰视五帝、俯看三王，然而有好的开头，却很少能善始善终。这是什么缘故呢？他们都是中庸之才，心内无长久之性，口里讲着仁义，又为嗜好与欲望而动心。仁义有利于事业但取得它们的路途遥远，嗜好与欲望依随性情而方便身体。便利身体就难以长期脱离，道路长远就难以树立取得它的坚定志向。阿谀奉承之徒，察颜观色，投其所好，引导君主嗜好欲望，如顺坡滚圆丸，顺流决堤坝。若不是上应星宿、天生明德的圣人，谁能抛弃所喜好，而时刻挂心百姓呢？这就是为什么成王、康王、文帝、景帝千载而不遇，桀、纣、幽王、厉王没有一代没有，国家社稷遭害，自己身体受辱，于是被天下人耻笑，怎能不让人痛心！古人有言，亡国的君王，大都有才有艺，观察梁、陈及隋，这话一点不错。不尊崇教义的根本，偏偏崇尚浮华的诗文，助长浅薄虚假风气，无不导致国家混乱灭亡的灾祸。

# 吴明彻传

吴明彻字通昭，秦郡人也。祖景安，齐南谯太守。父树，梁右军将军。明彻幼孤，性至孝，年十四，感坟茔未备，家贫无以取给，乃勤力耕种。时天下亢旱，苗稼焦枯，明彻哀愤，每之田中，号泣，仰天自诉。居数日，有自田还者，云苗已更生，明彻疑之，谓为绐己，及往田所，竟如其言。秋而大获，足充葬用。时有伊氏者，善占墓，谓其兄曰："君葬之日，必有乘白马逐鹿者来经坟所，此是最小孝子大贵之征。"至时果有此应，明彻即树之最小子也。

起家梁东宫直后。及侯景寇京师，天下大乱，明彻有粟麦三千余斛，而邻里饥馁，乃白诸兄曰："当今草窃，人不图久，奈何有此而不与乡家共之？"于是计口平分，同其丰俭，群盗闻而避焉，赖以存者甚众。

及高祖镇京口，深相要结，明彻乃诣高祖，高祖为之降阶，执手即席，与论当世之务。明彻亦微涉书史经传，就汝南周弘正学天文、孤虚、遁甲，略通其妙，颇以英雄自许，高祖深奇之。

【译文】

吴明彻字通昭，秦郡人。祖父吴景安，在南齐朝任南谯郡太守。父亲吴树，在梁代任右军将军。明彻幼年丧父，他本性极孝，十四岁时，感慨父亲死后，坟茔却没有修好，但家又贫穷，于是就努力勤奋地耕种。当时天下大旱，禾苗枯焦，明彻悲哀忧愤，常到田中呼号哀泣，对天自诉自己的苦楚。过了几天，有人从田中来，说庄稼禾苗又已复活，明彻怀疑他的话，以为他是在欺骗自己，等到了田中一看，竟然像那人讲的一样，禾苗确已复活。秋天大丰收，足够父亲安葬之用。当时有一个叫伊氏的人，善占卜墓葬之地，对明彻的兄长说："你安葬父亲的那天，一定会有一个骑着白马追赶鹿的人经过坟地旁，这是最小的孝子大富贵的征兆。"到了那天，果然有如此的应验，明彻就是吴树最小的儿子。

明彻以布衣身份出仕任梁代的东宫直后。到侯景寇乱京城时，天下大乱，明彻家有粟麦粮食三千余斛，而乡里乡邻却挨饥受饿，他就对各位兄长说："现今草野之间，多有盗贼，人人难以考虑长久，为什么我们家有这些粮食而不和邻里人家共同分享呢？"于是按人口计算平均分粮，或多或少都一同享用，盗贼们听说了这件事，就都避让走开了，靠吴家赈给而活下来的人非常之多。

陈高祖镇守京口时，十分诚恳地邀请结好吴明彻，明彻于是来投赴高祖，高祖亲自下台阶迎接，拉着手即席就座，与他讨论当世的天下事务。明彻也曾经稍读过一些经书史传，并曾跟从汝南人周弘正学过天文、孤虚、遁甲之术，大体上通晓其中的一些奥妙，所以言谈之中很有一股英雄自许的气概，高祖非常赏识他。

承圣三年，授戎昭将军、安州刺史。绍泰初，随周文育讨杜龛、张彪等。东道平，授使持节、散骑常侍、安东将军、南兖州刺史，封安吴县侯。高祖受禅，拜安南将军，仍与侯安都、周文育将兵讨王琳。及众军败没，明彻自拔还京。世祖即位，诏以本官加右卫将军。王琳败，授都督武沅二州诸军事、安西将军、武州刺史，余并如故。周遣大将军贺若敦率马步万余人奄至武陵，明彻众寡不敌，引军巴陵，仍破周别军于双林。

天嘉三年，授安西将军。及周迪反临川，诏以明彻为安南将军、江州刺史，领豫章太守，总督众军，以讨迪。明彻雅性刚直，统内不甚和，世祖闻之，遣安成王顼慰晓明彻，令以本号还朝。寻授镇前将军。

五年，迁镇东将军、吴兴太守。及引辞之郡，世祖谓明彻曰："吴兴虽郡，帝乡之重，故以相授。君其勉之!"及世祖弗豫，征拜中领军。

废帝即位，授领军将军，寻迁丹阳尹，仍诏明彻以甲仗四十人出入殿省。到仲举之矫令出高宗也，毛喜知其谋，高宗疑惧，遣喜与明彻筹焉。明彻谓喜曰："嗣君谅暗，万机多阙，外邻强敌，内有大丧。殿下亲实周、邵，德冠伊、霍，社稷至重，愿留中深计，慎勿致疑。"

及湘州刺史华皎阴有异志，诏授明彻使持节、散骑常侍、都督湘、桂、武三州诸军事、安南将军、湘州刺史，给鼓吹一部，仍与征南大将军淳于量等率兵讨皎。皎平，授开府仪同三司，进爵为公。太建元年，授镇南将军。四年，征为侍中、镇前将军，余并如故。

【译文】

梁元帝承圣三年，吴明彻被任命为戎昭将军、安州刺史。梁敬帝绍泰初年，随周文育讨伐杜龛、张彪等人。东道平定，授职使持节、散骑常侍、安东将军、南兖州刺史，封安吴县侯。陈高祖受禅即皇帝位，封他为安南将军，仍与侯安都、周文育领兵讨伐王琳。及至各军被打败消灭，明彻却脱身回到京城。陈世祖即位，下诏明彻在本官上再加授右卫将军。王琳失败后，授职都督武州沅州二州诸军事、安西将军、武州刺史，其余原有官职一并保留。北周派遣大将军贺若敦率领骑兵、步军一万余人忽然到了武陵，明彻知道寡不敌众，退军到巴陵，但随即在双林击破北周的另一支军队。

天嘉三年，被任命为安西将军。到周迪在临川反叛时，天子下诏书令明彻任安南将军、江州刺史，兼豫章太守，总督各路军队，讨伐周迪。明彻生性刚直，部署之间不大和睦，世祖知道后，派遣安成王陈顼劝慰晓谕明彻，令他以本官号的身份回朝。不久，被任命为镇前将军。

天嘉五年，升任镇东将军、吴兴太守。到告辞赴任之时，世祖对他说："吴兴虽是一郡，但却是皇帝的故乡，关系重大，所以才授任于你。你千万要尽心尽力啊!"当世祖身体有病时，即召他入朝廷任命为中领军。

废帝即位，任命他为领军将军，不久升任丹阳尹，又诏令明彻可置四十名卫士为仪仗，出入宫禁。到仲举假托皇帝诏书命令高宗出尚书省回东府，毛喜知道仲举等人的阴谋，高宗却犹豫惶恐，派毛喜与明彻筹划商讨怎么对付这件事。明彻对毛喜说："嗣位的皇上正居丧，国家诸事纷繁政务多，不能按时处理，外与强敌为邻，内有先帝之丧。殿下亲近帝室有如周公、邵公之与周成王，高尚的德行可超过古代的伊尹、霍光，国家社稷关系至为重大，希望殿下留在尚书省中详虑对策，千万不能因出朝回府而招致天下惊疑。"

当湘州刺史华皎阴谋作乱时，天子诏书任命明彻使持节、散骑常侍、都督湘州、桂州、武州三州诸军事，安南将军、湘州刺史，赐给鼓吹乐队一部，随即与征南大将军淳于量等人率兵讨伐华皎。华皎乱平，授职开府仪同三司，进爵位为公。陈宣帝(高宗)太建元年，授职镇南将军。四年，天子召为侍中、镇前将军，其余的封赏任命仍旧不变。

会朝议北伐，公卿互有异同，明彻决策请行。五年，诏加侍中、都督征讨诸军事，仍赐女乐一部。明彻总统众军十余万，发自京师，缘江城镇，相续降款。军至秦郡，克其水栅。齐遣大将尉破胡将兵为援，明彻破走之，斩获不可胜计，秦郡乃降。高宗以秦郡明彻旧邑，诏具太牢，令拜祠上冢，文武羽仪甚盛，乡里以为荣。

进克仁州，授征北大将军，进爵南平郡公，增邑并前二千五百户。次平峡石岸二城。进逼寿阳，齐遣王琳将兵据守。琳至，与刺史王贵显保其外郭。明彻以琳初入，众心未附，乘夜攻之，中宵而溃，齐兵退据相国城及金城。明彻令军中益修治攻具，又迮肥水以灌城。城中苦湿，多腹疾，手足皆肿，死者十六七。会齐遣大将军皮景和率兵数十万来援，去寿春三十里，顿军不进。诸将咸曰："坚城未拔，大援在近，不审明公计将安出？"明彻曰："兵贵在速，而彼结营不进，自挫其锋，吾知其不敢战明矣。"于是躬擐甲胄，四面疾攻，城中震恐，一鼓而克，生禽王琳、王贵显、扶风王可朱浑孝裕、尚书卢潜、左丞李騊駼，送京师。景和惶惧遁走，尽收其驼马辎重。琳之获也，其旧部曲多在军中，琳素得士卒心，见者皆歔欷不能仰视。明彻虑其有变，遣左右追杀琳，传其首。诏曰："寿春者古之都会，襟带淮、汝，控引河、洛，得之者安，是称要害。侍中、使持节、都督征讨诸军事、征北大将军、开府仪同三司南平郡开国公明彻，雄图克举，宏略盖世。在昔屯夷，缔构皇业，乃掩衡、岳，用清氛沴，实吞云梦，即叙上游。今兹荡定，恢我王略，风行电扫，貔武争驰，月阵云梯，金汤夺险，威陵殊俗，惠渐边氓。惟功与能，元戎是属，崇麾广赋，茂典恒宜，可都督豫、合、建、光、朔、北徐六州诸军事、车骑大将军、豫州刺史，增封并前三千五百户，余如故。"诏遣谒者萧淳风就寿阳册明彻，于城南设坛，士卒二十万，陈旗鼓戈甲，明彻登坛拜受，成礼而退，将卒莫不踊跃焉。

**【译文】**

适逢朝廷商议北伐大事，公卿大臣之间的意见不同，明彻决策同意北伐，并请求亲自领兵北行。五年，天子诏令他加任侍中，都督征讨诸军事，随后又赐给女乐一部。明彻总统各路军队十余万，从京城出发北伐，沿江敌人城镇，相继投降臣服。军队到了秦郡，攻克了它的水寨栅栏。北齐派遣大将尉破胡领兵援救，明彻击破了他，迫其逃遁，斩杀缴获不可胜计，秦郡终于投降。高宗因秦郡是明彻的故乡，诏令准备好太牢之礼，又命令军中兵将前往他家拜祭祖坟，文武官员旌旗仪仗壮丽盛大，乡亲邻里也为这件事感到光荣。

继续进军攻克了仁州，被任命为征北大将军，进爵位为南平郡公，增赐封邑与前有的共两千五百户。依次平定峡石山旁两个城。进逼寿阳，北齐派遣王琳领兵据守寿阳。王琳来到寿阳，与刺史王贵显保卫其外城。明彻因王琳初入寿阳，人心还没有归附于他，就乘黑夜发起进攻，结果王琳的士卒半夜溃散，齐兵退而据守相国城和金城。明彻命令军队增加修理制造攻城器械，又堵塞肥水淹灌敌城。城中被潮湿水汽所苦，人多得痢疾之病，手脚都浮肿，病死的十分之六七。正逢北齐派遣大将军皮景和率兵数十万来援，离寿春三十里，驻军不前。诸位将领都说："坚固的寿阳城还未攻克，救援的大军就在近前，不知道明公有什么计策？"明彻说："兵贵在于神速，而敌人却扎营不进，自己就挫折了自己的锋锐之气，我知道他们分明是不敢交战啊。"于是亲自披戴甲胄，指挥四面急攻，城中军民震动惶恐，一鼓作气，攻克了敌人城池，生擒了王琳、王贵显、扶风王可朱浑孝裕、尚书卢潜、左丞李騊駼，押送京城。皮景和惶恐惧怕，逃遁而去，陈军完全俘获他的驼马辎重。王琳被俘活捉时，他原来的部曲很多人仍在明彻军中，王琳平素很得士卒之心，看见他被俘的人都轻声哭泣，不忍抬头看他。明彻怕军心有变，派左右亲信追杀王琳，只把他的头传送至京城。诏书说："寿春是古代的都市，襟带淮水、汝水，控制黄河、洛水，得之则平安，所以称为要害之地。侍中、使持节、都督征讨诸军事、征北大将军、开府仪同三司南平郡开国公吴明彻，以盖世的雄图大略，一举收复之。当初世事艰险，帝业初创，明彻掩有衡岳之邦，澄清了凶杀之气，并吞有云梦之地，叙用于上游之镇。如今扫荡安定了北方，收复我国家疆土，进军速度如风行电扫之迅速，貔虎争驰之勇猛，攻占了坚固的城池，夺取了险要之重地，威猛之风震慑了远方，恩惠之德政泽及了边民。

明御的功劳与才能，可胜任主帅之职，高高的旗帜到处飘扬，美好的典制总合时宜，可授职明御都督豫州、合州、建州、光州、朔州、北徐州六州诸军事、车骑大将军、豫州刺史，增加封邑与原有的封邑总计三千五百户，其余原有的爵职封赠依旧不变。”诏令派遣谒者萧淳风到寿阳册封明御，在城南设坛，士卒二十万，陈设军旗战鼓干戈盔甲，明御登上高坛拜受封赏，礼仪完毕后退下，全军将士无不为之雀跃欢呼。

初，秦郡属南兖州，后隶谯州，至是，诏以谯之秦、盱眙、神农三郡还属南兖州，以明御故也。

六年，自寿阳入朝，舆驾幸其第，赐钟磬一部，米一万斛，绢布二千匹。

七年，进攻彭城。军至吕梁，齐遣援兵前后至者数万，明御又大破之。八年，进位司空，余如故。又诏曰：“昔者军事建旌，交锋作鼓，顷日讹替，多乖旧章，至于行阵，不相甄别。今可给司空、大都督沉钺龙麾，其次将各有差。”寻授都督南北兖、南北青、谯五州诸军事、南兖州刺史。

会周氏灭齐，高宗将事徐、兖，九年，诏明御进军北伐，令其世子戎昭将军、员外散骑侍郎惠觉摄行州事。明御军至吕梁，周徐州总管梁士彦率众拒战，明御频破之，因退兵守城，不复敢出。明御仍迮清水以灌其城，环列舟舰于城下，攻之甚急。周遣上大将军王轨将兵救之。轨轻行自清水入淮口，横流竖木，以铁锁贯车轮，遏断船路。诸将闻之，甚惶恐，议欲破堰拔军，以舫载马。马主裴子烈议曰：“若决堰下船，船必倾倒，岂可得乎？不如前遣马出，于事为允。”适会明御苦背疾甚笃，知事不济，遂从之，乃遣萧摩诃帅马军数千前还。明御仍自决其堰，乘水势以退军，冀其获济。及至清口，水势渐微，舟舰并不得渡，众军皆溃，明御穷蹙，乃就执。寻以忧愤遘疾，卒于长安，时年六十七。

【译文】

以前，秦郡属南兖州，后又隶属谯州，到此时，天子诏令把谯州的秦郡、盱眙、神农三郡重新归属南兖州，这是因为吴明御的缘故。

六年，从寿阳回到朝庭，皇帝车驾临幸明御府第，赐给钟磬之乐一部，米一万斛，绢布两千匹。

七年，进攻彭城。军进至吕梁，北齐派遣援兵先后来到的共几万人，明彻又彻底地打垮了他们。八年，晋升为司空，其他封赏仍旧。又诏令说："从前军队设立旗旌，击鼓进军交锋作战时，不多久就混淆错乱，大多违背了旧有规章，在行阵之间，难以区别分清。现在可授给司空、大都督铁钺和龙旗，他属下的将领也按级别赐给相应的代表权威的象征物。"随即任命吴明彻为都督南北兖州、南北青州、谯州五州诸军事、南兖州刺史。

适逢周氏灭掉了北齐，陈高宗将要兴军于徐州、兖州，九年，诏令明彻进军北伐，令他的世子戎昭将军、员外散骑常侍吴惠觉代理南兖州刺史事务。明彻大军至吕梁，北周徐州总管梁士彦率众军拒战，明彻多次打败了他，士彦因此退兵守城，不敢再出战。明彻又用拦坎的方式将水逼入城中，城下用舟舰团团围住，发动猛烈攻击。北周又派遣上大将军王轨领兵援救士彦。王轨轻装行进，从清水进入淮口，横越淮口之水竖木桩，在木桩上用铁锁锁住连贯的车轮，遏断船的航路。吴明彻的将领听说敌人如此设防，非常惶恐，纷纷议论要破坝撤军用船载装马匹。马主裴子烈发表意见说："如果决开坝堰，驶入船只，船只定会倾倒，如何能实现此举的目的呢？不如先让马匹撤出，于事更妥当一些。"这时恰逢明彻害背痛病，痛得厉害，估计这次北伐成功不了，于是听从了裴子烈的建议，派遣萧摩诃带领数千骑兵先行撤退。然后，明彻乃亲自决开坝堰，乘水势涨溢撤退军队，希望此举能获成功。当推到了清口，水势逐渐衰弱下来，舟船战舰都不能渡过，众多军兵尽皆溃散，明彻陷入绝境，无计可施，只好就擒。不久因忧愤交加而得病，死在长安，这年六十七岁。

至德元年诏曰："李陵矢竭，不免请降，于禁水涨，犹且生获，固知用兵上术，世罕其人。故侍中、司空南平郡公明彻，爰初蹑足，迄届元戎，百战百胜之奇，决机决死之勇，斯亦侔于古焉。及拓定淮、肥，长驱彭、汴，覆勍寇如举毛，扫锐师同沃雪，风威慑于异俗，功效著于同文。方欲息驾阴山，解鞍瀚海，既而师出已老，数亦终奇，不就结缨之功，无辞入褚之屈，望封崤之为易，冀平翟之非难，虽志在屈伸，而奄中霜露，埋恨绝域，甚可嗟伤。斯事已往，累逢肆赦，凡厥罪戾，皆蒙洒濯，独此孤魂，未沾宽惠，遂使爵土湮没，飨醊无主。弃瑕录用，宜在兹辰，可追封邵陵县开国侯，食邑一千户，以其息惠觉为嗣。”

惠觉历黄门侍郎，以平章大宝功，授丰州刺史。

明彻兄子超，字逸世。少倜傥，以干略知名。随明彻征伐，有战功，官至忠毅将军、散骑常侍、桂州刺史，封汝南县侯，邑一千户。卒，赠广州刺史，谥曰节。

**【译文】**

至德元年，皇帝下诏书说：“李陵箭矢用尽，难免请降，于禁因水势涨溢，还是被关羽活捉，由此可知用兵技巧达到上乘造诣的，古今之世少有其人。原侍中、司空南平郡公明彻，当初开始涉足行伍，直至担任主帅，有百战百胜之奇谋，决胜危机决心战死之勇猛，这也可与古人相等了。及至他开疆拓土、平定淮水肥水之域，长驱直入彭城泝水之地，覆灭强敌如举羽毛之轻，扫荡精锐如沸水融雪之易，威猛之风使异俗敌虏畏惧屈服，功绩昭著于我华夏同胞之间。他正想挺进阴山而停驶兵车，占领瀚海而解鞍散马，但随后因士气衰竭，运气也终究不佳，所以没有成就慷慨赴死的功名，不得不经受像被敌人装入口袋似的做俘虏的委屈，明彻希望能像当年秦穆公打败晋国终能在崤山为以前被晋国杀死的将士堆土树立标记那样也能有‘封崤’的机会，并憧憬平定北方的戎狄终究并非难事，虽说他的本心所想是大丈夫应能屈能伸，然而虽有卧薪尝胆之志，却忽遭病发亡身之变，以至于含恨埋身于异国他乡，使报仇雪恨的打算成了终古遗恨，令人嗟叹。这事已成既往，此后多次大赦，所有罪人已被赦免，只有明彻的孤魂没有沾溉皇恩惠泽，得到宽宥，遂使他的赐爵封土之功湮灭埋没，不能得到酒食的祭奠。现在不计过失仍然封赏，可追封为邵陵县开国侯，食邑一千户，由他的儿子惠觉继承。”

惠觉做过黄门侍郎，因平定章大宝的功，被任命为丰州刺史。

明彻兄长之子吴超，字逸世。年轻时卓越不凡，以才干智谋知名于世。跟从明彻征伐，有战功，官做到忠毅将军、散骑常侍、桂州刺史，封汝南县侯，封邑一千户。去世之后，追封为广州刺史，谥号为“节”。

# 张贵妃传

后主张贵妃丽华，兵家女也。家贫，父兄以织席为事。后主为太子，以选入宫。是时龚贵嫔为良娣，贵妃年十岁，为之给使，后主见而悦焉，因得幸，遂有娠，生太子深。后主即位，拜为贵妃。性聪慧，甚被宠遇。后主每引贵妃与宾客游宴，贵妃荐诸宫女预焉，后宫等咸德之，竞言贵妃之善，由是爱倾后宫。又好厌魅之术，假鬼道以惑后主，置淫祀于宫中，聚诸妖巫使之鼓舞，因参访外事，人间有一言一事，妃必先知之，以白后主，由是益重妃，内外宗族，多被引用。及隋军陷台城，妃与后主俱入于井，隋军出之，晋王广命斩贵妃，榜于青溪中桥。

史臣侍中郑国公魏征考览记书，参详故老，云后主初即位，以始兴王叔陵之乱，被伤卧于承香阁下，时诸姬并不得进，唯张贵妃侍焉。而柳太后犹居柏梁殿，即皇后之正殿也。后主沈皇后素无宠，不得侍疾，别居求贤殿。至德二年，乃于光照殿前起临春、结绮、望仙三阁。阁高数丈，并数十间，其窗牖、壁带、悬楣、栏槛之类，并以沈檀香木为之。又饰以金玉，间以珠翠，外施珠帘，内有宝床、宝帐，其服玩之属，瑰奇珍丽，近古所未有。每微风暂至，香闻数里，朝日初照，光映后庭。其下积石为山，引水为池，植以奇树，杂以花药。后主自居临香阁，张贵妃居结绮阁，龚、孔二贵嫔居望仙阁，并复道交相往来。又有王、李二美人、张、薛二淑媛、袁昭仪、何婕妤、江修容等七人，并有宠，递代以游其上。以宫人有文学者袁大舍等为女学士。后主每引宾客对贵妃等游宴，则使诸贵人及女学士与狎客共赋新诗，互相赠答，采其尤艳丽者以为曲词，被以新声，选宫女有容色者以千百数，令习而歌之，分部迭进，持以相乐。其曲有《玉树后庭花》、《临春乐》等，大指所归，皆美张贵妃、孔贵嫔之容色也。其略曰："譬月夜夜满，琼树朝朝新。"而张贵妃发长七尺，鬒黑如漆，其光可鉴。特聪慧，有神采，进止闲暇，容色端丽。每瞻视盼睐，光采溢目，照映左右。常于阁上靓妆，临于轩槛，宫中遥望，飘若神仙。才辩强记，善候人主颜色。是时，后主怠于政事，百司启奏，并因宦者蔡脱儿、李善度进请。后主置张贵妃于膝上共决之。李、蔡所不能记者，贵妃并为条疏，无所遗脱。由是益加宠异，冠绝后庭。而后宫之家，不遵法度，有挂于理者，但求哀于贵妃，贵妃则令李、蔡先启其事，而后从容为言之。大臣有不从者，亦因而谮之，所言无不听。于是张、孔之势，薰灼四方，大臣执政，亦从风而靡。阉宦邪佞之徒，内外交结，转相引进，贿赂公行，赏罚无常，纲纪瞀乱矣。

【译文】

后主张贵妃名丽华，是研究军事的学者家的女儿。她的家里很穷，父亲和兄长靠编织草席为生。后主当太子时，被选中入宫，那时龚贵嫔任良娣（太子之妾），贵妃当时十岁，被龚贵嫔使唤，后主看见她很是喜欢，于是她得到了宠幸，便有了身孕，生下了太子深。后主即位，拜张丽华为贵妃。张贵妃性情聪明灵慧，很受后主宠爱。每逢后主带贵妃和宾客游玩饮宴，贵妃便推荐诸位宫女同去，后宫中的人都很感激她，争着说贵妃的好话，于是她得到的宠爱压倒了后宫。贵妃又喜好厌魅巫术，假借鬼神邪说来迷惑后主，在宫内设置不合礼制的祭祀，聚集众多妖邪巫师命他们奏乐跳巫舞，同时打探宫外的事，社会上的一句话一件事，张贵妃必然会先知道，并以此告诉后主，于是后主更加敬重贵妃，贵妃的内外宗族中人多被引见重用。等到隋军攻陷台城，张贵妃和后主一起躲入井中，隋军抓住了他们，晋王杨广命令将贵妃斩首，并在青溪中桥张贴布告公诸于众。

史臣侍中郑国公魏征考察通览史籍，参照补充元老旧臣的回忆，说后主刚即位的时候，遇到始兴王陈叔陵之乱，受伤在承香阁卧床休养，当时诸嫔妃均不准入内，只有张贵妃侍奉后主。当时柳太后还住在柏梁殿，也就是皇后的正殿。后主沈皇后一直不受宠爱，无权侍奉后主养病，另外住在求贤殿。至德二年，即在光照殿前建起了临春、结绮、望仙三阁，阁高达数丈，共有数十间，其窗户、壁带、悬楣、栏槛等均用沈檀香木制作，又用金玉装饰，其间嵌以珍珠翡翠，外面装有珠帘，里面有宝床、宝帐，其中服用和玩赏的物品一类，瑰奇珍丽，是古今所没有的。每逢微风刮过，香气传出数里之外，清晨旭日初照，光芒映至后庭。楼阁下堆积奇石为山，引水做池塘，种植珍奇树木，杂种鲜花药草。后主自己住在临香阁，张贵妃住结绮阁，龚、孔两位贵嫔住居望仙阁，各阁间设并行的走廊，可以往来行走。还有王、李两位美人，张、薛两位淑媛，袁昭仪、何婕妤、江修容等七人，均受宠爱，交替到阁上游玩。又任宫女中通识文学的袁大舍等人为女学士。后主每逢召请宾客和贵妃等人游玩饮宴，便命诸位贵人以及女学士和游玩的客人共同吟赋新诗，互相赠给应答，选取其中最艳丽者作为歌词，配上新曲，从宫女中选长得漂亮的达千百人，命其学习而歌唱，分部依次进入，以此相乐。其中的曲子有《玉树后庭花》、《临春乐》等，乐曲内容大意，全是赞美张贵妃、孔贵嫔娇容美色的。其大略说："璧月夜夜满，琼树朝朝新。"而张贵妃的头发有七尺长，秀发黑得像漆一样，其光洁可以照人。她特别聪明灵慧，富有神采，行动坐卧悠闲自然，容貌端庄艳丽。每逢顾盼斜视，眼里流露出光彩，照映周围的人。她常在阁上梳妆，靠近轩阁栏干，宫中的人远远望去，飘逸如神仙一般。她富有才华，能言善辩，记忆力强，善于观察皇帝的脸色。当时，后主懒于管理政事，各司上奏，全由宦官蔡脱儿、李善度入内请示，后主把张贵妃放在膝上共同决策。李、蔡两人记不住的事，贵妃均为其逐条讲述，丝毫没有遗漏的。于是后主更加宠爱敬佩贵妃，在后宫堪称第一。后宫嫔妃的家里，不遵守法度，有做了没理的事的，只要向贵妃求情，贵妃便命李、蔡二人先启奏他们的事，然后从容地为他们讲情。大臣中有不服从她的，也由此诋毁他们，贵妃所说后主没有不听从的。于是张、孔二人的势力，在四方气焰逼人，大臣们执政，也随风而倒。宦官邪佞之人，内外勾结，辗转相互提携引进，贿赂官员，赏罚不合规矩，朝廷法度黑暗混乱了。

# 欧阳頠列传

欧阳頠字靖世，长沙临湘人也。为郡豪族。祖景达，梁代为本州治中。父僧宝，屯骑校尉。

頠少质直有思理，以言行笃信著闻于岭表。父丧，毁瘠甚至。家产累积，悉让诸兄。州郡频辟不应，乃庐于麓山寺傍，专精习业，博通经史。年三十，其兄逼令从宦，起家信武府中兵参军，迁平西邵陵王中兵参军事。

梁左卫将军兰钦之少也，与頠相善，故頠常随钦征讨。钦为衡州，仍除清远太守。钦南征夷獠，擒陈文彻，所获不可胜计，献大铜鼓，累代所无，頠预其功。还为直阁将军，仍除天门太守，伐蛮左有功。刺史庐陵王萧续深嘉之，引为宾客。钦征交州，复启頠同行。钦度岭以疾终，頠除临贺内史，启乞送钦丧还都，然后之任。时湘衡之界五十余洞不宾，敕令衡州刺史韦粲讨之，粲委頠为都督，悉皆平殄。粲启梁武，称頠诚干，降诏褒赏，仍加超武将军，征讨广、衡二州山贼。

**【译文】**

欧阳頠字靖世，长沙郡临湘县人。出身本郡豪族。他的祖父欧阳景达，梁朝时任本州治中。父亲欧阳僧宝，官做到屯骑校尉。

欧阳頠少年时质朴直率，有思辨能力，因言行笃信在岭外著名。父亲去世，服丧期间因哀伤过度身体极为消瘦。积累下来的家产全部让给诸位兄长。州郡频繁辟命，不应，在麓山寺旁建立庐舍，聚精会神地学习儒业，于是博通经史。年龄三十岁时，他的哥哥逼迫他做官，于是离家入仕，任信武府中兵参军，迁平西邵陵王中兵参军事。

梁朝左卫将军兰钦少年时，和欧阳頠关系亲密，所以欧阳頠常跟随兰钦征讨。兰钦授任衡州，除欧阳頠为清远太守。兰钦南征夷獠，活捉陈文彻，俘获无法计算，献的大铜鼓，历代没有过，欧阳頠参与此事有功。回京后任直阁将军，不久除拜天门太守，讨伐蛮左又建功勋。刺史庐陵王萧续很是嘉许，引纳为宾客。兰钦征讨交州，又启奏朝廷让欧阳頠同行。兰钦越过南岭，因病去世，欧阳頠被除任临贺内史，启奏朝廷，乞求护送兰钦的灵柩回京，然后到任。当时湘州、衡州边界有五十余洞不归顺朝廷，敕命衡州刺史韦粲予以讨伐，韦粲委任欧阳頠为都督，五十余洞全被平定。韦粲启奏梁武帝，称赞欧阳頠忠诚干练，于是朝廷下诏褒奖赏赐，加超武将军，领兵征讨广、衡二州的山贼。

侯景构逆，粲自解还都征景，以頠监衡州。京城陷后，岭南互相吞并，兰钦弟前高州刺史裕攻始兴内史萧绍基，夺其郡。裕以兄钦与頠有旧，遣招之，頠不从。乃谓使云："高州昆季隆显，莫非国恩，今应赴难援都，岂可自为跋扈。"及高祖入援京邑，将至始兴，頠乃深自结托。裕遣兵攻頠，高祖援之，裕败，高祖以王怀明为衡州刺史，迁頠为始兴内史。高祖之讨蔡路养、李迁仕也，頠率兵度岭，以助高祖。及路养等平，頠有功，梁元帝承制，以始兴郡为东衡州，以頠为持节、通直散骑常侍、都督东衡州诸军事、云麾将军、东衡州刺史，新丰县伯，邑四百户。

**【译文】**

侯景构乱以后，韦粲自动解职回京城讨伐侯景，让欧阳頠监守衡州。京城失陷以后，岭南地区的地方长吏互相吞并，兰钦的弟弟、前高州刺史兰裕攻打始兴郡内史萧绍基，夺了始兴郡。兰裕因为哥哥兰钦和欧阳頠有旧交情，派使者招附，欧阳頠不服从，对使者说："高州兄弟能有高位，无非是国家厚恩，今天应该领兵救难，援助京城，难道能够自行跋扈。"待到高祖赴京城救援，将要经过始兴郡，欧阳頠和他见面，深自交结依托。兰裕派兵进攻欧阳頠，高祖前往救援，兰裕战败，高祖任命王怀明为衡州刺史，迁欧阳頠为始兴内史。高祖讨伐蔡路养、李迁仕时，欧阳頠领兵翻越南岭，以援助高祖。待蔡路养等被平定，欧阳頠有功，梁元帝承制，改始兴郡为东衡州，任命欧阳頠为持节、通直散骑常侍、都督东衡州诸军事、云麾将军、东衡州刺史，封爵新丰县伯，食邑四百户。

侯景平，元帝遍问朝宰："今天下始定，极须良才，卿各举所知。"群臣未有对者。帝曰："吾已得一人。"侍中王褒进曰："未审为谁？"

帝云："欧阳頠公正有匡济之才，恐萧广州不肯致之。"乃授武州刺史，寻授郢州刺史，欲令出岭，萧勃留之，不获拜命。寻授使持节、散骑常侍、都督衡州诸军事、忠武将军、衡州刺史，进封始兴县侯。

**【译文】**

侯景之乱被平定后，梁元帝遍问群臣："如今天下刚刚平定，急切需要良才，卿各举自己所知道的人。"群臣没有应对的。元帝说："我已得到一人。"侍中王褒上前问："不知是谁？"元帝说："欧阳頠为人公正，有匡济的大才，恐怕萧广州不肯放他来。"于是授任欧阳頠为武州刺史，不久改授郢州刺史，想让他出岭南，萧勃强留他，不能受命到职。不久授任使持节、散骑常侍、都督衡州诸军事、忠武将军、衡州刺史，进封爵始兴县侯。

时萧勃在广州，兵强位重，元帝深患之，遣王琳代为刺史。琳已至小桂岭，勃遣其将孙场临州，尽率部下至始兴，避琳兵锋。頠别据一城，不往谒勃，闭门高垒，亦不拒战。勃怒，遣兵袭頠，尽收其赀财马仗。寻赦之，还复其所，复与结盟。荆州陷，頠委质于勃。及勃度岭出南康，以頠为前军都督，顿豫章之苦竹滩，周文育击破之，擒送于高祖，高祖释之，深加接待。萧勃死后，岭南扰乱，頠有声南土，且与高祖有旧，乃授頠使持节、通直散骑常侍、都督衡州诸军事、安南将军、衡州刺史，始兴县侯。未至岭南，頠子纥已克定始兴。及頠至岭南，皆慑伏，仍进广州，尽有越地。改授都督广、交、越、成、定、明、新、高、合、罗、爱、建、德、宜、黄、利、安、石、双十九州诸军事、镇南将军、平越中郎将、广州刺史，持节、常侍、侯并如故。王琳据有中流，頠自海道及东岭奉使不绝。永定三年，进授散骑常侍，增都督衡州诸军事，即本号开府仪同三司。世祖嗣位，进号征南将军，改封阳山郡公，邑一千五百户，又给鼓吹一部。

**【译文】**

当时萧勃在广州，兵力强盛，位置重要，元帝对此极为忧虑，派王琳代替萧勃为刺史。王琳到达小桂岭以后，萧勃派他的部将孙场监守州城，自己率领全部兵众到始兴，躲避王琳的兵锋。欧阳頠另外据守一城，不前往拜谒萧勃，关闭城门，高筑壁垒，但也不与萧勃交战。萧勃大怒，派兵马袭击欧阳頠，全部夺取他的资财、马匹和武器。不久又予以宽赦，把夺取的东西全部送还，又和欧阳頠结盟。荆州失陷以后，欧阳頠归附萧勃。待到萧勃翻越南岭出南康时，任命欧阳頠为前军都督，屯驻豫章郡的苦竹滩，被周文育战败，周文育把他押送给高祖，高祖给他解除枷锁，待遇优厚。萧勃死后，岭南地区纷扰混乱，欧阳頠在南土很有声望，而且与高祖有旧交情，于是授任他为使持节、通直散骑常侍、都督衡州诸军事、安南将军、衡州刺史，封爵始兴县侯。还没到达岭南，欧阳頠的儿子欧阳纥已经攻克始兴郡城，并平定了这一地区。待到欧阳頠到达岭南，百姓都畏惧威势而顺服，于是进军广州，完全占有南越地区。朝廷改授他为都督广、交、越、成、定、明、新、高、合、罗、爱、建、德、宜、黄、利、安、石、双十九州诸军事，镇南将军，平越中郎将，广州刺史，持节、常侍、侯爵照旧保留。王琳占据中游，岭南到京城的交通受阻，欧阳頠派使者来往不断。永定三年，朝廷进授他为散骑常侍，增都督衡州诸军事，以本官号为开府仪同三司。世祖登上帝位后，进号征南将军，改封阳山郡公，给食邑一千五百户，又赐给鼓吹一部。

初，交州刺史袁昙缓密以金五百两寄頠，令以百两还合浦太守龚翙，四百两付儿智矩，余人弗之知也。頠寻为萧勃所破，赀财并尽，唯所寄金独在。昙缓亦寻卒，至是頠并依信还之，时人莫不叹伏。其重然诺如此。

时頠弟盛为交州刺史，次弟邃为衡州刺史，合门显贵，名振南土。又多致铜鼓、生口，献奉珍异，前后委积，颇有助于军国焉。頠以天嘉四年薨，时年六十六。赠侍中、车骑大将军、司空、广州刺史，谥曰穆。子纥嗣。

**【译文】**

起初，交州刺史袁昙缓暗地把五百两黄金寄存在欧阳頠处，让他将其中的一百两还给合浦太守龚翙，四百两交给儿子袁智矩，这件事没有人知道。不久欧阳頠被萧勃打败，资财全部被夺取，只剩下寄存的黄金。袁昙缓不久也死去。到这时，欧阳頠将黄金如数交给龚翙和袁智矩，当时人无不慨叹佩服他。他就是这样守信用重诺言。

当时欧阳頠的大弟欧阳盛任交州刺史，二弟欧阳邃任衡州刺史，全家显赫贵盛，名声飞扬南土。又多送铜鼓、奴婢，奉献珍奇物品，前后积聚，对军国很有帮助。欧阳頠在天嘉四年病逝，当年六十六岁。追赠侍中、车骑大将军、司空、广州刺史，谥号穆。儿子欧阳纥承袭爵位。

纥字奉圣，颇有干略。天嘉中，除黄门侍郎、员外散骑常侍。累迁安远将军、衡州刺史。袭封阳山郡公，都督交广等十九州诸军事、广州刺史。在州十余年，威惠著于百越，进号轻车将军。

光大中，上流蕃镇并多怀贰，高宗以纥久在南服，颇疑之。太建元年，下诏征纥为左卫将军。纥惧，未欲就征，其部下多劝之反，遂举兵攻衡州刺史钱道戢。道戢告变，乃遣仪同章昭达讨纥，屡战兵败，执送京师，伏诛，时年三十三。家口籍没。子询以年幼免。

**【译文】**

欧阳纥字奉圣，很有才干谋略。天嘉年间，除黄门侍郎、员外散骑常侍。累迁安远将军、衡州刺史。承袭父爵为阳山郡公，都督交、广等十九州诸军事，广州刺史。在广州十多年，威武恩惠著称于百越地区，进号轻车将军。

光大年间，上游藩镇都多怀离贰之心，高宗因欧阳纥长期在南土，也很猜疑他。太建元年，下诏征召欧阳纥为左卫将军。欧阳纥畏惧，不想入朝，他的部下多劝他反叛，他于是起兵攻打衡州刺史钱道戢。钱道戢将这一事变报告朝廷，朝廷委派仪同章昭达讨伐欧阳纥，经屡次交战，欧阳纥兵败，被押送到京城，杀死，当年三十三岁。家中人口全部籍没为官奴。他的儿子欧阳询因年幼幸免。

# 鲁悉达列传

鲁悉达字志通，扶风郿人也。祖斐，齐通直散骑常侍、安远将军、衡州刺史，阳塘侯。父益之，梁云麾将军、新蔡义阳二郡太守。

悉达幼以孝闻，起家为梁南平嗣王中兵参军。侯景之乱，悉达纠合乡人，保新蔡，力田蓄谷。时兵荒饥馑，京都及上川饿死者十八九，有得存者，皆携老幼以归焉。悉达分给粮廪，其所济活者甚众，仍于新蔡置顿以居之。招集晋熙等五郡，尽有其地。使其弟广达领兵随王僧辩讨侯景。景平，梁元帝授持节、仁威将军、散骑常侍、北江州刺史。

**【译文】**

鲁悉达字志通，扶风郡郿县人。他的祖父鲁斐，出仕齐朝，任通直散骑常侍、安远将军、衡州刺史，封爵阳塘侯。父亲鲁益之，任梁云麾将军、新蔡义阳二郡太守。

鲁悉达幼年时就以孝顺著称，离家出仕，任梁南平嗣王中兵参军。侯景之乱爆发后，鲁悉达组织乡人，保守新蔡，努力耕种，积蓄粮食。当时兵荒马乱，百姓饥饿，京城和上川的百姓饿死的多达十之八九，有幸存的，都扶老携幼地来投奔他。鲁悉达分给他们粮食，救活的人很多，就在新蔡设屯，让他们居住。招集晋熙等五郡，全部占有此地。派他的弟弟鲁广达带领士兵，跟随王僧辩讨伐侯景。侯景之乱被平定后，梁元帝授任他为持节、仁威将军、散骑常侍、北江州刺史。

敬帝即位，王琳据有上流，留异、余孝顷、周迪等所在蜂起，悉达抚绥五郡，甚得民和，士卒皆乐为之用。琳授悉达镇北将军，高祖亦遣赵知礼授征西将军、江州刺史，各送鼓吹女乐，悉达两受之，迁延顾望，皆不就。高祖遣安西将军沈泰潜师袭之，不能克。齐遣行台慕容绍宗以众三万来攻郁口诸镇，兵甲甚盛，悉达与战，败齐军，绍宗仅以身免。

【译文】

陈敬帝登上帝位后，王琳占据上游，留异、余孝顷、周迪也在各地起兵，鲁悉达安抚五郡百姓，很得人心，士卒也乐意为他效力。王琳授任鲁悉达为镇北将军，陈高祖也派赵知礼授任他为征西将军、江州刺史，各送给鼓吹和女乐，鲁悉达都接受下来，但态度观望拖延，都不就职。陈高祖派安西将军沈泰领兵偷袭他，不能得手。北齐派遣行台慕容绍宗带领三万士兵前来攻打郁口诸镇，兵势很盛，鲁悉达同他交锋，大败齐军，慕容绍宗仅自身幸免于难。

王琳欲图东下，以悉达制其中流，恐为己患，频遣使招诱，悉达终不从。琳不得下，乃连结于齐，共为表里，齐遣清河王高岳助之。相持岁余，会裨将梅天养等惧罪，乃引齐军入城。悉达勒麾下数千人，济江而归高祖。高祖见之，甚喜，曰："来何迟也？"悉达对曰："臣镇抚上流，愿为蕃屏，陛下授臣以官，恩至厚矣，沈泰袭臣，威亦深矣，然臣所以自归于陛下者，诚以陛下豁达大度，同符汉祖故也。"高祖叹曰："卿言得之矣。"授平南将军、散骑常侍、北江州刺史，封彭泽县侯。世祖即位，进号安左将军。

悉达虽仗气任侠，不以富贵骄人，雅好词赋，招礼才贤，与之赏会。迁安南将军、吴州刺史。遭母忧，哀毁过礼，因遘疾卒，时年三十八。赠安左将军、江州刺史，谥曰孝侯。子览嗣。弟广达，别有传。

【译文】

王琳准备东下，但鲁悉达控制着中游，恐怕成为自己的隐患，频繁地派遣使者招纳劝诱，鲁悉达始终不答应。王琳不能攻下，就和北齐联合结好，互为表里，北齐派遣清河王高岳援助他。鲁悉达和王琳及北齐军队相持一年多，他的裨将梅天养等害怕因罪过被处罚，引齐军进城，鲁悉达率领部下数千人，南渡长江，投奔陈高祖。高祖见到他，喜出望外，说："为什么来得这么晚？"鲁悉达回答说："臣镇守安抚上游，愿意成为藩屏，陛下授臣官职，恩惠最厚；派沈泰袭击臣，武威也深。但是臣之所以自动归附陛下，确因陛下豁达大度，和汉高祖一样。”陈高祖叹道：“你说得在理啊！”授任他为平南将军、散骑常侍、北江州刺史，封爵彭泽县侯。世祖登上帝位，进号安左将军。

鲁悉达虽然仗义任侠，但不因为富贵傲视他人，爱好辞赋，招贤礼士，常和他们赏玩集会。迁任安南将军、吴州刺史。遇母亲去世，悲哀过度，因而发病死，当年仅三十八岁。追赠安左将军、江州刺史，谥号孝侯。他的儿子鲁览继承爵位。他的弟弟鲁广达，另外有传。

# 熊昙朗列传

熊昙朗，豫章南昌人也，世为郡著姓。昙朗跅弛不羁，有膂力，容貌甚伟。侯景之乱，稍聚少年，据丰城县为栅，桀黠劫盗多附之。梁元帝以为巴山太守。荆州陷，昙朗兵力稍强，劫掠邻县，缚卖居民，山谷之中，最为巨患。

及侯瑱镇豫章，昙朗外示服从，阴欲图瑱。侯方儿之反瑱也，昙朗为之谋主，瑱败，昙朗获瑱马仗子女甚多。及萧勃逾岭，欧阳頠为前军，昙朗绐頠共往巴山袭黄法𣰰，又报法𣰰期共破頠，约曰“事捷与我马仗”。及出军，与頠掎角而进，又绐頠曰“余孝顷欲相掩袭，须分留奇兵，甲仗既少，恐不能济”。頠乃送甲三百领助之。及至城下，将战，昙朗伪北，法𣰰乘之，頠失援，狼狈退衄，昙朗取其马仗而归。时巴山陈定亦拥兵立寨，昙朗伪以女妻定子。又谓定曰“周迪、余孝顷并不愿此婚，必须以强兵来迎”。定乃遣精甲三百并土豪二十人往迎，既至，昙朗执之，收其马仗，并论价责赎。

【译文】

熊昙朗，豫章郡南昌县人，世代为本郡望族。熊昙朗为人放荡不守规矩，有气力，身材很魁伟。侯景之乱爆发后，逐渐聚集少年人，据守丰城县，构筑栅垒，凶暴狡猾的强盗多依附他。梁元帝让他担任巴山太守。荆州失陷以后，熊昙朗的兵力较强，抢劫掠夺邻县，捆卖当地居民，是山谷当中的最大祸患。

待到侯瑱守豫章，熊昙朗表面表示服从，暗中却要算计侯瑱。侯方儿的反叛侯瑱，熊昙朗是他主谋的人，侯瑱失败后，熊昙朗获得侯瑱的战马兵器男女很多。待到萧勃翻越南岭，以欧阳頠为前军，熊昙朗欺骗欧阳頠，和他一起前往巴山袭击黄法𣰰，又报告黄法𣰰约定时间共同打败欧阳頠，协议说“事情成功给我马匹兵器”。待出兵时，和欧阳頠成犄角的形势而前进，又骗欧阳頠说：“余孝顷想要来袭击，必须分留骑兵，盔甲武器已少，恐怕难以成事。”欧阳頠就送三百领盔甲帮助他。等到达城下，将要交战，熊昙朗假装败退逃跑，黄法𣰋乘机追杀，欧阳頠失去援军，狼狈退缩，熊昙朗收取他的马匹兵器而回。当时巴山人陈定也拥兵立寨，熊昙朗假装要将女儿嫁给陈定的儿子，又对陈定说："周迪、余孝顷都不愿看到这门亲事，你必须用强兵来迎亲。”于是陈定就派精锐甲士三百和土豪二十人前往迎亲，到后，熊昙朗将这些人拘留，收取他们的马匹兵器，然后论价让陈定赎回。

绍泰二年，昙朗以南川豪帅，随例除游骑将军。寻为持节、飙猛将军、桂州刺史资，领丰城令，历宜新、豫章二郡太守。王琳遣李孝钦等随余孝顷于临川攻周迪，昙朗率所领赴援。其年，以功除持节、通直散骑常侍、宁远将军，封永化县侯，邑一千户，给鼓吹一部。又以抗御王琳之功，授平西将军、开府仪同三司，余并如故。及周文育攻余孝劢于豫章，昙朗出军会之，文育失利，昙朗乃害文育，以应王琳，事见文育传。于是尽执文育所部诸将，据新淦县，带江为城。

王琳东下，世祖征南川兵，江州刺史周迪、高州刺史黄法𣰋欲沿流应赴，昙朗乃据城列舰断遏，迪等与法𣰋因帅南中兵筑城围之，绝其与琳信使。及王琳败走，昙朗党援离心，迪攻陷其城，虏其男女万余口。昙朗走入村中，村民斩之，传首京师，悬于朱雀观。于是尽收其宗族，无少长皆弃市。

【译文】

绍泰二年，熊昙朗以南川豪帅的身份，随例除拜游骑将军。不久为持节、飙猛将军、桂州刺史，领丰城县令，历任宜新、豫章二郡太守。王琳派遣李孝钦等跟随余孝顷，在临川攻打周迪，熊昙朗率部属前往救援。这年，因功除持节、通直散骑常侍、宁远将军，封爵永化县侯，给食邑一千户，赐鼓吹一部。又因抗拒王琳的功劳，授任平西将军、开府仪同三司，其它职务依旧。待到周文育在豫章攻打余孝劢，熊昙朗出兵和他相会，周文育失利，熊昙朗就杀害了周文育，以响应王琳，事情记在《周文育传》。于是全部拘执周文育的部将，据守新淦县，环绕江水修筑城墙。

王琳领兵东下，世祖征调南川的兵马，江州刺史周迪、高州刺史黄法氍打算沿水流应征赴京，熊昙朗据守城垒、排列舰船阻挡，周迪和黄法氍就率领南中兵士修筑城墙包围他，断了他和王琳的信使往来。待到王琳失败退走，熊昙朗的同党和援军心怀离贰，周迪攻克新淦城，俘虏男女一万多口，熊昙朗逃到村中，被村民斩首，将首级传送到京城，悬挂在朱雀观。于是全部拘捕他的宗族，无论老幼都处以死刑。

# 〔魏书〕

## 释老志

大人有作，司牧生民，结绳以往，书契所绝，故靡得而知焉。自羲轩已还，至于三代，其神言秘策，蕴图纬之文，范世率民，垂坟典之迹。秦肆其毒，灭于灰烬；汉采遗籍，复若丘山。司马迁区别异同，有阴阳、儒、墨、名、法、道德六家之义。刘歆著《七略》，班固志《艺文》，释氏之学，所未曾纪。案汉武元狩中，遣霍去病讨匈奴，至皋兰，过居延，斩首大获。昆邪王杀休屠王，将其众五万来降。获其金人，帝以为大神，列于甘泉宫。金人率长丈余，不祭祀，但烧香礼拜而已。此则佛道流道通之渐也。

及开西域，遣张骞使大夏还，传其旁有身毒国，一名天竺，始闻有浮屠之教。哀帝元寿元年，博士弟子秦景宪受大月氏王使伊存口授浮屠经，中土闻之，未之信了也。后孝明帝夜梦金人，项有日光，飞行殿庭，乃访群臣。傅毅始以佛对。帝遣郎中蔡愔、博士弟子秦景等使于天竺，写浮屠遗范。愔仍与沙门摄摩腾、竺法兰东还洛阳。中国有沙门及跪拜之法，自此始也。愔又得佛经《四十二章》及释迦立像。明帝令画工图佛像，置清凉台及显节陵上，经缄于兰台石室。愔之还也，以白马负经而至，汉因立白马寺于洛城雍关西。摩腾、法兰咸卒于此寺。

**【译文】**

自从上天造就了人类，管理着民众一直到结绳记事以前的历史，由于没有书本龟契等文字记载，所以就无从知道了。自从伏羲、轩辕以后，一直到三代，他们的神言秘策，蕴藏在图书纬文之中；训范世人、引导民众，也载在经典文献之中。秦始皇放肆荼毒，把这些经典、图籍都化为灰烬了，汉代采集到遗书秘籍，恢复得像山一样多。司马迁区分它们各自的不同，归纳为阴阳、儒、墨、名、法、道德六家。刘歆著《七略》，班固撰写《汉书·艺文志》，释氏的学问，还没有著录记载。汉武帝元狩年中，派霍去病讨伐匈奴，到皋兰，经过居延，斩敌甚多，大获胜利，昆邪王杀休屠王，率领五万多人前来投降，并获得了他们的金人。武帝认为金人是大神，就把它放在甘泉宫。金人大概有一丈多长，但没有对金人祭祀，只不过烧烧香，礼拜礼拜罢了，这就是佛教流行中国的开始。

等到开辟了西域，派遣张骞出使大夏回来，传说大夏国边上有一个身毒国，又名天竺，才开始听说有浮屠之教。汉哀帝元寿元年，博士弟子秦景宪传授了大月氏王的使者伊存口头传授的浮屠经典，中土的人听了以后，没有多少人相信、明白。后来孝明帝夜里梦见金人，头顶有太阳光，在宫庭中飞翔，于是征问众大臣，傅毅开始回答是佛。明帝派遣郎中蔡愔、博士弟子秦景等人出使到天竺，抄写浮屠流传下来的文献。蔡愔于是与沙门摄摩腾、竺法兰回到洛阳，中国有沙门以及行跪拜之礼，是从这时开始的。蔡愔又得到佛经《四十二章》及释迦的立像，明帝命令画工写佛像，放在清凉台及显节陵上，经书则封起来放在石室兰台。蔡愔回来的时候，用白马背着经书回来，汉朝因此在洛城雍门西建立白马寺，摄摩腾、竺法兰都死在这座寺中。

浮屠正号曰佛陀，佛陀与浮图声相近，皆西方言，其来转为二音。华言译之则谓净觉，言灭秽成明，道为圣悟。凡其经旨，大抵言生生之类，皆因行业而起。有过去、当今、未来，历三世，识神常不灭。凡为善恶，必有报应。渐积胜业，陶冶粗鄙，经无数形，藻练神明，乃致无生而得佛道。其间阶次心行，等级非一，皆缘浅以至深，藉微而为著。率在于积仁顺，蠲嗜欲，习虚静而成通照也。故其始修心则依佛、法、僧，谓之三归，若君子之三畏也。又有五戒，去杀、盗、淫、妄言、饮酒，大意与仁、义、礼、智、信同，名为异耳。云奉持之，则生天人胜处，亏犯则坠鬼畜诸苦。又善恶生处，凡有六道焉。

**【译文】**

浮屠正号叫佛陀，佛陀和浮图声音相近，都是西方的话，他们传过来以后变成了两个音，用汉语翻译的意思是叫净觉，讲的是除去污秽，成就光明，大道为圣明者所悟。大凡佛典经书意旨，大多讲的是人生命运一类的事情，都是由其品行、德业所决定的。佛教讲人生有过去、现在、未来，一共经历三世，智识、精神都不灭。只要行善或为恶，就一定会有回报与报应。慢慢积德修行，去掉粗俗鄙浅的东西，经过无数阶段，洗涤冶炼神行，于是可以达到形灭而神存，得到佛道。这中间的阶段及心路历程，程序等级不止一个，都是从浅到深，从小到大。大率在于积累仁行善举，剔除嗜欲，坚守虚静而渐成通观内照。所以他们开始修行就按佛、法、僧三事，称作三归，譬如君子的三件敬畏之事。又有五戒：戒去杀生、偷盗、奸淫、妄言、饮酒五件事，五戒的大意与儒家仁、义、礼、智、信相同，而名称有所差异罢了。说只要奉持了五戒，就会生活在天人胜处，损坏差失就会掉进鬼、畜之苦中。还有善恶的产生，总共有六条途径。

诸服其道者，则剃落须发，释累辞家，结师资，遵律度，相与和居，治心修净，行乞以自给。谓之沙门，或曰桑门，亦声相近，总谓之僧，皆胡言也。僧，译为和命众，桑门为息心，比丘为行乞。俗人之信凭道法者，男曰优婆塞，女曰优婆夷。其为沙门者，初修十诫，曰沙弥，而终于二百五十，则具足成大僧。妇入道者曰比丘尼。其诫至于五百，皆以（阙）为本，随事增数，在于防心、摄身、正口。心去贪、忿、痴，身除杀、淫、盗，口断妄、杂、诸非正言，总谓之十善道。能具此，谓之三业清净。凡人修行粗为极。云可以达恶善报，渐阶圣迹。初阶圣者，有三种人，共根业太差，谓之三乘，声闻乘、缘觉乘、大乘。取其可乘运以至道为名。此三人恶迹已尽，但修心荡累，济物进德。初根人为小乘，行四谛法；中根人为中乘，受十二因缘；上根人为大乘，则修六度。虽阶三乘，而要由修进万行，拯度亿流，弥长远，乃可登佛境矣。

所谓佛者，本号释迦文者，译言能仁，谓德充道备，堪济万物也。释迦前有六佛，释迦继六佛而成道，处今贤劫。文言将来有弥勒佛，方继释迦而降世。释迦即天竺迦维卫国王之子。天竺其总称，迦维别名也。初，释迦于四月八日夜，从母右胁而生。既生，姿相超异者三十二种。天降嘉瑞以应之，亦三十二。其《本起经》说之备矣。释加生时，当周庄王九年。《春秋鲁庄公》七年夏四月，恒星不见，夜明。是也。至魏武定八年，凡一千二百三十七年云。释迦年三十成佛，导化群生，四十九载，乃于拘尸那城娑罗双树间，以二月十五日而入般槃涅。涅槃译云灭度，或言常乐我净，明无迁谢及诸苦累也。

诸佛法身有两种义，一者真实，二者权应。真实身，谓至极之体，妙绝拘累，不得以方处期，不可以形量限，有感斯应，体常湛然。权应身者，谓和光六道，同尘万类，生灭随时，修短应物，形由感生，体非实有。权形虽谢，真体不迁，但时无妙感，故莫得常见耳。明佛生非实生，灭非实灭也。佛既谢世，香木焚尸。灵骨分碎，大小如粒，击之不坏，焚亦不焦，或有光明神验，胡言谓之“舍利”。弟子收奉，置之宝瓶，竭香花，致敬慕，建宫宇，谓为“塔”。塔亦胡言，犹宗庙也，故世称塔庙。于后百年，有王阿育，以神力分佛舍利，于诸鬼神，造八万四千塔，布于世界，皆同日而就。今洛阳、彭城、姑臧、临淄皆有阿育王寺，盖成其遗迹焉。释迦虽般涅槃，而留影迹爪齿于天竺，于今犹在。中土来往，并称见之。

初，释迦所说教法，继涅槃后，有声闻弟子大迦叶、阿难等五百人，撰集著录。阿难亲承嘱授，多闻总持，盖能综核深致，无所漏失。乃缀文字，撰载三藏十二部经，如九流之异统，其大归终以三乘为本。后数百年，有罗汉、菩萨相继著论，赞明经义，以破外道，《摩诃衍大、小阿毗昙》，《中论》，《十二门论》，《百法论》，《成实论》等是也。皆傍诸藏部大义，假立外问，而以内法释之。

汉章帝时，楚王英喜为浮屠斋戒，遣郎中令奉黄缣白纨三十匹，诣国相以赎愆。诏报曰：“楚王尚浮屠之仁祠，洁斋三月，与神为誓，何嫌何疑，当有悔吝。其还赎，以助伊蒲塞、桑门之盛馔。”因以班示诸国。桓帝时，襄楷言佛陀、黄老道以谏，欲令好生恶杀，少嗜欲，去奢泰，尚无为。魏明帝曾欲坏宫西佛图。外国沙门乃金盘盛水，置于殿前，以佛舍利投之于水，乃有五色光起，于是帝叹曰：“自非灵异，安得尔乎？”遂徙于道（阙），为作周阁百间。佛图故处，凿为濛汜池，种芙蓉于中。后有天竺沙门昙柯迦罗入洛，宣译诫律，中国诫律之始也。自洛中构白马寺，盛饰佛图，画迹甚妙，为四方式。凡宫塔制度，犹依天竺旧状而重构之，从一级至三、五、七、九。世人相承，谓之“浮图”，或云“佛图”。晋世，洛中佛图有四十二所矣。汉世沙门，皆衣赤布，后乃易以杂色。

【译文】

凡是信奉佛道的，必须剃除须发，去除家累，出家修行，师徒聚集一块，遵守戒律法度，共同一起清居，诚心修炼清静洁身，靠行乞来自足，这些人被称作沙门，又称作桑门，也是声音相近的缘故，总称之为僧，都是胡人的语言。僧，翻译成汉意为和合众人之命，桑门意思为静心，比丘之意则为行乞。世俗之人信奉道法的，男的被称作优婆塞，女的则叫优婆夷。那些想成为沙门的人，开始修炼十种戒规，叫做沙弥，最终有二百五十诫，修成后就可以成为大僧人了。女性入道者称作比丘尼，修诫一共有五百条，都以戒条为本。根据事情而增加数目，目的在于防心，控制身体，端正言语。心中应去除贪、忿、痴之心，身体应去掉杀、淫、盗之行，口中应了断妄说、杂说以及其他非正道之言，总括叫作十善道。能达到这些，就可称作心、身、口都清静。普通人修行可以达到善恶相报，并慢慢达到圣明之境。初步达到圣贤之境的有三种人，他们的佛根品业各有差别，称作三乘：声闻乘、缘觉乘、大乘，取的是可以修道进而达到最高道行而得名。这三种人为恶之迹已经干净，只要修心养性、洗荡心累、救济世人、加强品德。初根人为小乘，施守四谛法；中根人叫中乘，受十二因缘；上根人为大乘，那么就修行六度。虽然经历了三乘，而实质上是要修炼一切品行，拯救自己的意念，从不间断以至永远，这样才可成佛。

所谓佛，本来称作释迦，意译为能仁，是说道德充沛周备，能够济度万事万物。释迦以前有六世佛，释迦继承六世佛而成道，处于今贤劫。有的书上说又称将来有弥勒佛，正继释迦而降生。释迦即天竺迦维卫国王之子。天竺是他的总称，迦维是别名。开始，释迦在四月八日夜从母亲的右胁生下来，生下来以后，姿态长相超乎寻常之处有三十二种，上天降下来吉祥的征兆以感应他的降生，也有三十二种。《本起经》叙述这些已很详备了。释迦出生的时侯，当时为中国周庄王九年。《春秋》上记载鲁庄公七年夏四月，恒星不见，夜明，就是这个时间。到北魏武定八年，一共一千二百三十七年。释迦三十岁成佛，教导化育万物民众，四十九年，在拘尸那城娑罗双树间，在二月十五日而入涅槃，涅槃译为灭度，有的说法是常乐我净，没有变化衰谢及其他诸多痛苦累赘。

众佛法身有二种意义：一是“真实；二是“权应”。真实身讲的是最高之体，什么至累也奇妙地断绝了，不可能按正规的期待，也不可能用形式去丈量规定，有感动就有感应，本体很清静。“权应身”的意思讲的是六道相合相和，与尘灰及万物相同，随时生存或毁灭，长和短都与物相融，外形是由触感而产生，本体并不是实有。暂存之体虽然凋谢，长存之真实际上不变。但是有时没有灵妙之感，所以不得以经常见到罢了。知道佛的生存并非实在的生存，灭逝也并不是实际的灭逝，佛既然离开世界，香木焚烧尸体。灵骨也分开碎掉，大小像颗粒一样，敲击它也不坏，焚烧也不变焦，有的产生光明神验，西方的说法把它叫“舍利”。弟子收藏敬奉，放置在宝瓶之中，送香花，表达礼敬爱慕，建立宫宇，即称作塔。塔也是西方的语言，像宗庙一样，所以俗世称作塔庙。在后来的百年，有个国王叫阿育，因为用神力分开佛祖的舍利，调动鬼神之力，建造八万四千个塔，遍布在全世界，都是同一天建成。现在洛阳、彭城、姑臧、临淄都有阿育王寺，大概是承袭他的遗迹。释迦虽然涅槃，但留有影迹在天竺，到现在还在。来往中土的人，都说见过。

开始，释迦所说的教义法术，在涅槃后，有声闻弟子大迦叶、阿难等五百人，撰集著录，阿难亲自接受佛祖传授多，就主持这事，大概能综合研核佛祖深旨大意，没有什么遗漏散失。于是缀合文字，撰集而成三藏十二部经，像九流的不同流派，它的大致归承仍以大乘、中乘、小乘为本。后来数百年，有罗汉、菩萨相继著述论述，阐明经义，用来破除异道，《摩诃衍大、小阿毗昙》、《中论》、《十二门论》、《百法论》、《成实论》等即是，都是依傍几部大藏的意义，假借外人问答的方式，而用内法解释它。

汉章帝时，楚王英喜欢做浮屠斋戒，派郎中令奉黄缣白纨三十匹，让相国用来赎罪。下诏回答说：“楚王喜欢浮屠的斋祠，沐浴清洁斋戒三个月，对神发誓，有什么怀疑和嫌弃的，应当有所悔改，他的贡品送还，用来帮助伊蒲塞、桑门的宴请。”因此把贡品公布给众国。桓帝时，襄楷用佛陀、黄老之道去进谏皇上，想让他爱护生命，不要妄杀，减少嗜欲，除去奢侈与浮华，讲求无为。魏明帝曾想破坏宫西的佛画，外国来的沙门于是用金制杯子装水，放在佛殿前，把佛的舍利投入水中，于是水中出现了五色光。这时明帝感叹说："假若不是灵异，怎么会这样？"于是就把佛画搬到了路的东面，并为佛画造了百间房屋。佛图的原址，则凿了一个濛汜池，并在水池中种上芙蓉。后来有一位天竺沙门昙柯迦罗来到洛阳，宣传译述戒律，这是中国有戒律的开始。自从洛阳建造白马寺，浓厚地用佛画装饰，画像十分奇妙，为四方形式。所有宫塔形制，仍然按照印度的旧样而加以重构，从一级到三、五、七、九级。世人相沿袭，称之为"浮图"，又叫作"佛图"。晋代，洛中地方佛教壁图达四十二所。汉代的沙门都穿红布，后代才改易为其他颜色。

晋元康中，有胡沙门支恭明译佛经《维摩》、《法华》、三《本起》等。微言隐义，未之能究。后有沙门常山卫道安性聪敏，日诵经万余言，研求幽旨。慨无师匠，独坐静室十二年，覃思构精，神悟妙赜，以前所出经，多有舛驳，乃正其乖谬。石勒时，有天竺沙门浮图澄，少于乌苌国就罗汉入道，刘曜时到襄国。后为石勒所宗信，号为大和尚，军国规谟颇访之，所言多验。道安曾至邺候澄，澄见而异之。澄卒后，中国纷乱，道安乃率门徒，南游新野。欲令玄宗在所流布，分遣弟子，各趣诸方。法汰诣扬州，法和入蜀，道安与慧远之襄阳。道安后入苻坚，坚素钦德问，既见，宗以师礼。时西域有胡沙门鸠摩罗什，思通法门，道安思与讲释，每劝坚致罗什。什亦承安令问，谓之东方圣人，或时遥拜致敬。道安卒后二十余载而罗什至长安，恨不及安，以为深慨。道安所正经义，与罗什译出，符会如一，初无乖舛。于是法旨大著中原。

魏先建国于玄朔，风俗淳一，无为以自守，与西域殊绝，莫能往来。故浮图之教，未之得闻，或闻而未信也。及神元与魏、晋通聘，文帝又在洛阳，昭成又至襄国，乃备究南夏佛法之事。太祖平中山，经略燕赵，所迳郡国佛寺，见诸沙门、道士，皆致精敬，禁军旅无有所犯。帝好黄老，颇览佛经。但天下初定，戎车屡动，庶事草创，未建图宇，招延僧众也。然时时旁求。先是，有沙门僧朗，与其徒隐于泰山之琨瑞谷。帝遣使致书，以缯、素、旃罽、银钵为礼。今犹号曰朗公谷焉。天兴元年，下诏曰："夫佛法之兴，其来远矣。济益之功，冥及存没，神踪遗轨，信可依凭。其敕有司，于京城建饰容范，修整宫舍，令信向之徒，有所居止。"是岁，始作五级佛图、耆阇崛山及须弥山殿，加以缋饰。别构讲堂、禅堂及沙门座，莫不严具焉。太宗践位，遵太祖之业，亦好黄老，又崇佛法，京邑四方，建立图像，仍令沙门敷导民俗。

初，皇始中，赵郡有沙门法果，诫行精至，开演法籍。太祖闻其名，诏以礼征赴京师。后以为道人统，绾摄僧徒。每与帝言，多所惬允，供施甚厚。至太宗，弥加崇敬，永兴中，前后授以辅国、宜城子、忠信侯、安成公之号，皆固辞。帝常亲幸其居，以门小狭，不容舆辇，更广大之。年八十余，泰常中卒。未殡，帝三临其丧，追赠老寿将军、越胡灵公。初，法果每言，太祖明叡好道，即是当今如来，沙门宜应尽礼，遂常致拜。谓人曰："能鸿道者人主也，我非拜天子，乃是礼佛耳。"法果四十，始为沙门。有子曰猛，诏令袭果所加爵。帝后幸广宗，有沙门昙证，年且百岁。邀见于路，奉致果物。帝敬其年老志力不衰，亦加以老寿将军号。

是时，鸠摩罗什为姚兴所敬，于长安草堂寺集义学八百人，重译经本。罗什聪辩有渊思，达东西方言。时沙门道彤、僧略、道恒、道剽、僧肇、昙影等，与罗什共相提挈，发明幽致。诸深大经论十有余部，更定章句，辞义通明，至今沙门共所祖习。道彤等皆识学洽通，僧肇尤为其最。罗付之撰译，僧肇常执笔，定诸辞义，注《维摩经》，又著数论，皆有妙旨，学者宗之。

又沙门法显，慨律藏不具，自长安游天竺。历三十余国，随有经律之处，学其书语，译而写之。十年，乃于南海师子国，随商人泛舟东下。昼夜昏迷，将二百日。乃至青州长广郡不其劳山，南下乃出海焉。是岁，神瑞二年也。法显所迳诸国，传记之，今行于世。其所得律，通译未能尽正。至江南，更与天竺禅师跋陀罗辩定之，谓之《僧祇律》，大备于前，为今沙门所持受。先是，有沙门法领，从扬州入西域，得《华严经》本。定律后数年，跋陀罗共沙门法业重加译撰，宣行于时。

【译文】

晋元康年中，有一位胡沙门支恭明翻译佛经《维摩》、《法华》，三部《本起》等，经中的微言大义，深奥理论没有探究明白。后来有一位沙门常山卫道安禀性聪明敏锐，一天能背诵经书万余字，研究探求经书旨意，感叹没有老师法匠可以请教，于是独坐静室十二年，精思细研，神悟妙理。从前所译佛经，大多有错误纰漏，于是对这些经书错误加以纠正。石勒的时候，有一位天竺沙门浮图澄。小的时候在乌苌国跟随罗汉学道，刘曜时来到襄国。后来被石勒所信赖，号称为大和尚，国家大事多向他咨询，所说大多灵验。卫道安曾经到过邺地候见浮图澄，浮图澄见到他以后十分惊异。浮图澄死后，中国战乱纷繁，卫道安于是率领门徒，出游到南方的新野，想让佛教广为流传，分别派遣弟子，各去一个方向。法汰到扬州，法和到四川，卫道安与慧远到襄阳。卫道安后来到了苻坚处。苻坚本来十分钦佩他的名声，见到以后，用老师之礼拜见。当时西域有一位胡人沙门鸠摩罗什，精通法门，卫道安想和鸠摩罗什讲论探讨，经常劝苻坚邀请鸠摩罗什。鸠摩罗什也听说了卫道安的大名，并称其为东方圣人，有时遥远地致意相拜。卫道安死二十余年后，鸠摩罗什到长安，遗憾没有见到卫道安，认为这是最大的遗憾。卫道安所改正的佛书经典语言，和鸠摩罗什所译就像符契相会，完全一致，没有一点差错。于是佛法宗旨在中土广为流传开来。

北魏开始建国在北方地带，风俗淳朴单一，以清静无为用来自我保护，和西方地区相隔很遥远，没有什么交往。所以浮图作为宗教，没有谁听说过，即使听说过的人也不相信。等到神元年间和魏、晋通娉后，文帝久在洛阳，昭成又到过襄国，于是才详细地了解了南夏佛法之事。太祖平定中山，经营统治燕赵地区，所管辖的郡县国家里的佛寺，看到众多的沙门、道士，都精诚地加以敬重，禁军军队也不敢侵犯。太祖皇帝喜欢黄老之学，阅读了一些佛经，但是天下刚刚安定，战车经常出动，许多事情刚刚草创，没有建成浮图寺宇，用来招揽延请僧徒佛众。但是仍然不时地抽空访求。在这以前，有位沙门叫僧朗，和他的徒弟隐居在泰山的琨谷中。太祖皇帝派使者送信，用丝缯、素丝、旃罽、银钵等作为礼物，现在仍然称他所住地作朗公谷。天兴元年，下诏书说："佛法的兴起，它的来源很悠久，济世辅益的功劳，都达及了生存与死的人。神灵的踪迹，遗存的轨则，确实可以依据凭靠。敕令百官，在京城中建立庙宇，修饰整顿宫殿寺舍，使信仰归化的人有居往的地方。”这一年，才开始造五级佛图、耆阇崛山及须弥山大殿，都加以修饰，另外建造了讲堂、禅堂以及沙门座，没有不严肃设置的。太宗即位后，遵照太祖的事业，也喜欢黄老之学，崇尚佛法，京城及四方，建立佛图佛像，仍然命令沙门宣传教化、民众习俗。

开始，皇始年中，赵郡地方有沙门法果，传戒行为至为精诚，开讲演说佛法经义。太祖听说了他的名字，下诏用礼节征请他赴京师，后来做了道人总领，统管约束僧徒。每次和皇帝讲论，皇帝心里都感到十分高兴，对他供奉布施很优厚。到太宗时，更加对他崇拜礼敬。永兴年中，前前后后被授予辅国、宣城子、忠信侯、安成公等称号，他都坚决地推辞。太宗皇帝曾亲自到他住的地方，因为门太小，无法容纳皇帝车队，于是扩大增广其门。八十多岁，泰常年间逝世。没有埋葬的时候，皇帝三次去吊丧，追赠老寿将军、赵胡灵公。开始，法果每次说，太祖圣明聪慧，喜欢佛道，就是现世的如来，沙门应该行跪拜之礼。于是经常拜敬皇帝，对人说：“能弘扬光大佛道的是皇帝，我不是在礼拜皇帝，实际是在礼拜佛。”法果四十岁，才成为沙门。他有个儿子叫猛，下诏让他袭承法果所封的爵位。太宗皇帝后来到广宗寺，有一位沙门叫昙证，年龄百岁了，在路上相见邀请敬奉送呈水果、物品。太宗皇帝尊敬他年老而志向体力不衰，也加封了一个“老寿将军”的称号。

这个时期，鸠摩罗什被姚兴所礼敬，在长安草堂寺聚集了八百余人，重新翻译经典。鸠摩罗什聪明善辩，思想深沉，通晓东西文字。当时沙门道彤、僧略、道恒、道剽、僧肇、昙影等人，和鸠摩罗什共同互相提挈，阐发彰明经旨。各种经书有十多部，他们都重新确定章节、句读，文辞意义通达明白，到现在的沙门都还沿用学习。道彤等人都见识学问博洽通达，僧肇尤其突出，鸠摩罗什的撰述翻译，僧肇经常执笔，确定所要表达的文辞和意义，注释《维摩经》，又写了几种论著，都有精妙的论述，学者们都宗法他们的学说。

又有一个沙门叫法显，感慨经律典籍不完备，从长安到天竺游学，经历了三十多个国家，凡是有经籍的地方，学习他们的语言典籍，翻译并抄写过来。过了十年，又在南海的师子国，跟随商人船队东下，昼夜昏迷将近二百多天，才到青州长广郡不其劳山，南下才出海。这年是神瑞二年。

法显所经过的国家，用传记体记载，现在流传在世。他所得到的经律，通译没有完全表达原意。到江南，又和天竺的禅师跋陀罗辩论审定，称作《僧祇律》，比以前大大的完备了，被现在的沙门所守持接受。从前有沙门法领，从扬州到西域，得到《华严经》，译定后数年，跋陀罗和沙门法业重新加以译述撰写，流传于当时。

世祖初即位，亦遵太祖、太宗之业，每引高德沙门，与其谈论。于四月八日，舆诸佛像，行于广衢，帝亲御门楼，临观散花，以致礼敬。

先是，沮渠蒙逊在凉州，亦好佛法。有罽宾沙门昙摩谶，习诸经论。于姑臧，与沙门智嵩等，译《涅槃》诸经十余部。又晓术数、禁咒，历言他国安危，多所中验。蒙逊每以国事谘之。神鹿中，帝命蒙逊送谶诣京师，惜而不遣。既而，惧魏威责，遂使人杀谶。谶死之日，谓门徒曰："今时将有客来，可早食以待之。"食讫而走使至。时人谓之知命。智嵩亦爽悟，笃志经籍。后乃以新出经论，于凉土教授。辩论幽旨，著《涅槃义记》。戒行峻整，门人齐肃。知凉州将有兵役，与门徒数人，欲往胡地。道路饥馑，绝粮积日，弟子求得禽兽肉，请嵩强食。嵩以戒自誓，遂饿死于酒泉之西山。弟子积薪焚其尸，骸骨灰烬，唯舌独全，色状不变。时人以为诵说功报。凉州自张轨后，世信佛教。敦煌地接西域，道俗交得其旧式，村坞相属，多有塔寺。太延中，凉州平，徙其国人于京邑，沙门佛事皆俱东，象教弥增矣。寻以沙门众多，诏罢年五十以下者。

世祖初平赫连昌，得沙门惠始，姓张。家本清河，闻罗什出新经，遂诣长安见之，观习经典。坐禅于白渠北，昼则孰城听讲，夕则还处静坐。三辅有识多宗之。刘裕灭姚泓，留子义真镇长安，义真及僚佐皆敬重焉。义真之去长安也，赫连屈丐追败之，道俗少长咸见坑戮。惠始身被白刃，而体不伤。众大怪异，言于屈丐。屈丐大怒，召惠始于前，以所持宝剑击之，又不能害，乃惧而谢罪。统万平，惠始到京都，多所训导，时人莫测其迹。世祖甚重之，每加礼敬。始自习禅，至于没世，称五十余年，未尝寝卧。或时跣行，虽履泥尘，初不污足，色愈鲜白，世号之曰白脚师。太延中，临终于八角寺，齐洁端坐，僧徒满侧，凝泊而绝。停尸十余日，坐既不改，容色如一，举世神异之。遂瘗寺内。至真君六年，制城内不得留瘗，乃葬于南郊之外。始死十年矣，开殡俨然，初不倾坏。送葬者六千余人，莫不感动。中书监高允为其传，颂其德迹。惠始冢上，立石精舍，图其形像。

经毁法时，犹自全立。

世祖即位，富于春秋。既而锐志武功，每以平定祸乱为先。虽归宗佛法，敬重沙门，而未存览经教，深求缘报之意。及得寇谦之道，帝以清净无为，有仙化之证，遂信行其术。时司徒崔浩，博学多闻，帝每访以大事。浩奉谦之道，尤不信佛，与帝言，数加非毁，常谓虚诞，为世费害。帝以其辩博，颇信之。会盖吴反杏城，关中骚动，帝乃西伐，至于长安。先是，长安沙门种麦寺内，御驺牧马于麦中，帝入观马。沙门饮从官酒，从官入其便室，见大有弓矢矛盾，出以奏闻。帝怒曰："此非沙门所用，当与盖吴通谋，规害人耳！"命有司案诛一寺，阅其财产，大得酿酒具及州郡牧守富人所寄藏物，盖以万计。又为屈室，与贵室女私行淫乱。帝既忿沙门非法，浩时从行，因进其说。诏诛长安沙门，焚破佛像，敕留台下四方，令一依长安行事。又诏曰："彼沙门者，假西戎虚诞，妄生妖孽，非所以一齐政化，布淳德于天下也。自王公以下，有私养沙门者，皆送官曹，不得隐匿。限今年二月十五日，过期不出，沙门身死，容止者诛一门。"

**【译文】**

世祖刚开始即位，也遵从太祖、太宗的遗业，经常引见有高德的沙门，和他们一起谈论。在四月八日，抬着许多佛像，行走在大街的通道上，世祖皇帝亲自登上城门高楼，在楼台上散花，用来表达对佛教的礼敬。

从前，沮渠蒙逊在凉州，也喜欢佛法，有罽宾沙门昙摩谶，学习许多经典律论，和沙门智嵩等，翻译《涅槃》等经十多部，又通晓术数、禁咒，屡次讲到别国的安危，每每被他言中。蒙逊经常向他咨询国家大事，神鹿中，世祖皇帝命令蒙逊护送昙摩谶到京城，蒙逊爱惜而不想送。不久，又害怕魏国的威胁责难，于是派人杀掉昙摩谶。昙摩谶死的那天，对弟子们说："今天会有客人来，可以早吃饭来等他们。"刚吃完饭就有使者来了，当时人认为他能知道天命。智嵩也很颖悟，专心致志在经典上。

后来就把新译出的经律论，在凉州地区教授传诵，辩论其中深义，并著有《涅槃义记》。守戒严肃整齐，弟子都严格遵守。知道凉州将会发生兵役，和门徒数人，想逃到胡地。路上发生了饥荒，断粮好几天，弟子求到了动物禽兽的肉，请求智嵩勉强吃一顿。智嵩遵守发誓的戒律，于是就饿死在酒泉的西山之中。弟子们堆积柴火焚烧他的尸体，骨头都成了灰，独独舌头完整、颜色形状不变，当时人认为是讲诵宣说之功的报酬。凉州自从张轨以后，世世代代都信奉佛教。敦煌地方连接西域，佛道正根据它们的旧状，村落之间，大多都有佛塔寺院。太延中，凉州平定，迁徙凉州地方的人到京城，沙门佛事都向东发展，佛教更加发展。不久因为沙门人数太多，下诏罢免五十岁以下者。

世祖刚刚平定赫连昌，得到沙门惠始，俗姓张，家本清河，听说鸠摩罗什译出新经，于是到长安去拜见他，观摩学习经典，并在白渠北坐禅。白天进城去听讲，晚上则回来静坐。三辅有学识的人多效法他。刘裕灭掉姚泓，留下儿子义真镇守长安，义真和幕僚都很敬重他。义真离开长安后，赫连屈丐追杀失败了，佛徒老少都被坑埋杀戮。惠始受到刀刺，而身体没有受伤。大家感到很奇怪，对屈丐说了这件事。屈丐大为发怒，下令惠始前来，用他所带的宝剑杀他，也不能伤害，于是感到害怕而请求宽恕。统定万平后，惠始到京都，对他有些训教，当时人不能推测他的行踪。世祖十分看重他，经常加以礼敬。惠始从习禅一直到逝去，声称五十多年中间，从没有坐下来睡过觉。有时光着脚走路，虽然走在泥坑灰尘之上，开始不会弄脏了脚，走得越久脚越干净，世人号称为“白脚先生”。太延中，在八角寺逝去，整齐清洁正襟而坐，和尚徒弟立满身旁，平平静静地气绝而亡。停尸十多天，坐式没有改变，颜色同平时一样，所有人都对此感到神异。于是掩埋在寺内。到真君六年，按规定城内不能保留坟墓，于是改葬在南郊之外，这时距惠始死已经十年了，打开棺材仍很端肃，和当初一样没有歪倒。替他送葬的六千多人，没有不被感动的，中书监高允为他写传，歌颂赞述他的品德事迹。惠始的墓冢上，建了一座石制精舍，绘上了他的形象，经过毁法运动，仍然独自保全。

世祖即位时，正值青春年少，立志建立武功，经常把平定祸乱作为重大事情。虽然皈依佛法，敬重沙门，却没有阅读过佛经教义，更没有详细地考求因缘报应的意义。等到得到了寇谦之的道法，世祖皇帝认为道教清静无为，有登仙化去的证验，于是就信奉他的方术，当时司徒崔浩，博学多闻，世祖皇帝经常向他咨询国家大事。崔浩信奉寇谦之的道教，很不喜欢佛教，和皇帝谈话，多次对佛教加以非难诋毁，经常说佛教虚空妄诞，给世上造成浪费和危害。皇帝因为他善辩而且博览，很相信他的说法。正赶上盖吴在杏城造反，关中骚动。世祖皇帝于是西去讨伐，来到长安。以前，长安沙门在寺内种麦。皇帝的看马人在寺中喂马，皇帝进去观看。沙门喝了侍从官的酒，侍从进入他的便室，看到了许多弓箭、长矛、盾牌，出来后向皇帝回奏。皇帝发怒说："这不是沙门所使用的东西，应该是和盖吴共同计划来残害人们。"命令管事的人把全寺的人都杀掉，清点并没收其财产，结果得到了许多酿酒的酒具以及州郡官和富人寄存的藏品数以万计。又制造暗室，和贵族家的女子私自淫乱。皇帝既十分愤怒沙门干非法之事，崔浩当时随行，因此大讲他的言论。下诏诛杀长安的所有沙门，焚毁破坏佛像，下敕传下四方，都按长安的办法办理。又下诏说："那些沙门，假借西方虚诞之说，妄自制造妖孽，不是用来整齐政治教化民众，传布厚德于天下。自王公以下，有私自收养沙门的，都送到官府，不得隐蔽藏匿。限令今年二月十五日，超过期限不送出，沙门杀掉，收留者也一族都杀掉。"

时恭宗为太子监国，素敬佛道。频上表，陈刑杀沙门之滥，又非图像之罪。今罢其道，杜诸寺门，世不修奉，土木丹青，自然毁灭。如是再三，不许。乃下诏曰："昔后汉荒君，信惑邪伪，妄假睡梦，事胡妖鬼，以乱天常，自古九州之中无此也。夸诞大言，不本人情。叔季之世暗君乱主，莫不眩焉。由是政教不行，礼义大坏，鬼道炽盛，视王者之法，蔑如也。自此以来，代经乱祸，天罚亟行，生民死尽，五服之内，鞠为丘墟，千里萧条，不见人迹，皆由于此。朕承天绪，属当穷运之弊，欲除伪定真，复羲农之治。其一切荡除胡神，灭其踪迹，庶无谢于风氏矣。自今以后，敢有事胡神及造形像泥人、铜人者，门诛。虽言胡神，问今胡人，共云无有。皆是前世汉人无赖子弟刘元真、吕伯强之徒，乞胡之诞言，用老庄之虚假，附而益之，皆非真实。至使王法废而不行，盖大奸之魁也。有非常之人，然后能行非常之事。非朕孰能去此历代之伪物！有司宣告征镇诸军、刺史，诸有佛图形象及胡经，尽皆击破焚烧，沙门无少长悉坑之。”是岁，真君七年三月也。恭宗言虽不用，然犹缓宣诏书，远近皆豫闻知，得各为计。四方沙门，多亡匿获免，在京邑者，亦蒙全济。金银宝像及诸经论，大得秘藏。而土木宫塔，声教所及，莫不毕毁矣。

始谦之与浩同从车驾，苦与浩净，浩不肯，谓浩曰：“卿今促年受戮，灭门户矣。”后四年，浩诛，备五刑，时年七十。浩既诛死，帝颇悔之。业已行，难中修复。恭宗潜欲兴之，未敢言也。佛沦废终帝世，积七八年。然禁稍宽弛，笃信之家，得密奉事，沙门专至者，犹窃法服诵习焉。唯不得显行于京都矣。

先是，沙门昙曜有操尚，又为恭宗所知礼。佛法之灭，沙门多以余能自效，还欲求见。曜誓欲守死，恭宗亲加劝谕，至于再三，不得已，乃止。密持法服器物，不暂离身，闻者叹重之。

高宗践极，下诏曰：“夫为帝王者，必祗奉明灵，显彰仁道，其能惠著生民，济益群品者，虽在古昔，犹序其风烈。是以《春秋》嘉崇明之礼，祭典载功施之族。况释迦如来功济大千，惠流尘境，等生死者叹其达观，览文义者贵其妙明，助王政之禁律，益仁智之善性，排斥群邪，开演正觉。故前代以来，莫不崇尚，亦我国家常所尊事也。世祖太武皇帝，开广边荒，德泽遐及。沙门道士善行纯诚，惠始之伦，无远不至，风义相感，往往如林。夫山海之深，怪物多有，奸淫之徒，得容假托，讲寺之中，致有凶党。是以先朝因其瑕衅，戮其有罪。有司失旨，一切禁断。景穆皇帝每为慨然，值军国多事，未遑修复。朕承洪绪，君临万邦，思述先志，以隆斯道。今制诸州郡县，于众居之所，各听建佛图一区，任其财用，不制会限。其好乐道法，欲为沙门，不问长幼，出于良家，性行素笃，无诸嫌秽，乡里所明者，听其出家。率大州五十，小州四十人，其郡遥远台者十人。各当局分，皆足以化恶就善，播扬道教也。”天下承风，朝不及夕，往时所毁图寺，仍还修矣。佛像经论，皆复得显。

京师沙门师贤，本罽宾国王种人，少入道，东游凉城，凉平赴京。罢佛法时，师贤假为医术还俗，而守道不改。于修复日，即反沙门，其同辈五人。帝乃亲为下发。师贤仍为道人统。是年，诏有司为石像，令如帝身。既成，颜上足下，各有黑石，冥同帝体上下黑子。论者以为纯诚所感。兴光元年秋，敕有司于五级大寺内，为太祖以下五帝，铸释迦立像五，各长一丈六尺，都用赤金二万五千斤。太安初，有师子国胡沙门邪奢遗多、浮陀难提等五人，奉佛像三，到京都。皆云，备历西域诸国，见佛影迹及肉髻，外国诸王相承，咸遣工匠，摹写其容，莫能及难提所造者，去十余步，视之炳然，转近转微。又沙勒胡沙门，赴京师致佛钵并画像迹。

【译文】

当时恭宗做太子监国，平素敬重佛道，多次上表，陈述用刑法杀害沙门的过滥，指出这不是图画佛像的罪过。现在废除佛道，把那些寺院封闭起来，世代不奉祀守持，建筑装饰自然会毁弃掉。像这样申辩三番五次，皇帝不同意。于是下诏令说："从前后汉的国君荒唐，信奉邪恶虚伪，胡妄地假托睡梦，侍奉西方的妖鬼，因而变乱了天理伦常，自古以来中州大地没有比这更严重的了。夸妄荒诞之言，不本乎人理之情。衰弱的时代，昏暗胡乱的君主，没有不被佛教所迷惑的。从此以后政治教化不实行，礼义大坏，鬼道高涨兴盛，对于王权法律，没有放在眼里。从此以后，每代都经受了战乱和祸害，上天的惩罚经常施行，民众都死光了。从曾祖到曾孙五代之内，都变成了坟墓废墟了，千里萧条，见不到人的踪迹，都是由于这个原因。我承上天之命，多次遇到时运不利的弊病，想除掉伪假而确定真的东西，恢复伏羲神农的天下大治，扫除掉一切西方的神灵，毁灭他们的痕迹，那样或许就无愧于风后氏了。从今以后，胆敢有侍奉西方神灵以及制造神像泥人、铜人的，满门皆杀。虽说是西方之神，询问现在的西方人，都说没有，都是前代汉人无赖子弟刘元真、吕伯强一类的人物，听从西方人的胡言怪语，借用老子、庄子的虚假附会而设立，都不是真正的事实。至使王法废弃而不施行，大概是大奸的魁首了。有非常特殊的人，然后才能做非常特殊的事。不是皇帝我怎能除去这个历代的伪物呢？地方官宣传告诉征镇诸军、刺史，凡是有画佛形象以及佛经，都要击破焚烧，沙门不论年长老少都坑杀掉。"这一年，是真君七年三月。恭帝的言语虽然没有接受，但是仍然得以缓迟宣布诏书，远远近近都提前听说知道了，得以各自打算安排。四面八方的沙门和尚，都逃亡得以幸免。在京城的，也得以全部获救。金银制造的宝物佛像以及许多佛经经论，大多得以秘密收藏。但是有关佛教的建筑佛寺佛塔，诏书命令所及，没有不被销毁的。

开始寇谦之和崔浩一起跟从皇帝车队，苦苦地与崔浩相争，崔浩不肯。对崔浩说："你现在在走绝路，将会满门杀戮。"后四年，崔浩被杀，备受五刑，时年七十。崔浩既被杀掉，皇帝心里十分悔恨毁佛之事，但已实行，难以修复。恭帝暗地里想要恢复佛教，不敢说。佛教沦丧废弃一直到皇帝去世，长达七八年。但是禁令稍微宽松一些，诚信的人，得以秘密奉行侍佛。沙门专门从事佛教的人，仍然私自偷偷地穿着法服诵读佛经，独独不能明显地流行在京中。

以前，沙门昙曜具有节操品行，又被恭帝所了解礼敬。佛教废灭后，沙门大多靠其他方面的能力自己养活自己，还俗求得自存。昙曜发誓想坚守到死，恭帝亲自加以劝谕，以至于再三，不得已才停止。秘密地穿着法服拿着法物，一点也不离开身边，听说的人对他很敬重。

高宗登上皇位，下命令说："作为帝王，一定要敬奉神明灵魂，昭显彰明仁义之道，神明能把恩惠带给民众，救济补益万物，虽然从前往古，仍然叙说他们的丰功伟业。所以《春秋》赞叹崇敬神明的礼数，祭祀的典礼记载着布功施力的氏族。更何况释迦如来功力救济大千世界，恩惠流布到尘世。把生和死看得相同的人感叹他的通达博观，批览文章义理的人，以为义理宝贵奇妙，有助于政教的禁律，更有益于仁智者的善良本性，排斥群邪，开导演示真正的觉悟。所以自前代以来，没有不崇尚的，也是我们国家所经常尊敬的事情。世祖太武皇帝，开拓广大边疆荒域，恩德泽润施及很远。沙门道士品纯行善，诚实可靠。惠始这样的人，再远的地方也去，风气意义所感化，往往像林木一样多，山和海由于深广，怪物就多，奸淫之徒，得以借身栖命，讲堂佛寺之中，以致于也有凶党之族。因此前代朝廷因为他们的缺失与过错，杀戮那些有罪的人。管事的人有违背旨意的地方，把一切都禁止废弃了。景穆皇帝每次为此而感慨，正赶巧国家多事，没来得及修理恢复。我承接大业，统帅天下万邦，想继承前代的志向，用来弘扬佛道。现在命令所有的州郡县，在民众居住的地方，都准许建一座佛图，随便花多少钱财，都不加以限制。那些喜欢佛道，想做沙门的，不管他年长年幼，只要出身良家子弟，本性品行朴实敦厚，没有什么嫌疑污秽，乡村中比较明智的，听从他出家入道。大致大的州五十人，小的州四十人，其中边远地带十个人。各个应当按区分布，都可能够除去恶迹，追求好的，弘扬佛教之道。”天下听到这个意旨，早上听到还等不到晚上，以前所有毁掉的浮图佛寺，就都还原修复了。佛像经典，都得以显扬。

京师沙门师贤，本来是罽宾国王种人，从小入门修道，东游凉城。凉城平定后到京城。废除佛法的时候，师贤假借医术还俗为医，但坚守佛道没有改变。在恢复佛教的时候，又重入沙门。他的同辈五个人都一起入佛，皇帝亲自为他剃发。师贤于是做了佛道头领。这一年，命令执事的人雕一个石像，形象像皇帝身体一样。雕成以后，眉毛和脚下，每处一个黑石，和皇帝身体的黑子相同，论说的人认为是真诚所感动的缘故。兴光元年的秋天，命令管事的人在五级大寺内，替太祖以下五位皇帝，铸造五个释迦的立像，每个长一丈六尺，都用赤金二十五万斤。太安初年，有师子国的西方沙门邪奢遗多、浮陀难提等五个人，奉持三个佛像来到京都，都说：“经历了西方所有的国家，见到了佛的影迹以及肉身发髻，外国诸王相继承，都派遣工匠，摹绘他的形象，没有人能够达到浮陀难提所制造的境界，离十余步远，看上去仍神彩光辉，越近越惟妙惟肖。”又有沙勒西方沙门，到京城送佛教的钵及画像。

和平初，师贤卒。昙曜代之，更名沙门统。初昙曜以复佛法之明年，自中山被命赴京，值帝出，见于路，御马前衔曜衣，时以为马识善人。帝后奉以师礼。昙曜白帝，于京城西武州塞，凿山石壁，开窟五所，镌建佛像各一。高者七十尺，次六十尺，雕饰奇伟，冠于一世。昙曜奏：平齐户及诸民，有能岁输谷六十斛入僧曹者，即为“僧祇户”，粟为“僧祇粟”，至于俭岁，赈给饥民。又请民犯重罪及官奴以为“佛图户”，以供诸寺扫洒，岁兼营田输粟。高宗并许之。于是僧祇户、粟及寺户，遍于州镇矣。昙曜又兴天竺沙门常那邪舍等，译出新经十四部。又有沙门道进、僧超、法存等，并有名于时，演唱诸异。

显祖即位，敦信尤深，览诸经论，好老庄。每引诸沙门及能谈玄之士，与论理要。初，高宗太安末，刘骏于丹阳中兴寺设斋。有一沙门，容止独秀，举众往目，皆莫识焉。沙门惠璩起问之，答名惠明。又问所住，答云，从天安寺来。语讫，忽然不见。骏君臣以为灵感，改中兴为天安寺。是后七年而帝践祚，号天安元年。是年，刘彧徐州刺史薛安都始以城地来降。明年，尽有淮北之地。其岁，高祖诞载。于时起永宁寺，构七级佛图，高三百余尺，基架博敞，为天下第一。又于天宫寺，造释迦立像。高四十三尺，用赤金十万斤，黄金六百斤。皇兴中，又构三级石佛图。榱栋楣楹，上下重结，大小皆石，高十丈。镇固巧密，为京华壮观。

高祖践位，显祖移御北苑崇光宫，览习玄籍。建鹿野佛图于苑中之西山，去崇光右十里，岩房禅堂，禅僧居其中焉。

延兴二年夏四月，诏曰："比丘不在寺舍，游涉村落，交通奸猾，经历年岁。令民间五五相保，不得容止。无籍之僧，精加隐括，有者送付州镇，其在畿郡，送付本曹。若为三宝巡民教化者，在外赍州镇维那文移，在台者赍都维那等印牒，然后听行。违者加罪。"又诏曰："内外之人，兴建福业，造立图寺，高敞显博，亦足以辉隆至教矣。然无知之徒，各相高尚，贫富相竞，费竭财产，务存高广，伤杀昆虫含生之类。苟能精致，累土聚沙，福钟不朽。欲建为福之因，未知伤生之业。朕为民父母，慈养是务。自今一切断之。"又诏曰："夫信诚则应远，行笃则感深，历观先世灵瑞，乃有禽兽易色，草木移性。济州东平郡，灵像发辉，变成金铜之色。殊常之事，绝于往古；熙隆妙法，理在当今。有司与沙门统昙曜令州送像达都，使道俗咸睹实相之容，普告天下，皆使闻知。"

三年十二月，显祖因田鹰获鸳鸯一，其偶悲鸣，上下不去。帝乃惕然，问左右曰："此飞鸣者，为雌为雄？左右对曰："臣以为雌。"帝曰："何以知？"对曰："阳性刚，阴性柔，以刚柔推之，必是雌矣。"帝乃慨然而叹曰："虽人鸟事别，至于资识性情，竟何异哉！"于是下诏，禁断鸷鸟，不得畜焉。

承明元年八月，高祖于永宁寺，设太法供，度良家男女为僧尼者百有余人，帝为剃发，施以僧服，令修道戒，资福于显祖。是月，又诏起建明寺。太和元年二月，幸永宁寺设斋，赦死罪囚。三月，又幸永宁寺设会，行道听讲，命中、秘二省与僧徒讨论佛义，施僧衣服、宝器有差。又于方山太祖营垒之处，建思远寺。自正光至此，京城内寺新旧且百所，僧尼二千余人，四方诸寺六千四百七十八，僧尼七万七千二百五十八人。四年春，诏以鹰师为报德寺。九年秋，有司奏，上谷郡比丘尼惠香，在北山松树下死。尸形不坏。尔来三年，士女观者有千百。于时人皆异之。十年冬，有司又奏："前被敕以勒籍之初，愚民侥幸，假称入道，以避输课，其无籍僧尼罢遣还俗。重被旨，所检僧尼，寺主、维那当寺隐审。其有道行精勤者，听仍在道；为行凡粗者，有籍无籍，悉罢归齐民。今依旨简遣，其诸州还俗者，僧尼合一千三百二十七人。"奏可。十六年诏："四月八日、七月十五日，听大州度一百人为僧尼，中州五十人，下州二十人，以为常准，著于令。"十七年，诏立《僧制》四十七条。十九年四月，帝幸徐州白塔寺。顾谓诸王及侍官曰："此寺近有名僧嵩法师，受《成实论》于罗什，在此流通。后授渊法师，渊法师授登、纪二法师。朕每玩《成实论》，可以释人深情故至此寺焉。"时沙门道登，雅有义业，为高祖眷赏，恒侍讲论。曾于禁内与帝夜谈，同见一鬼。二十年卒，高祖甚悼惜之，诏施帛一千匹。又设一切僧斋，并命京城七日行道。又诏："朕师登法师奄至徂背，痛怛摧恸，不能已已。比药治慎丧，未容即赴，便准师义，哭诸门外。"绩素之。又有西域沙门名跋陀，有道业，深为高祖所敬信。诏于少室山阴，立少林寺而居之，公给衣供。二十一年五月，诏曰："罗什法师可谓神出五才，志入四行者也。今常住寺，犹有遗地，钦悦修踪，情深遐远，可于旧堂所，为建三级浮图。又见逼昏虐，为道殄躯，既暂同俗礼，应有子胤，可推访以闻，当加叙接。"

**【译文】**

和平初年，师贤逝去，昙曜代替他，换名字叫沙门统。开始昙曜在恢复佛法的第二年，从中山受命到京城，赶巧皇帝外出，在路上碰见了，皇帝的马往前衔着昙曜的衣服，当时认为马认识好人。皇帝后来以老师之礼对待他。昙曜告诉皇帝，在京城的西面武州塞，开凿一座山的石壁，开凿五所，每一座雕刻佛像一个；高的七十尺，其次的六十尺，雕的形饰奇伟壮观，冠于一世。昙曜上奏：平齐的民户及广大民众，有能够每年送粮食六十斛到僧人中的，就是僧人的役户，粮食称作"僧祇粟"。至于到了欠收的年岁，救济饥荒的人，又请求民众中犯有重罪的人以及那些官奴户作为佛图户，用来供给各个寺院的打扫，每年兼作种田和运输粮食。高宗都同意，就这样僧祇户、粟以及寺户，遍及每个州和镇了。昙曜又和天竺沙门常那邪舍等一起，翻译出新的佛经十四部，还有沙门道进、僧超、法存等，都在当时很有名气，说经演义都很特别。

显祖即位后，信佛尤其之深，批览众多佛经，喜欢老子、庄子。每次同沙门及能够谈论玄学的人，一起讨论精要之道，开始高宗太安末年，刘骏在丹阳中兴寺设斋，有一个沙门，举止行为特别突出，大家一齐看到，但都没有谁认识他。沙门惠璩起身询问，回答说是惠明。又问从哪儿来。回答说，从天安寺来。说完，突然就不见了。刘骏君臣认为是神灵感应，改中兴寺为天安寺。从此七年之后刘骏便登上了帝位，建号天安元年。这一年，刘彧和徐州刺史薛安都开始拿城来投降。第二年，完全拥有了淮北的土地。这一年，高祖出生了。在这个时候建起了永宁寺，构造七级佛图，高三百多尺，基址构架都很宽阔，为天下第一。又在天宫寺建造释迦的立像，高四十三尺，花了赤金十万斤，黄金六百斤。皇兴中，又建三级石佛图。雕梁画栋，上下重结，大小都是石头，高十多丈。镇固精巧细密，称为京城中的壮观景象。

高祖登基后，显祖迁移住到北苑崇光宫，观览学习佛典，在苑中的西山，建造鹿野佛图，离崇光宫右边十里地，岩房是禅房，禅僧住在中间。

延兴二年夏四月，下诏书说："比丘不住在佛寺房舍中，游历经过村庄，和奸猾的人往来，过了些年头，命令二十五户相结为保，不得让比丘居住。没有籍属的和尚，严格加以检查，发现有的话送给州镇，如果在郡县，送给本官，假若是佛、法、僧三宝巡民教化的，在外地带着镇维那等的文书印牒，在本地则带着都维那的印牒，然后随便行走，违犯的加重罪责。"又下诏说："教内教外的人，兴建造福的事情，建造佛图塔寺，高大宽敞显耀广博，也能够弘扬佛教了。但是无知之徒，各自竞相攀比，贫困富裕互相比阔，花费用尽了财产，仅存下一个高大和广崇，伤害昆虫及有生命的人。假若能诚心尽意，把沙土堆起来，造福也是不朽的。想建造有造福的根本，无知是伤害生命的事情。我作为民众的父母，我的任务是力求慈祥地抚养。从今以后一切都斩断掉。"又下诏书说："信仰诚实那么报应很远，行为诚实就感动深刻，历观先世的灵验瑞应，就有禽兽变色、草木变性的。济州东平郡，灵像生辉变成金铜一样的颜色，非常不平常的事情，与从前大不相同，特别隆重的妙法，按理应该在现在。执事的人和沙门统昙曜命令送佛像到京都，让道徒及俗众都看到真正的面貌，普告天下，都让他们听说知道。”

三年十二月，显祖因为打猎获得一只鸳鸯，它的配偶很悲哀地哭着，飞上飞下不离开，皇帝于是心中警觉，问左右说：“这个飞叫的鸳鸯，是雄性还是雌性？”帝身边有人回答说：“我以为是雌性的。”皇帝说：“怎么知道的？”回答说：“雄的阳性刚烈，雌的阴性柔和，按刚烈和柔和推断，一定是雌性。”皇帝感慨地叹息说：“即使是人和鸟的事情有差别，至于说到天资禀性情感，又有什么差异！”于是下命令，禁止断绝猛禽，不得养育。

承明元年八月，高祖在永守寺设大法会供奉，剃度良家男女僧尼一百多人，皇帝为他们剃发，施赏他们和尚衣服，让他们修道守戒，为显祖求福。这个月，又下诏建建明寺。太和元年二月，到永宁寺设斋，大赦死刑犯的罪。三月，又到永宁寺设法会，布道听讲，命令中、秘二省和僧徒一起讨论佛义，施给僧衣服、宝器。又在方山太祖建坟的地方，建造思远寺，从兴光到这所佛寺，京城内佛寺新旧有将近一百所，僧及比丘尼二千多人。全国寺庙共六千四百七十八，僧及比丘尼七万七千二百五十八人。四年春，下诏在鹰师故里建立报德寺。九年秋，执事上奏，上谷郡比丘尼惠香，在北山松树下死去，尸体不坏，已经三年，士女观看者成千上百。当时的人都惊叹奇异这件事。十年冬天，执事者又向上报告：“从前接受皇帝敕封强迫入籍的愚民开始怀着侥幸心理，假借号称入道，用来躲避输役征课，那些没有凭借的僧徒比丘尼都让他们还俗，重新授受皇帝的诏令，所检核的僧徒、比丘尼、寺主、维那等应当在寺中暗暗审核，其中修道品行精严勤奋的，听从他在佛道中；行为粗鄙庸俗的，无论有凭籍无凭籍，都罢免为民。现在按照圣旨选择送遣，各个州中那些还俗的，僧徒比丘尼共一千三百二十七人。”奏书被批准。十六年下诏书说：“四月八日，七月十五日，听从大的州剃度一百人为僧尼，中等州郡五十人，小州二十人，作为正常的准则。颁布在市中。”十七年，下诏确立《僧制》四十七条，十九年四月，皇帝到徐州白塔寺，对众王及侍从官说：“这座佛寺最近有位名僧嵩法师，从鸠摩罗什处接受《成实论》，在这里流通。后传授渊法师，渊法师传授登、纪二法师。我每次玩味《成实论》，可以去掉人心上的俗情，所以来到这座寺中。”当时沙门道登，很有学问法术，为高祖所赏识，经常聚在一起讲说讨论。曾经在宫中和皇帝晚上谈话。一块看见一个鬼。二十多岁死的，高祖十分哀痛婉惜他，下诏施给丝帛一千匹。又设一切僧斋，并且命令京城七天行道。又下诏说："我的老师登法师突然逝世，痛苦伤心，不能停止，近来吃药治疗，要注意丧事，不能够赴丧，只好准备老师之义，在门外兴吊。”僧徒及百姓均感到很荣幸，又有西方的沙门叫跋跎，有道业，很为高祖所敬仰信赖，下诏在少室山的南面，建少林寺住下来，公家供给衣食。二十一年五月，下诏说："鸠摩罗什法师可以称得上神化超出智、勇、仁、信、忠五才，志节进入仁、义、礼、智四行的人，现在经常住在寺中，仍然还有空余之地。敬顺地修道、志向情感很深很远，可以在旧的堂所，为他建造三级浮图。又被昏虐所逼，为佛道而亡身，既然暂时和俗体相同，应该有子孙后代，可以推求访问报告上来，可以加以接续。”

先是，立监福曹，又改为昭玄，备有官属，以断僧务。高祖时，沙门道顺、惠觉、僧意、惠纪、僧范、道弁、惠度、智诞、僧显、僧义、僧利，并以义行知重。

世宗即位，永平元年秋，诏曰：缁素既殊，法律亦异。故道教彰于互显，禁劝各有所宜。自今以后，众僧犯杀人已上罪者，仍依俗断，余悉付昭玄，以内律僧制之。二年冬，沙门统惠深上言："僧尼浩旷，清浊混流，不遵禁典，精粗莫别。辄与经律法师群议立制：诸州、镇、郡维那、上坐、寺主，各令戒律自修，咸依内禁，若不解律者，退其本次。又，出家之人，不应犯法，积八不净物。然经律所制，通塞有方。依律，车牛淫人，不净之物，不得为己私畜。唯有老病年六十以上者，限听一乘。又，比来僧尼，或因三宝，出贷私财。缘州外。又，出家舍著，本无凶仪，不应废道从俗。其父母三师，远闻凶问，听哭三日。若在见前，限以七日。或有不安寺舍，游止民间，乱道生过，皆由此等。若有犯者，脱服还民。其有造寺者，限僧五十以上，启闻听造。若有辄营置者，处以违敕之罪，其寺僧众摈出外州。

僧尼之法，不得为俗人所使。若有犯者，还配本属。其外国僧尼来归化者，求精俭有德行合三藏者听住，若无德行，遣还本国，若其不去，依此僧制治罪。”诏从之。

先是，于恒农荆山造珉玉丈六像一。三年冬，迎置于洛滨之报德寺，世宗躬观致敬。

四年夏，诏曰：“僧祇之粟，本期济施，俭年出贷，丰则收入。山林僧尼，随以给施；民有窘弊，亦即赈之。但主司冒利，规取赢息，及其征责，不计水旱，或偿利过本，或翻改券契，侵蠹贫下，莫知纪极。细民嗟毒，岁月滋深。非所以矜此穷乏，宗尚慈拯之本意也。自今以后，不得传委维那、都尉，可令刺史共加监括。尚书检诸有僧祇谷之处，州别列其元数，出入赢息，赈给多少，并贷偿岁月，见在未收，上台录记。若收利过本，及翻改初券，依律免之，勿复征责。或有私债，转施偿僧，即以丐民，不听收检。后有出贷，先尽贫穷，征债之科，一准旧格。富有之家，不听辄贷。脱仍冒滥，依法治罪。”

又尚书令高肇奏言：“谨案：故沙门统昙曜，昔于承明元年，奏凉州军户赵苟子等二百家为僧祇户，立课积粟，拟济饥年，不限道俗，皆以拯施。又依内律，僧祇户不得别属一寺。而都维那僧暹、僧频等，进违成旨，退乖内法，肆意任情，奏求逼召，致使吁嗟之怨，盈于行道，弃子伤生，自缢溺死，五十余人。岂是仰赞圣明慈育之意，深失陛下归依之心。遂令此等，行号巷哭，叫诉无所，至乃白羽贯耳，列讼宫阙。悠悠之人，尚为哀痛，况慈悲之士，而可安之。请听苟子等还乡课输，俭乏之年，周给贫寡，若有不虞，以拟边捍。其暹等违旨背律，谬奏之愆，请付昭玄，依僧律推处。”诏曰：“暹等特可原之，余如奏。”

世宗笃好佛理，每年常于禁中，亲讲经论，广集名僧，标明义旨。沙门条录，为《内起居》焉。上既崇之，下弥企尚。至延昌中，天下州郡僧尼寺，积有一万三千七百二十七所，徒侣逾众。

熙平元年，诏遣沙门惠生使西域，采诸经律。正光三年冬，还京师。所得经论一百七十部，行于世。

**【译文】**

以前，立监福曹，又改为昭玄，配有官职，用来处理佛僧的事情，高祖时，沙门道顺、惠觉、僧意、惠纪、僧范、道弁、惠度、智诞、僧显、僧义、僧利，都因为德义道行而被看重。

世祖即位，永平元年秋天，下诏说："佛徒与百姓虽然不同，法律也应该相异，所以道德与教义在互相显明中更为明白，禁令与劝助各有各的适宜。从今以后，僧人犯了杀人以上的罪，仍然按照普通的断法，其余的犯罪都交给昭玄，按内部法律制断治理他们。二年冬天，沙门统惠深上奏说："僧徒以丘尼众多、清浊混杂，有的不遵守禁律典则，好的和坏的没法分辨，于是和经律法师一起商议建立制度：每个州、镇、郡维那、上坐、寺主，都让他们自己修持戒律，都要按照内部禁令，假若有不懂律条的，退至本次。又说：出家的人，不应该犯法，积累八种不净物。但是经律所规定的，通达与否各有差别。按律条：车牛及寺院仆役，是不净的东西，不应该为自己所私养，只有年老多病满六十岁以上的人，限制乘坐一辆。又：近来僧尼，有的因为佛、法、僧三宝，出借财产，化缘州外。又：出家人舍开家庭，本来没有凶仪之事，不应该废弃佛道而随从习俗。父母或三师之丧，远远听说凶讯，任他哭三天，假若在眼前看到见到，限定在七日。有的不安于在寺舍中，游在民众中，违乱佛道制造过失，都是因为这些事情。假若有犯的，脱掉僧服还民。那些建造佛寺的限制收僧五十人以上，报告诉听他们建造。假若有随便建造营制的，按违犯敕制之罪论处，该寺中的僧徒都被赶出外州，僧尼的法规，不应该为普通人所使用。假若有违犯法规的，返还原籍。那些外国僧尼来归化的，寻求那些有高德的高僧符合三藏的、听他居住，假若没什么德行，遣送回本国，假若他不离去，按这种僧律治罪。"下诏听从。

从前，在恒农荆山制造珉玉一丈六的塑像一个，三年冬天，迎送放置在洛水河边的报德寺，世宗亲自向它致敬。

四年夏天，下诏说："僧祇的粮食，本来是期待救济布施，欠收之年出借，丰收之年则收藏。山林僧尼，随时用来补给布施；人民有困难或弊病，也应给予救济。但主持事情的官吏贪图利益，从中求得赢利，等到征用不计较水灾旱情，有的偿还的利息超过本金，有的改动券契，侵害贫困的民众，没有谁知道记录他们的极责。普通民众受苦受难，日子一天比一天艰难。这并不是因此可怜他们的贫困与穷苦，宗法追求慈善拯灾的本来意思，从今以后，不应该专门交给维那、都尉，可以让刺史一起加以监督检束。尚书检核那些有僧祇的地方，州别外列出它们的基数，收进与放出的收入利息，救济的多少以及借贷放债的年岁月份，现存的以及没有收购的，都存簿记录。假若收到的利息超过本粮，以及翻改账本契券，根据法律免去罪过，不复再加罚罪。有的有私人债务，反过来施舍赏给僧人，便用此来救济民众，不听收检，后来有出借放贷，首先尽量救济贫困穷苦，征粮还债的科条，一律按照旧的规定，富裕的家庭，不能任其放债，假若泛滥冒犯，按法律加以治罪。

又尚书令高肇上奏说："小心地说：亡故的沙门统昙曜，以前在承明元年，上凉家州军户赵苟子等二百家为僧祇户，建立课税积累粮食，拟定救济饥民，不限制道徒或俗民，都用来拯救布施，又按内律，僧祇户不得另外属于一寺，但请求强谓诏令，致使叹息的、怨恨的满路都是，抛弃儿子伤害生灵，跳河自杀的，达五十多人。难道是敬仰赞叹圣明慈育的心意，而严重地丧失了皇帝陛下归依民众的心理。因此让这些人，在路上巷中高喊叫唤，没有地方可以安顿，以致于白羽贯过耳朵，在宫廷官府中打官司。普通的人，尚且感到哀叹痛惜，更何况慈祥悲悯的人，怎么可以安心？请听从苟子等回家征役借役，欠收之年，借给贫困的人。假若有意料之外的事情，用来巩固捍卫边疆。像僧暹一样的违反旨意背叛法律，荒谬上奏的罪过，请交给昭玄，按照僧律处罚。"下诏说："僧暹等人特别可原谅，其他按奏折办。"

世宗特别喜欢佛理，每年经常在禁城中亲自讲解经论，广集名僧，称明义旨，沙门担任记录，编成《内起居》一书。皇上既然尊崇，民间就更加追尚。到延昌年中，天下州郡僧尼寺，一共有一万三千七百二十七所，僧徒更加众多。

熙平元年，下诏派沙门惠生出使西域，采访经书律论，正光二年冬，回到京师，所得经书律令一百七十部，流传于世。

二年春，灵太后令曰："年常度僧，依限大州应百人者，州郡于前十日解送三百人，其中州二百人，小州一百人。州统、维那与官及精练简取充数。若无精行，不得滥采。若取非人，刺史为首，以违旨论，太守、县令、纲僚节级连坐，统及维那移五百里外异州为僧。自今奴婢悉不听出家，诸王及亲贵，亦不得辄启请。有犯者，以违旨论。其僧尼辄度他人奴婢者，亦移五百里外为僧。僧尼多养亲识及他人奴婢子，年大私度为弟子，自今断之。有犯还俗，被养者归本等。寺主听容一人，出寺五百里，二人千里。私度之僧，皆由三长罪不及已，容多隐滥。自今有一人私度，皆以违旨论。邻长为首，里、党各相降一等。县满十五人，郡满三十人，州镇满三十人，免官，僚吏节级连坐。私度之身，配当州下役。"时法禁宽褫，不能改肃也。

景明初，世宗诏大长秋卿白整准代京灵岩寺石窟，于洛南伊阙山，为高祖、文昭皇太后营石窟二所。初建之始，窟顶去地三百一十尺。至正始二年中，始出斩山二十三丈。至大长秋卿王质，谓斩山太高，费功难就，奏求下移就平，去地一百尺，南北一百四十尺。永平中，中尹刘腾奏为世宗复造石窟一，凡为三所。从景明元年至正光四年六月已前，用功八十万二千三百六十六。肃宗熙平中，于城内太社西，起永宁寺。灵太后亲率百僚，表基立刹。佛图九层，高四十余丈，其诸费用，不可胜计。景明寺佛图，亦其亚也。至于官私寺塔，其数甚众。

神龟元年冬，司空公、尚书令、任城王澄奏曰：

仰惟高祖，定鼎嵩瀍，卜世悠远。虑括终台，制洽天人，造物开符，垂之万叶。故都城制云，城内唯拟一永宁寺地，郭内唯拟尼寺一所，余悉城郭之外。欲令永遵此制，无敢逾矩。逮景明之初，微有犯禁。故世宗仰修先志，爰发明旨，城内不造立浮图、僧尼寺舍，亦欲绝其杀觊。文武二帝，岂不爱尚佛法，盖以道俗殊归，理无相乱故也。但俗眩虚声，僧贪厚润，虽有显禁，犹自冒营。至正始三年，沙门统惠深有违景明之禁，便云："营就之寺，不忍移毁，求自今已后，更不听立。"先旨含宽，抑典从请。前班之诏，仍卷不行，后来私谒，弥以奔竞。永平二年，深等复立条制，启云"自今已后，欲造寺者，限僧五十已上，闻彻听造。若有辄营置者，依俗违敕之罪，其寺僧众，摈出外州。"尔来十年，私营转盛，罪摈之事，寂尔无闻。岂非朝格虽明，恃福共毁，僧制徒立，顾利莫从者也。不俗不道，务为损法，人而无厌，其可极乎！

夫学迹冲妙，非浮识所辩；玄门旷寂，岂短辞能究。然净居尘外，道家所先，功缘冥深，匪尚华遁。苟能诚信，童子聚沙，可迈于道场；纯陀俭设，足荐于双树。何必纵其盗窃，资营寺观。此乃民之多幸，非国之福也。然比日私造，动盈百数。或乘请公地，辄树私福；或启得造寺，限外广制。如此欺罔，非可稍计。臣以才劣，诚忝工务，奉遵成规，裁量是总。所以披寻旧旨，研究图格，辄遣府司马陆昶、属崔孝芬，都城之中及郭邑之内检括寺舍，数乘五百，空地表刹，未立塔宇，不在其数。民不畏法，乃至于斯！自迁都已来，年逾二纪，寺夺民居，三分且一。高祖立制，非徒欲使缁素殊途，抑亦防微深虑。世宗述之，亦不锢禁营福，当在杜塞未萌。今之僧寺，无处不有。或比满城邑之中，或连溢屠沽之肆，或三五少僧，共为一寺。梵唱屠音，连檐接响，像塔缠于腥臊，性灵没于嗜欲，真伪混居，往来纷杂。下司因习而莫非，僧曹对制而不问。其于污染真行，尘秽练僧，薰莸同器，不亦甚欤！往在北代，有法秀之谋；近日冀州，遭大乘之变。皆初假神教，以惑众心，终设奸诳，用逞私悖。太和之制，因法秀而杜远；景明之禁，虑大乘之将乱。始知祖宗睿圣，防遏处深。履霜坚冰，不可不慎。

**【译文】**

二年春，灵太后下令说："往常剃度的僧人，根据限制大州应该一百人，州郡在前十天里送了三百人，其中中州二百人，小州一百人，州统、维那和官吏应精择严选以充数。假若没有精洁之人，不应该胡乱保送选取。假若取择不得其人，刺史作为负责者，按违犯旨意论处，太守、县令、纲僚都按级相连论罪，沙门统和维那送到五百里以外的其他州做和尚。从今以后奴婢都不让出家为僧，诸王族以及亲友贵族，也不能随便请求，有违犯的，按违犯圣旨论罪。那些僧徒、比丘尼随便剃度他人奴婢的，也移到五百里以外的地方做僧徒，僧民养很多亲朋以及其他人奴婢的孩子，年纪大并私自剃度为弟子的，从今以后取消。有违犯的还俗，被供奉的回到原来的地方，从今有一个人私自剃度，都按违反圣旨论罪。邻长为首，里、党各自都降一级、县里超过五十人、郡里超过三十人，州镇超过三十人，免除官职，慕僚及从吏按级论罪。私自剃度的人，配发所在州充役。”当时法律禁令宽松，不能改变归化。

景明初，世宗下诏大长秋卿白整准代京灵岩寺石窟，在洛南伊阙山，为高祖、文昭皇太后建造石窟三座。刚建的时侯，石窟的顶离地三百一十尺。到正始二年中，开始出高山二十三丈，到大长秋卿王质，说开山大高，费力难以成功，上奏请求往下移动接近平地，离地一百尺，南北一百四十尺。永平中，中尹刘腾上奏为世宗再造一石窟，一共三所。从景明元年至正光四年六日以前，花了八十万二千三百六十六个工。肃宗熙平中，在城内太社西边，建造永宁寺，灵大后亲自率领百官群臣，奠基建刹，佛图共九层，高四十余丈，它所花费的费用，不可胜计。景明寺佛图，仅是居第二、至于官方私人的佛寺佛塔，数目很多。

神龟元年冬天，司空公、尚书令任城王澄上奏说：

尊敬的高祖皇帝，建立基业在嵩瀍之间，占卜世事悠远，考虑计划从头到尾，创造符合天人，造物开符，垂流万世。故都的都城规定说，城内只建一座永宁寺的地方，城郭内只设尼寺一所，其他都在城郭之外。想要永远遵照这一规定，不敢超过这个规矩。到景明初年，稍有违犯禁令。所以世宗遵从修持先代之志，于是发布圣明之旨，城内不建立设造浮图、僧尼等寺，也是想断绝他们觊觎。文武二帝，不喜欢追尚佛法，大概因为佛道与习俗道路不同，按理应该不相违乱的缘故。但是世俗眩惑佛教的声势，僧徒贪恋丰厚的利润，虽然有明显的禁令，仍然私自建造。至正始三年，沙门总管惠深违犯景明的禁令，于是说：“营建的佛寺，不忍心搬动毁掉，求得从令以后，不再随便建造。”先帝心中宽厚，把典制放宽听从其请。前代颁行的诏令，仍然不能得以遵守，后来私下请求的，更加追求竞争。永平二年，惠深等人再立条例，向皇上报告说：“从今以后，想建造佛寺的，限制在僧尼五十岁以上的人，听他们随意建造；假如有随意建造的，按照普通违犯赦令的罪过处罚，寺中的僧人，赶出外州。”近来十多年，私人建造佛寺越来越兴盛，论罪赶去外州的事情，一点也没听说过。难道不是朝廷规定虽然严明，依靠福降一起毁弃制度。僧制白白地建立，因为考虑到利益而不遵从。既非俗人又不是道人一定有损于法制，作为一个人而没有什么满足，这还有止境吗？

学问很深很远，不是一般浮识之士所能分清；佛门广阔安静，难道是简短的言辞所能说明的？但是安静地生活在红尘之外，这在道家已开先例，功业因缘既冥且深，并非追求奢华或隐遁。假若能真正诚信，童子堆沙，可以超过设道场，纯粹节俭的设置，足可推荐给双树。哪里用得着去放纵盗窃，资助建造佛寺观宇？这实是民众之幸，而不是国家之福，但是近日私人建造，动不动就满百，有的趁机请求公家地址，于是为自己谋福；有的报告造寺，在规定的范围外扩大规模，如此这样欺骗不可以一点点计较。臣子因为才华鄙劣，诚恳地担任工务，奉命遵守成规，总体起来裁定规量。因此所以翻看旧有的旨意，研究图格，于是派府司马陆昶、缘属崔孝芬，都城之中及城郭郡邑之内调查寺庙，总数超过五百，平空起刹，没有建立塔寺，不在这个数之中。民众不害怕法律，竟然到了这个地步。自从迁都以来，时代超过了二十四年，佛寺夺去了民间的居地，三分占了一分，高祖建立制度，并不是白白地想让僧徒与民众这样大的分别，也是考虑很深，防止很远。世宗祖述，也不禁锢造营福业，应当在没有萌芽之时便防止了。现在的僧寺没有一处地方没有，有的连接着满城都是；有的接连着甚至占满了屠场。卖酒的市场，有的三五个小和尚，共同主持着一个佛寺。诵佛的梵语和卖肉的声间，交错在同一檐下，佛塔被腥臊味所缠绕，嗜欲把性灵冲没了。真的和假的混在一起，来来往往很杂乱。下面的官吏因习以为常而没有责难，僧徒互相不问。这对于污染真性，弄脏真正的僧徒，香草与杂草同在一个器皿中，不是更加过分吗？从前在北方代国，有法秀谋乱；近日在冀州，碰到大乘的变化，开始都借助于神教，用来蛊惑民心，终于设立奸诳，用来逞纵自己的欲望。大和的制度，因为法秀的事情而杜绝干净；景明的设禁，考虑到大乘即将发生变乱。才开始知道祖宗睿智圣明，防止制断考虑很深，走在带霜的坚冰之上，不可以不慎重。

昔如来阐教，多依山林，今此僧徒，恋著城邑。岂湫隘是经行所宜，浮必栖禅之宅，当由利引其心，莫能自止。处者既失其真，造者或损其福，乃释氏之糟糠，法中之社鼠，内戒所不容，王典所应弃矣。非但京邑如此，天下州、镇僧寺亦然。侵夺细民，广占田宅，有伤慈矜，用长嗟苦。且人心不同，善恶亦异。或有栖心真趣，道业清远者；或外假法服，内怀悖德者。如此之徒，宜辨泾渭。若雷同一贯，何以劝善。然睹法赞善，凡人所知；矫俗避嫌，物情同趣。臣独何为，孤议独发。诚以国典一废，追理至难，法网暂失，条纲将乱。是以冒陈愚见，两愿其益。

臣闻设令在于必行，立罚贵能肃物。令而不行，不如无令。罚不能肃，孰与亡罚。顷明诏屡下，而造者更滋，严限骤施，而违犯不息者，岂不以假福托善，幸罪不加。人殉其私，吏难苟劾。前制无追往之辜，后旨开自今之恕，悠悠世情，遂忽成法。今宜加以严科，特设重禁，纠其来违，惩其往失。脱不峻检，方垂容借，恐今旨虽明，复如往日。又旨令所断，标榜礼拜之处，悉听不禁。愚以为，树榜无常，礼处难验，欲云有造，立榜证公，须营之辞，指言尝礼。如此则徒有禁名，实通造路。且徙御已后，断诏四行，而私造之徒，不惧制旨。岂是百官有司，怠于奉法？将由网漏禁宽，容托有他故耳。如臣愚意，都城之中，虽有标榜，营造粗功，事可改立者，请依先制。在于郭外，任择所便。其地若买得，券证分明者，听其转之。若官地盗作，即令还官。若灵像既成，不可移撤，请依今敕，如旧不禁，悉令坊内行止，不听毁坊开门，以妨里内通巷。若被旨者，不在断限。郭内准此商量。其庙像严立，而逼近屠沽，请断旁屠杀，以洁灵居。虽有僧数，而事在可移者，令就闲敞，以避隘陋。如今年正月赦后造者，求依僧制，案法科治。若僧不满五十者，共相通容，小就大寺，必令充限。其地卖还，一如上式。自今外州，若欲造寺，僧满五十已上，先令本州表列，昭玄量审，奏听乃立。若有违犯，悉依前科。州郡已下，容而不禁，罪同违旨。庶仰遵先皇不朽之业，俯奉今旨慈悲之令，则绳墨可全，圣道不坠矣。

奏可。未几，天下丧乱，加以河阴之酷，朝士死者，其家多舍居宅，以施僧尼，京邑第舍，略为寺矣。前日禁令，不复行焉。

元象元年秋，诏曰："梵境幽玄，义归清旷，伽蓝净土，理绝嚣尘。前朝城内，先有禁断，自聿来迁邺，率由旧章。而百辟士民，届都之始，城外新城，并皆给宅。旧城中暂时普借，更拟后须，非为永久。如闻诸人，多以二处得地，或舍旧城所借之宅，擅立为寺。知非已有，假此一名。终恐因习滋甚，有亏恒式。宜付有司，精加隐括。且城中旧寺及宅，并有定帐，其新立之徒，悉从毁废。”冬，又诏：“天下牧守令长，悉不听造寺。若有违者，不问财之所出，并计所营功庸，悉以枉法论。”兴和二年春，诏以邺城旧宫为天平寺。

世宗以来至武定末，沙门知名者，有惠猛、惠辨、惠深、僧暹、道钦、僧献、道晞、僧深、惠光、惠显、法营、道长，并见重于当世。

自魏有天下，至于禅让，佛经流通，大集中国，凡有四百一十五部，合一千九百一十九卷。正光已后，天下多虞，工役尤甚，于是所在编民，相与入道，假慕沙门，实避调役，猥滥之极，自中国之有佛法，未之有也。略而计之，僧尼大众二百万矣，其寺三万有余。流弊不归，一至于此，识者所以叹息也。

**【译文】**

从前如来阐扬教义，大多靠在山林，现在的僧徒，却都眷依着大城都邑。难道污水涨满是讲经所适宜，杂乱浮喧是栖息讲禅的地方？大概是由于利益吸引着他们的心，不能够自己控制。居住者既然失去他们真正的一面，建造的人也就有可能有损福业。这是释氏的糟糠，法中的社鼠，法内之戒所不能容忍，王法国典所应抛弃的。不仅京城之中这样，天下州、镇僧寺都是这样。侵害剥夺普通民众，广泛占有田土住宅，伤害慈祥老弱，值得长嗟苦叹。况且人的想法不同，善恶也不一样，有的栖心在真趣之中，道业清远；有的则外在假借法服，心中怀着歹心。像这样的人，应该分清泾渭。假若都看成一样，怎么能劝民为善？然而看到佛法表彰善行，这是普通人所知道的；矫正习俗回避嫌疑，人的情趣相同。下臣独独想干什么？一个人的议论私下发表。确实因为国家之典一旦废弃，正本清源特别艰难；法网一旦失去，条纲就会混乱，因此所以冒昧地陈述自己的想法，希望僧俗均得其益。

我听说设立法令一定要实行，建立处罚就能严肃，有令不执行，不如没有法令；处罚而不严肃，还不如不处罚。最近圣明诏书多次发下，但是建造的人更加多；严格的限制突然放松，但违犯不停的人，难道不是靠借福，苟幸不加罪于身吗？人追求私心，官吏很难严格追查。前代的制度没有追求以前的不幸，后来的圣旨放开了今天的宽恕。世情啊世情，竟然变成了常法。现在应该加以严格的惩罚，特别设立严重的禁令，来纠正那些违犯者，并惩罚那些过失之事。假若不严厉加以检束，现在允许宽容，担心现在圣明虽然明白，但实施又如以前，而且圣旨命令所规定的，榜示礼拜的地方，都任其放松而不禁止。我认为，设立榜示没有一定礼信就很难证验。想说建造，张榜公布，应该建造的话，的确讲明应该礼信，如此这样则白白地只有禁止的名声，实际打通了营造的道路。况且迁移改变御旨之后，割断的诏书四处流行，但私人建造者，不害怕规定的旨意。难道是百官执事者，对奉法守法有差失？恐怕是法网疏漏禁令不严，抑或有其他缘故。按照下臣的想法，都城之中，即使有标示榜文，营建的大致工夫，事情可以改建的，请按以前的制度办。处在城廓之外的，随便他们选择什么地方，他的地盘假若是买到的，文券契证应该很清楚的，听从随便转让。假若是官府的地盘而偷偷地建造的，马上让他们还给官吏。假若灵像已经建成，不可能移动改换，请求按照现在的赦令。城廓之内按此进行商量。那些寺庙塑像威严耸立、靠近屠场卖酒地很近的，请求搬掉旁边的屠场或酒店，用来清洁神灵之居。虽然有僧徒之数，但事情可以变移的，让他们到空闲宽敞之地，以躲避狭隘、简陋之苦。如果是今年正月下敕令以后建造的，请求按照旧有之制，根据法律治理。假若僧人不满五十个，互相通容，小的合并到大的去，一定让他们满额，地盘买卖归属，一律按照上面的原则。从今以后外州之地，想要建造亲庙，僧人五十以上的，首先让本州上表报告，昭玄考虑审查，上奏允许才准建造。假若有违犯，都按照前面的规定。州郡以下，允许而不禁止，罪过与违背圣旨相同。大概可以上遵照先代皇帝不朽的事业，下可以奉行现在圣旨慈悲之意，那么规定可以全保，圣治之道不远了。

上奏被批准，不久，天下丧乱，加上河阴的严酷，朝廷官吏死去的，他们的家属多把旧宅捐献，以施舍给僧尼。京城中的宅第，大多成了佛寺了。以前的禁令，不再实行了。

元象元年秋天，下诏说：“梵境幽玄，本义是归于清静广阔，伽兰净土世界，理应绝弃热闹的尘世。前朝的城内，首先有禁令制断，自从迁来邺城，都按照旧规矩办。但是百官及士民，筑都的开始，城外的新城，都给一住宅。旧城中暂时都是借用，并打算后来借用，不时成为永久之规。听说有许多人，都在两处得到地方，有的舍弃旧城所借的屋宅，擅自立为寺庙，知道不属于自己所有，假借这一名声。终究担心因袭而更加发展，有亏旧式，应该交给执事者，认真加以统计。况且城中旧寺和住宅，一定都有旧账，那些新立的，都应该毁弃废掉。”冬天，又下诏说：“天下的牧守及令长官员，都不准建造佛寺，假若有违犯的，不追问财产从何而来，包括所用的功费，都按违犯法律论罪。”兴和二年春天，下诏用邺城旧宫为天平寺。

世宗以来到武定末年，沙门中著名的有惠猛、惠辩、惠深、僧暹、道钦、僧献、道晞、僧深、惠光、惠显、法荣、道长，都为当世所敬重。

魏国拥有天下，一直到禅让，佛经流通，大集于中国，共有四百一十五部，合计一千九百一十九部。正光已亥，天下多乱，征役尤其多，于是所在的编户齐民，都一起入佛为僧，假借仰慕沙门，实则是为逃避征调兵役，猥恶泛滥的极限，自从中国有一佛法，从来没有过。总略计算，僧尼一共有二百万了，佛寺三万多，流俗积弊不归，以致于这地步，有识的人因此而叹息。

道家之原，出于老子。其自言也，先天地生，以资万类。上处玉京，为神王之宗；下在紫微，为飞仙之主。千变万化，有德不德，随感应物，厥迹无常。授轩辕于峨嵋，教帝喾于牧德，大禹闻长生之诀，尹喜受道德之旨。至于丹书紫字，升玄飞步之经；玉石金光，妙有灵洞之说。如此之文，不可胜纪。其为教也，咸蠲去邪累，澡雪心神，积行树功，累德增善，乃至白日升天，长生世上。所以秦皇、汉武，甘心不息。灵帝置华盖于濯龙，设坛场而为礼。及张陵受道于鹄鸣，因传天宫章本千有二百，弟子相授，其事大行。齐祠跪拜，各成法道。有三元九府、百二十官，一切诸神，咸所统摄。又称劫数，颇类佛经。其延康、龙汉、赤明、开皇之属，皆其名也。及其劫终，称天地俱坏。其书多有禁秘，非其徒也，不得辄观。至于化金销玉，行符敕水，奇方妙术，万等千条，上云羽化飞天，次称消灾灭祸。故好异者往往而尊事之。

初文帝入宾于晋，从者务勿尘，姿神奇伟，登仙于伊阙之山寺。识者咸云魏祚之将大。太祖好老子之言，诵咏不倦。天兴中，仪曹郎董谧因献服食仙经数十篇。于是置仙人博士，立仙坊，煮炼百药，封西山以供其薪蒸。令死罪者试服之，非其本心，多死无验。太祖犹将修焉。太医周澹，苦其煎采之役，欲废其事。乃阴令妻货仙人博士张曜妾，得曜隐罪。曜惧死，因请辟谷。太祖许之，给曜资用，为造静堂于苑中，给洒扫民二家。而炼药之官，仍为不息。久之，太祖意少懈，乃止。

世祖时，道士寇谦之，字辅真，南雍州刺史赞之弟，自云寇恂之十三世孙。早好仙道，有绝俗之心。少修张鲁之术，服食饵药，历年无效。幽诚上达，有仙人成公兴，不知何许人，至谦之从母家佣赁。谦之尝觐其姨，见兴形貌甚强，力作不倦，请回赁兴代己使役。乃将还，令其开舍南辣田。谦之树下坐算，兴垦一发致勤，时来看算。谦之谓曰："汝但力作，何为看此？"二三日后，复来看之，如此不已。后谦之算七曜，有所不了，惘然自失。兴谓谦之曰："先生何为不怿？"谦之曰："我学算累年，而近算《周髀》不合，以此自愧。且非汝所知，何劳问也。"兴曰："先生试随兴语布之。"俄然便决。谦之叹伏，不测兴之浅深，请师事之。兴固辞不肯，但求谦之为弟子。未几，谓谦之曰："先生有意学道，岂能与兴隐遁？"谦之欣然从之。兴乃令谦之洁斋三日，共入华山。令谦之居一石室，自出采药，还与谦之食药，不复饥。乃将谦之入嵩山。有三重石室，令谦之住第二重。历年，兴谓谦之曰："兴出后，当有人将药来。得但食之，莫为疑怪。"寻有人将药而至，皆是毒虫臭恶之物，谦之大惧出走。兴还问状，谦之具对，兴叹息曰："先生未便得仙，政可为帝王师耳。"兴事谦之七年，而谓之曰："兴不得久留，明日中应去。兴亡后，先生幸为沐浴，自当有人见迎。"兴乃入第三重石室而卒。谦之躬自沐浴。明日中，有叩石室者，谦之出视，见两童子，一持法服，一持钵及锡杖。谦之引入，至兴尸所，兴欻然而起，著衣持钵、执杖而去。先是，有京兆灞城人王胡儿，其叔父亡，颇有灵异。曾将胡儿至嵩高别岭，同行观望，见金室玉堂，有一馆尤珍丽，空而无人，题曰"成公兴之馆"。胡儿怪而问之，其叔父曰"此是仙人成公兴馆，坐失火烧七间屋，被谪为寇谦之作弟子七年。"始知谦之精诚远通，兴乃仙者谪满而去。

谦之守志嵩岳，精专不懈，以神瑞二年十月乙卯，忽遇大神，乘云驾龙，导从百灵，仙人玉女，左右侍卫，集止山顶，称太上老君。谓谦之曰：“往辛亥年，嵩岳镇灵集仙宫主，表天曹，称自天师张陵去世已来，地上旷诫，修善之人，无所师授。嵩岳道士上谷寇谦之，立身直理，行合自然，才任轨范，首处师位，吾故来观汝，授汝天师之位，赐汝《云中音诵新科之诫》二十卷。号曰‘并进’。言：“吾此经诫，自天地开辟已来，不传于世，今运数应出。汝宣吾《新科》，清整道教，除去三张伪法，租米钱税，及男女合气之术。大道清虚，岂有斯事。专以礼度为首，而加之以服食闭练。”使王九疑人长客之等十二人，授谦之服气导引口诀之法。遂得辟谷，气盛体轻，颜色殊丽。弟子十余人，皆得其术。

【译文】

道家的本源，出自老子。他们自己说，产生在天地形成以前，用来化育万事万物。在上居住在玉京，作为神王之宗；在下紫微，是飞仙的主宰。千变万化，有道德而不认为有道德，随着万物的变化而感应变化，它的影迹没有什么正常之态。在峨嵋传授轩辕，教授帝喾以统治之德，大禹听说了长生不死之诀，尹喜接受了道德的意旨。至于丹书紫字，是升玄飞仙的经典；玉石金光，是妙有灵洞的学说。像这样的文字，不可以记尽。它作为一种宗教，都是用于除去邪恶秽迹，清洁心神，积累善行道德，建立功勋事业，于是就会白日升天，长生在世上。所以秦始皇、汉武帝，心甘情愿而不停止。灵帝把华盖放在濯龙之上，设立坛场以为礼敬。等到张陵在鹄鸣山授道，因此传授天官章本一千二百人，弟子相互传授，事情大为流行。斋戒祭祀跪拜，都成为法道，有三元九府，百二十官，一切诸神都归其统领管理。又称“劫数”，与佛经很相似。像延康、龙汉、赤明、开皇一类，都是它的名字，等到他们劫数终止，称作是天和地都坏了。它们的书籍中有很多禁秘之事，不是道徒，不得随便观看。至于销化金子玉石，用符化水，奇妙的方术有万样千条。最上称羽化飞天，其次称消灾灭祸，所以喜欢奇异的人往往尊重并习行之。

开始文帝到晋朝为贵宾，跟从的人叫务勿尘，姿态神奇壮伟，在伊阙之山寺登道成仙道。知道的人都说魏国的神祚将会壮大。太祖喜欢老子的学说，讲诵吟咏不废倦。天兴年中，仪曹郎董谧因献服食仙经数十篇，于是建立仙人博士，建立仙坊，煮炼各种药物，封西山用来供奉烧薪蒸药。让犯有死罪的人试着服用，因为那些人都不是本心，大多死去而没有效验。太祖仍然修持。太医周澹，认为道教煎煮开采的事情很苦，想废除这件事，于是暗地里让妻子买得仙人博士张曜的小妾，得到张曜隐藏的罪责。曜害怕处死，因此请求辟谷，太祖同意，供给张曜器具费用，在宫苑中建造静室，并拨给打扫二家的人。而炼药的官吏，仍然没有停止，过了很久，太祖心中有些松懈，才停止。

世祖的时候，道士寇谦之，字辅真，南雍州刺史寇赞的弟弟，自称是寇恂之的十三世孙，早年喜欢仙道，有与世俗相绝的心愿。从少修炼张鲁的道术，服寒食散，吃炼丹药，经历多年而没有作用。他的诚心感动了上天，有位仙人叫成公兴，不知道是什么人，至寇谦之叔母家里作用人。谦之去探望他的姨娘，看见成公兴形象状貌很强壮，辛苦地劳动而不显疲倦，请求让成公兴去为自己帮佣，等到回家后，让成公兴开垦房舍南边的辣田。寇谦之在树下坐算，成公兴勤奋地开垦，当时来看寇谦之坐算。寇谦之说：“你只管拼命干活，为什么来看这些。”三天之后，又来看坐算，像这样没有停止。后来寇谦之计算七曜，有时不清楚，心中很失望。成公兴向谦之说：“先生为何不高兴？”谦之说：“我学算多年，但近来计算《周髀》不相合，因此而感到惭愧，但事情不是你所知道的，哪里用得着问？”成公兴说：“先生试告诉成公兴，让我来演算一下。”一会儿就算清了。谦之感叹并佩服，不知道成公兴的深浅，请求他当自己的老师。成公兴坚决推辞不肯，只愿意当寇谦的弟子。不久，对寇谦之说：“先生有意学道，能不能和成公兴一起归隐？”寇谦之很高兴地同意了。成公兴于是让寇谦之斋戒三天，一起到华山，让谦之住石室，自己外出采药，回来让寇谦之吃药，不再饥饿。于是带着寇谦之来到嵩山，有三重石室，让寇谦之住第二重，过了年，成公兴对寇谦之说：“成公兴出去后，将会有人送药来，得到后只管吃，不要感到奇怪。”不久有人送药来了，都是些毒虫腐臭之类的东西，寇谦之十分害怕地逃走了。成公兴回来后问情况，谦之把情况说了，成公兴叹息说：“先生不可能做神仙，只可作为帝王的老师了。”成公兴侍奉寇谦之七年，于是对他说：“成公兴不能久留，明天中午应该离去。成公兴死后，先生自己沐浴，会有人迎接。”成公兴于是进入第三重石室逝去了。寇谦之自己沐浴，第二天中午，有叩石室门的，谦之出去看，看见两个童子，一个拿着法服，一个拿着钵和锡杖。谦之引进门，到成公兴尸体之处，成公兴慢悠悠地起来，穿上法服带着钵，拿着锡杖走了。以前，京北灞城人王胡儿，他的叔父死了，很有些灵异，曾经将胡儿放在嵩高别岭上，同行的人观望，看见金室玉堂，有一个馆尤其珍贵华丽，里面是空的，于是进入，题名为"成兴公之馆。"胡儿奇怪地问他叔父其中的原因，他的叔父说："这是仙人成公兴的馆，因为犯了火烧七间屋的罪过，被下谪做寇谦之七年的弟子。"才开始知道谦之精诚通达甚远，成兴公是神仙被谪满以后才离开的。

寇谦之守志在嵩岳，精诚专门没有松懈，在神瑞二年十月乙卯，突然碰到大神，乘云驾龙，百灵带路，仙人玉女，左右侍卫，停集在山顶上，称为太上老君者对寇谦之说："以前辛亥年，嵩岳镇灵集仙宫主，上表天曹，告诉自从天师张道陵去世以后，地上很久没有职位了，修善的人，没有什么师承传授。嵩岳道士上谷寇谦之，立身端直合理，行为和自然相合，才能可当轨则师范，处于老师之首。所以我来看你，授给你天师的位置，赐给《云中音诵新科之诫》二十卷，号称'并述'。"又说："我这个经诫，自从天地开辟以来，没有传于世，现在是运数应该出来了。你宣传我的《新科》，用来清理整顿道教，除掉三张的伪旧之法，以及租米钱税，男女合气的法术。大道贵清虚，难道有这种事。应该专门以礼度为首务，而辅以服食闭练。"让王九疑人长客之等十二人，传授寇谦之服气导引口决之法，于是得以辟谷，气盛体轻，颜色十分美丽，弟子十多人，都得到他的法术。

泰常八年十月戊戌，有牧土上师李谱文来临嵩岳，云：老君之玄孙，昔居代郡桑乾，以汉武之世得道，为牧土宫主，领治三十六土人鬼之政。地方十八万里有奇，盖历术一章之数也。其中为方万里者有三百六十方。遣弟子宣教，云嵩岳所统广汉平土方万里，以授谦之。作诰曰："吾处天宫，敷演真法，处汝道年二十二岁，除十年为竟蒙，其余十二年，教化虽无大功，且有百授之劳。今赐汝迁入内宫，太真太宝九州真师、治鬼师、治民师、继天师四录。修勤不懈，依劳复迁。赐汝《天中三真太文录》，劾召百神，以授弟子。《文录》有五等，一曰阴阳太官，二曰正府真官，三曰正房真官，四曰宿宫散官，五曰并进录主。坛位、礼拜、衣冠仪式各有差品。凡六十余卷，号曰《录图真经》。付汝奉持，辅佐北方泰平真君，出天宫静轮之法。能兴造克就，则起真仙矣。又地上生民，末劫垂及，其中行教甚难。但令男女立坛宇，朝夕礼拜，若家有严君，功及上世。其中能修身练药，学长生之术，即为真君种民。"药别授方，销练金丹、云英、八石、玉浆之法，皆有决要。上师李君手笔有数篇，其余，皆正真书曹赵道复所书。古文鸟迹，篆隶杂体，辞义约辩，婉而成章。大自与世礼相准，择贤推德，信者为先，勤者次之。又言二仪之间有三十六天，中有三十六宫，宫有一主。最高者无极至尊，次曰大至真尊，次天复地载阴阳真尊。次洪正真尊，洪赵名道隐，以殷时得道，牧土之师也。牧土之来，赤松、王乔之伦，及韩终、张安世、刘根、张陵，近世仙者，并为翼从。牧土命谦之为子，与群仙结为徒友。幽冥之事，世所不了，谦之具问，一一告焉。《经》云：佛者，昔于西胡得道，在四十二天，为延真宫主。勇猛苦教，故其弟子皆髡形染衣，断绝人道，诸天衣服悉然。

始光初，奉其书而献之，世祖乃令谦之止于张曜之所，供其食物。时朝野闻之，若存若亡，未全信也。崔浩独异其言，因师事之，受其法术。于是上疏，赞明其事曰："臣闻圣王受命，则有天应。而《河图》、《洛书》，皆寄言于虫兽之文。未若今日人神接对，手笔粲然，辞旨深妙，自古无比。昔汉高虽复英圣，四皓犹或耻之，不为屈节。今清德隐仙，不召自至。斯诚陛下侔踪轩黄，应天之符也，岂可以世俗常谈，而忽上灵之命。臣窃惧之。"世祖欣然，乃使谒者奉玉帛牲牢，祭嵩岳，迎致其余弟子在山中者。于是崇奉天师，显扬新法，宣布天下，道业大行。浩事天师，拜礼甚谨。人或讥之。浩闻之曰："昔张释之为王生结襪"吾虽才非贤哲，今奉天师，足以不愧于古人矣。"及嵩高道士四十余人至，遂起天师道场于京城之东南，重坛五层，遵其新经之制。给道士百二十人衣食，齐肃祈请，六时礼拜，月设厨会数千人。

世祖将讨赫连昌，太尉长孙嵩难之，世祖乃问幽征于谦之。谦之对曰："必克。陛下神武应期，天经下治，当以兵定九州，后文先武，以成太平真君。"真君三年，谦之奏曰："今陛下以真君御世，建静轮天宫之法，开古以来，未之有也。应登受符书，以彰圣德。”世祖从之。于是亲至道坛，受符录。备法驾，旗帜尽青，以从道家之色也。自后诸帝，每即位皆如之。恭宗见谦之奏造静轮宫，必令其高不闻鸡鸣狗吠之声，欲上与天神交接，功役万计，经年不成。乃言于世祖曰：“人天道殊，卑高定分。今谦之欲要以无成之期，说以不然之事，财力费损，百姓疲劳，无乃不可乎？必如其言，未若因东山万仞之上，为功差易。”世祖深然恭宗之言，但以崔浩赞成，难违其意，沉吟者久之，乃曰：“吾亦知其无成，事既尔，何惜五三百功。”

九年，谦之卒，葬以道士之礼。先于未亡，谓诸弟子曰：“及谦之在，汝曹可求迁录。吾去之后，天宫真难就。”复遇设会之日，更布二席于上师坐前。弟子问其故，谦之曰：“仙官来。”是夜卒。前一日，忽言“吾气息不接，腹中大痛”，而行止如常，至明旦便终。须臾，口中气状若烟云，上出窗中，至天半乃消。尸体引长，弟子量之，八尺三寸。三日已后，稍缩，至敛量之，长六寸。于是诸弟子以为尸解变化而去，不死也。

**【译文】**

泰常八年十月戊戌，有牧士上师李谱文来到嵩岳，说，老君的后代孙子，以前住在代郡桑乾，在汉武之世得道，成为牧土官主，统领三十六土人鬼的政务。地方园十八里多，大概是历术一章的数字。其中为方万里的有三百六十方，派弟子宣传教义，说：嵩岳所统的广汉平土方万里，用来授予寇谦之。作诰文说：“我住在天宫，敷演真法，考虑到你布道二十二年，除去十年为启蒙，其余十二年，教化虽然没有什么大功，但有传授的苦劳，现在赐给你《天中三真太文录》，召致百神，以传授弟子。《文录》有五等，一叫阴阳太官，二叫正府真官，三叫正房真官，四叫宿宫散官，五叫并进录主。坛位、礼拜、衣冠仪式都有差级品位，总共六十卷，号称《录图真经》，交付给你奉持，辅佐北方泰平真君。出天宫静轮之法。能兴造建就，则是真仙了。又地上的生民，未劫将来，在其中行教很困难。只有命令男男女女建立坛宇，从早到晚礼拜，像家里有父亲，功业能达到上一代。其中能够修身炼药，学习长生之术，就是真君种民。”

药另外传授有方，销炼金丹，云英、八石、五浆的方法，都有要诀。上师李君手笔有数篇，其他都是楷书官赵道覆所写，古文鸟迹，篆隶杂体，辞旨意义简约说理，委婉成章。大致和世俗之礼相同，选择贤明有德的人，信仰的优先，勤奋的居次。又说天地二仪之间有三十六天，其中有三十六宫，每宫有一宫主，最高的称无极至尊，其次称大至真尊，再次天覆地载阴阳真尊，次洪正真尊，姓道名道隐，在殷时得道，是牧土的老师。牧土为了以后，赤松、王乔一类的人物，以及韩终、张安世、刘根、张陵，近代成仙的，都跟随附从。牧土把寇谦之当作儿子，让他和群仙结为学徒朋友。幽冥之间的事情，世上不一定清楚，谦之详细问询，都一一回答。《经》说：佛，从前在西湖得道，在三十二天，是延真宫主，勇猛苦救，他的弟子都剃发染衣，断绝正常人道，诸天衣服都是这样。

始光初年，奉持他的书向上贡献，世祖于是让谦之住在张曜的地方，供给他食物，当时朝廷、民间听说，或存或亡，没有全部相信。崔浩独独感到奇异，因此师事寇谦之，并接受他的法术。于是上疏，赞叹表明这事说："我听说圣上受命，就有天人感人。因此《河图》、《洛书》，都把文字寄存在虫兽一类的文字上，不像今天人和神仙相接对，笔迹都很明白，文辞意义很深远，自古都没有人可以相比。从前汉高虽然很英圣，四皓仍然感到耻辱，不向他屈膝。现在清明之德的隐逸神仙，不用召唤而亲自来到，这确实是陛下可以赶上轩辕、黄帝，是感应上天的符瑞，怎么可以当作普通世俗之谈，却忽略上灵的命令，下臣私下里感到害怕。"世祖听了很高兴，于是派使者带着玉帛及牲兽太牢等祭品，祭祀嵩岳，迎请在山中的其他弟子。于是崇敬信奉天神，显扬新的道法，宣布天下，道业大行。崔浩事奉天师，拜敬礼信很严。有的人讥笑他，崔浩听说后讲："从前张释之为王先生织袜子，我虽然才华并不是什么贤者哲人，现在敬奉天师，也可以不愧对古人了。"等到嵩高道士四十多人来到，于是设立天师道场在京城的东南，重叠有五层，按照新出经典的制度。供给道士一百二十多人衣服食用，一齐严肃地祈求，六时礼拜，每月设厨会时有数千人。

世祖要讨伐赫连昌，大尉长孙蒿阻拦他，世祖于是向寇谦之询问事情的征兆，寇谦之说："一定会胜利。陛下神武应天期，天经地义地统治天下，应当用兵平定九州，先用武功后施文治，用来成为太平真君。”真君三年，寇谦之上奏说：“现在陛下您以真君统治天下，建立静轮天宫之法，开古以来，从来都没有过。应该马上接受符书，用来彰明圣德。”世祖听从，于是亲自到道场，接受符箓，准备法驾，旗帜都是青色的，用来顺从道家的颜色。这以后的几位皇帝，每次即位都按这套办，恭宗看见寇谦之上奏建造静轮宫，一定想让宫高到听不到鸡狗的声音，想从上和天神相接，费工征役按万计过一年还建不成。于是对世祖说：“人和天道不同，高和低有定分。现在寇谦之想要无法成功的期限，说是不可能的事情，财产物力损耗花费，百姓疲劳，不是太不应该吗？一定像他所说的，不如借助东山万仞之高，作办道功也就差不多了。”世祖深深地感到恭宗的话很对，但是因为崔浩赞成，难以违背他的意思，沉默了许久，才说：“我也知道这件事情办不成，事情既然这样了，何必爱惜那三五百个工？”

九年，寇谦之逝去，按道士的礼节安葬。在没有逝世的时候，对众弟子说：“我谦之在世，你们可以请求迁录，我逝世以后，天宫真是难说。”又碰到设会之日，又设二桌在上师座前，弟子问是什么缘故，谦之说：“仙官要来。”当夜逝去。前一天，实然说：“我出气闭气接不上，腹中很痛。”但是行为举止正常，至第二天便寿终了。不久，口中气状像烟云，向上从窗中出，至半天中才消失。尸体变长了，弟子量他，达八尺三寸。三天以后，稍微缩少一点，到装殓时量他，才长六尺六寸，于是弟子认为是尸解变化离去了，没有死。

时有京兆人韦文秀，隐于嵩高，征诣京师。世祖曾问方士金丹事，多曰可成。文秀对曰：“神道幽昧，变化难测，可以暗遇，难以预期。臣昔者受教于先师，曾闻其事，未之为也。”世祖以文秀关右豪族，风操温雅，言对有方，遣与尚书崔赜诣王屋山合丹，竟不能就。时方士至者前后数人。河东祁纤，好相人。世祖贤之，拜纤上大夫。颍阳绛略、闻喜吴劭，道引养气，积年百余岁，神气不衰。恒农阎平仙，博览百家之言，然不能达其意，辞占应对，义旨可听。世祖欲授之官，终辞不受。扶风鲁祈，遭赫连屈孑暴虐，避地寒山，教授弟子数百人，好方术，少嗜欲。河东罗崇之，常饵松脂，不食五谷，自称受道于中条山。世祖令崇还乡里，立坛祈请。崇云："条山有穴，与昆仑、蓬莱相属。入穴中得见仙人，与之往来。"诏令河东郡给所须。崇入穴，行百余步，遂穷。后召至，有司以崇诬罔不道，奏治之。世祖曰"崇修道之人，岂至欺妄以诈于世，或传闻不审，而至于此。古之君子，进人以礼，退人以礼。今治之，是伤朕待贤之意。"遂赦之。又有东莱人王道翼，少有绝俗之志，隐韩信山，四十余年，断粟食麦，通达经章，书符录。常隐居深山，不交世务，年六十余。显祖闻而召焉。青州刺史韩颓遣使就山征之，翼乃赴都。显祖以其仍守本操，遂令僧曹给衣食，以终其身。

太和十五年秋，诏曰："夫至道无形，虚寂为主。自有汉以后，置立坛祠，先朝以其至顺可归，用立寺宇。昔京城之内，居舍尚希。今者里宅栉比，人神猥凑，非所以祗崇至法，清敬神道。可移于都南桑乾之阴，岳山之阳，永置其所。给户五十，以供斋祀之用，仍名为崇虚寺。可召诸州隐士，员满九十人。"

迁洛移邺，踵如故事。其道坛在南郊，方二步，以正月七日、七月七日、十月十五日，坛主、道士、高人一百六人，以行拜祠之礼。诸道士罕能精至，又无才术可高。武定六年，有司执奏罢之。其有道术，如河东张远游、河间赵静通等，齐文襄王别置馆京师而礼接焉。

**【译文】**

当时京兆人韦文秀，隐藏在嵩高，征到京师。世祖曾经询问方术金丹之事，都说可以成功。文秀回答说："神道幽深，变化难测，可以暗地里碰到，却难以预先期待。我以前受学于先师，曾听说过这事，但没有做过。"世祖因为文秀是关右豪族，风操温雅，回答很有方法，派他和尚书崔赜到王屋山合丹，竟然不能成功。当时方士到来的前后数人，河东祁纤，喜欢相人，世祖认为贤明，封祁纤为上大夫。颍阳绛略，闻喜吴劭，导引养气，活到一百多岁，神态气息没有衰减。恒农阎平仙，博览百家之言，但不能知道真正的意义，言辞占卜回答，意思可以接受。世祖想封他做官吏，最终辞职不肯接受。扶风鲁祈，赶上赫连屈孑的暴虐，躲避在寒山之中，教授弟子数百人，喜欢方术，没有嗜好。河东罗崇之，经常吃松脂，不吃五谷粮食，自称是从中条山授道。世祖命令罗崇回到乡里，建坛祈求请愿，罗崇说："条山有一穴，和昆仑、蓬莱相连，进入洞中可以见到仙人，并和他们往来，下诏让河少郡借给他所需要的。罗崇进入洞穴，走了百多步，洞就到了尽头。后来被征召，掌事者认为罗崇诬罔不守道，上奏治其罪。世祖说："罗崇是修道之人，难道欺骗妄说用来诈行于世？或许是传闻不确，因此这样。古代的君子，用礼进人，也用礼退人，现在治他的罪，实在是伤害我对待贤者的心意。"于是赦免了他，又有东莱人王道翼，从少有不同世俗的志向，隐居韩信山四十多年，断绝粮食只坐吃香草，通晓明白经书，书写符录，经常隐居深山，不和世事相交，活了六十多岁。显祖听说就召见他。青州刺史韩颓派使者到山上去征求他，王道翼于是到郡。显祖认为他守住本业，于是让僧人供给他衣服，以养终年。

太和十五年秋，下诏说："最好的道没有形，以虚无寂静为主。自从汉代以来，设置建立坛祠，前朝认为最为归顺可以利用，因此建立寺宇。从前京城之内，住的房屋都很少，现在房屋一栋挨一栋，人和神杂处，并不是在崇仰佛法，清静尊敬神道，可移到都城南的桑乾之北、岳山之南，永远设置场所，给予五十户，用来供给斋戒祭礼应用，仍然命名为崇虚寺，可以招名州隐士人数满九十人。

从洛移到邺，办事还同以前，道坛在南郊，方二百步，在正月七日，七月七日，十月十五日，坛主、道士、哥人一百六人，用来施行拜祠之礼。众道士很少能精诚，又没有高才法术。武定六年，执事者上奏罢掉。其中有道术的，像河东张远游，河间赵静通等，齐文襄王在京师别设馆礼貌地对待。

# 孝文幽皇后冯氏传

孝文幽皇后，亦冯熙女。母日常氏，本微贱，得幸于熙，熙元妃公主薨后，遂主家事。生后与北平公夙。文明太皇太后欲家世贵宠，乃简熙二女俱八掖庭，时年十四。其一早卒。后有姿媚，偏见爱幸。未几疾病，文明太后乃遣还家为尼，高祖犹留念焉。岁余而太后崩。高祖服终，颇存访之，又闻后素疹痊除，遣阉官双三念玺书劳问，遂迎赴洛阳。及至，宠爱过初，专寝当夕，宫人稀复进见。拜为左昭仪，后立为皇后。

始以疾归，颇有失德之闻，高祖频岁南征，后遂与中官高菩萨私乱。及高祖在汝南不豫，后便公然丑恣，中常侍双蒙等为其心腹。中常侍剧鹏谏而不从，愤惧致死。是时，彭城公主，宋王刘昶子妇也，年少嫠居。北平公冯夙，后之同母弟也，后求婚于高祖，高祖许之。公主志不愿，后欲强之。婚有日矣，公主密与侍婢及家僮十余人，乘轻车，冒霖雨，赴悬瓠奉谒高祖，自陈本意，因言后与菩萨乱状。高祖闻而骇愕，未之全信而秘匿之，惟彭城王待疾左右，具知其事。

此后，后渐忧惧，与母常氏求托女巫，祷厌无所不至，愿高祖疾不起，一旦得如文明太后辅少主称命者，赏报不赀。又取三牲宫中妖祠，假言祈福，多为左道。母常或自诣宫中，或遣侍婢与相报答。高祖自豫州北幸邺，后虑还见治检，弥怀危怖，聚令阉人托参起居，皆赐之衣裳，殷勤托寄，勿使漏泄。亦令双蒙充行，省其信不。然惟小黄门苏兴寿密陈委曲，高祖问其本末，敕以勿泄。至洛，执问菩萨、双蒙等六人，迭相证举，具得情状。

**【译文】**

孝文帝幽皇后，也是冯熙的女儿。她的母亲常氏，本来身份很低贱，后来受到冯熙的宠爱，冯熙的原配妻子恭宗拓跋晃博陵长公主去世后，常氏便掌管家中的事。生下幽皇后和北平公冯夙。文明太皇太后希望冯家代代都显贵受宠，于是在哥哥冯熙的女儿中选了两人，一起给孝文帝做嫔妃，当时她十四岁。其中一人很早就死了。幽皇后颇有姿色，很迷人，特别受到孝文帝的宠幸。不久得了重病，文明太后便让她回家当尼姑，孝文帝仍怀恋她。过了一年多后，文明太后逝世。孝文帝服孝完了后，很想念她，打听她的情况，又听说幽皇后长期所患之皮疹已彻底痊愈，便派宦官双三念带着自己的信去慰问她，于是将她迎接到洛阳。幽皇后到达后，孝文帝比先前更宠爱她，每晚和她住在一起，其他嫔妃很少再和孝文帝一起生活。将她封为左昭仪，后来又将她立为皇后。

当初幽皇后因病回家后，人们传说她个人生活作风很不检点，孝文帝常年率军攻打齐朝，幽皇后于是同内朝官员高菩萨私通。当孝文帝在汝南生病以后，幽皇后公然任意和高菩萨淫乱，中常侍双蒙等人充当她的心腹。中常侍剧鹏劝阻，可是幽皇后不听从，剧鹏愤恨恐惧而死。这时，彭城公主原是宋王刘昶的媳妇，很年轻就守寡在家。北平公冯夙，是幽皇后同一母亲生的弟弟，幽皇后请求孝文帝将彭城公主嫁给冯夙，孝文帝答应了。彭城公主心里不愿意，幽皇后想强迫她。婚期已定，彭城公主暗中和服侍自己的婢女及家奴一共十多个人，乘坐轻便的马车，顶着连绵大雨，奔赴悬瓠城求见孝文帝，告诉孝文帝自己的心愿，并趁机说了幽皇后和高菩萨淫乱的情况。孝文帝听说后，惊吓得不得了，但不完全相信彭城公主的话，把消息掩盖起来，只有彭城王元勰在孝文帝身边服侍他的病，详细知道了这件事。

这以后，幽皇后逐渐担心害怕，同母亲常氏求请女巫，祷告诅咒，什么事都干了出来，希望孝文帝一病不起，有朝一日自己能像文明太后那样辅佐小皇帝行使权力时，将给她们以数不清的财物报答她们。又用牛、羊、猪等三种牲畜在宫中祭祀杂神，假称为了祈求福庆，却专门搞歪门邪道。她的母亲常氏或自己亲自到宫中，或者派婢女和幽皇后互通消息。孝文帝从豫州向北到达邺城，幽皇后担心孝文帝回到洛阳后将察问处理自己的事，心中更加恐惧，屡次命令宦官到邺城，请求他们查实孝文帝的身体状况，赏赐衣服给他们，恳切地委任他们，让他们不要暴露密秘。还让双蒙也到邺城去，以检查那些宦官是不是值得信任。但只有小黄门苏兴寿暗中将事情的原委向孝文帝讲了，孝文帝向他询问事情的经过，命令他不要泄露。孝文帝到洛阳后，抓来高菩萨、双蒙等六人加以审问，他们轮流提供证词，于是将情况完全弄清楚了。

高祖以疾卧含温室，夜引后，并列菩萨等于户外。后临入，令阉人搜衣中，稍有寸刃便斩。后顿首泣谢，乃赐坐东楹，去御筵二丈余。高祖令菩萨等陈状，又让后曰："汝母有妖术，可具言之。"后乞屏左右，有所密启。高祖敕中侍悉出，唯令长秋卿白整在侧，取卫直刀柱之，后犹不言。高祖乃以绵坚塞整耳，自小语呼整再三，无所应，乃令后言。事隐，人莫知之。高祖乃唤彭城、北海二王令入坐，言："昔是汝嫂，今乃他人，但入勿避。"二王固辞，不获命。及入，高祖云："此老妪乃欲白刃插我肋上，可究问本末，勿有所难。"高祖深自引过，致愧二王。又云："冯家女不能复相废逐，且使在宫中空坐，有心乃能自死，汝等勿谓吾犹有情也。"高祖素至孝，犹以文明太后故，未便行废。良久，二王出，乃赐后辞死诀。再拜稽首，涕泣歔欷。令入东房。及入宫后，帝命阉人有所问于后，后骂曰："天子妇，亲面对，岂令汝传也！"高祖怒，敕后母常入，与后杖，常挞之百余乃止。高祖寻南伐，后留京师，虽以罪失宠，而夫人嫔妾奉之如法，惟令世宗在东宫，无朝谒之事。

高祖疾甚，谓彭城王勰曰："后宫久乖阴德，自绝于天，若不早为之所，恐成汉末故事。吾死之后，可赐自尽别宫，葬以后礼，庶掩冯门之大过。"高祖崩，梓宫达鲁阳，乃行遗诏。北海王详奉宣遗旨，长秋卿白整等入授后药，后走呼不肯引决，曰："官岂有此也，是诸王辈杀我耳！"整等执持，强之，乃含椒而尽。殡以后礼。梓宫次洛南，咸阳王禧等知审死，相视曰："若无遗诏，我兄弟亦当作计去之，岂可令失行妇人宰制天下，杀我辈也。"谥曰幽皇后，葬长陵茔内。

**【译文】**

孝文帝因病躺在含温室中，于晚上召见幽皇后，并将高菩萨等人安置在门外。幽皇后即将进入含温室时，孝文帝命令宦官搜查她的衣服，如身上藏有一把小刀就立即杀了她。幽皇后叩头哭泣着认错，孝文帝便让她在柱子东边坐下，离孝文帝的案桌两丈多远。孝文帝命令高菩萨等人讲述事情的经过，并指责幽皇后说："你母亲有妖术，都讲出来听听吧。”幽皇后乞求孝文帝让他身边的人离开，她有秘密的话要说。孝文帝让服侍的宦官全部出去，只留长秋卿白整在旁边，拿着宿卫的刀抵住幽皇后，幽皇后还是不肯说。孝文帝于是用绵团将白整的双耳紧紧塞住，自己小声叫了白整两三遍，白整都没有反应，于是让幽皇后说。事情很隐密，没有谁知道说了些什么话。孝文帝便将彭城王元勰、北海王元详两人叫来，让他们到含温室中坐下，说：“她以前是你们的嫂子，现在只不过是个旁人，你们只管进来，不要回避。”彭城、北海二王坚决推辞，没有得到孝文帝的许可。当他们进来后，孝文帝说：“这老婆子竟然想用白刀子插在我的肋上！你们应将事情原原本本追问清楚，不要有什么为难。”孝文帝深深地责怪自己，向二王表明自己负疚的心情。又说：“不能再将冯家的女儿废掉逐出宫去，暂时让她在宫中闲待着，她如还有良知会自个儿去死，你们不要以为我对她还有感情。”孝文帝平常极其孝顺，仍因文明太后的缘故，未能立即把幽皇后废掉。过了很久，二王离开含温室，孝文帝便向幽皇后发誓至死不再见她，向她拜了两拜以示礼敬，哭泣哽咽。命令幽皇后到含温室东屋中。幽皇后回到皇后宫中后，孝文帝命令宦官去向她询问一些事，幽皇后骂宦官说：“我是天子的老婆，应当面给他说，怎能让你传话！”孝文帝发怒，令幽皇后的母亲常氏入宫，让她用棍子责打幽皇后，常氏打了她一百多棍才停手。孝文帝不久率军南征，幽皇后留在京城，虽然她因有罪不再受孝文帝宠爱，但后宫嫔妃仍按奉事皇后的规矩侍奉她，只是命令世宗宣武帝元恪住在自己的太子宫中，不要朝觐皇后。

孝文帝病重，对彭城王元勰说：“皇后很久就违背了皇后的品德，自己断绝了上天赐予的福分。如果不趁早对她做出安排，恐怕会出现汉末女主执政，外戚专权那样的事。我去世以后，你们让她在其他宫殿中自杀，按皇后的礼仪安葬她，希望能遮掩冯家的严重罪责。”孝文帝逝世后，灵柩运送到鲁阳城，才执行他的遗令。北海王元详捧读孝文帝遗令，长秋卿白整等人进宫将毒药给幽皇后，幽皇后边跑边叫，不肯自行了断，说：“皇上怎会发此诏令，这是亲王想杀我罢了！”白整等人将她挟持住，强迫她，于是服下毒药便死了。按皇后的礼仪加以殡敛。孝文帝的灵柩送到洛阳南边时，咸阳王元禧等人才知道幽皇后确实已死，他们互相对望着说：“如果没有遗令，我们兄弟也应当商量一条计策将她杀掉，怎能让一个品行不端正的女人主宰天下，来杀我们呢。”谥为幽皇后，安葬在长陵坟区内。

# 崔浩列传

崔浩，字伯渊，清河人也，白马公玄伯之长子。少好文学，博览经史，玄象阴阳，百家之言，无不关综，研精义理，时人莫及。弱冠为直郎。天兴中，给事秘书，转著作郎。太祖以其工书，常置左右。太祖季年，威严颇峻，宫省左右多以微过得罪，莫不逃隐，避目下之变，浩独恭勤不怠，或终日不归。太祖知之，辄命赐以御粥。其砥直任时，不为穷通改节，皆此类也。

太宗初，拜博士祭酒，赐爵武城子，常授太宗经书。每至郊祠，父子并乘轩轺，时人荣之。太宗好阴阳术数，闻浩说《易》及《洪范》五行，善之，因命浩筮吉凶，参观天文，考定疑惑。浩综核天人之际，举其纲纪，诸所处决，多有应验，恒与军国大谋，甚为宠密。是时，有兔在后宫，验问门官，无从得入。太宗怪之，命浩推其咎徵。浩以为当有邻国贡嫔嫱者，善应也。明年，姚兴果献女。

**【译文】**

崔浩，字伯渊，清河郡人，白马公崔玄伯的长子。他自小喜爱文学，博览儒家经典和史学著作，天象阴阳及诸子百家的学说，都能融会贯通，探究精神实质，同时代的人没有谁能赶得上他。二十岁的时候，担任直郎，天兴时，在秘书省供职，转任著作郎。太祖因为他能写一手好字，经常把他留在身边。太祖晚年，对臣下极其严厉，宫省近臣大都因小过失获罪，大家都逃避躲藏，以免遭到眼前的不测之祸。只有崔浩恭谨勤勉，毫不懈怠，有时整天都不回家。太祖知道这个情况后，常让人把自己吃的粥赏赐给他。崔浩就是这样砥砺自己，任何时候都正直行事，不因为贫困和显达而改变自己的操守。

太宗即位初期，任命崔浩为博士祭酒，授爵为武城子，崔浩经常向太宗讲授儒家经书。每当举行郊祀的时候，他与父亲都乘车从驾，当时的人都为他们感到光荣。太宗喜欢阴阳占卜，听说崔浩讲述《周易》及《尚书·洪范》的五行学说，认为很好，便让崔浩占卜吉凶，并参看天象变化，以分析解决疑难问题。崔浩对天象人事进行综合考察，找出其间的重要关系，他做出的判断，大部分是灵验的。他一直参与制定军国大计，深得太宗宠信和亲近。这时，有只兔子出现在后宫，查问守宫门的官吏，也弄不清是从哪儿进来的。太宗对此感到奇怪，就命崔浩判断是不是灾难的征兆。崔浩认为这将是邻国贡献女子为嫔妃，是个好兆应。第二年，姚兴果真献女于魏。

神瑞二年，秋谷不登，太史令王亮、苏垣因华阴公主等言谶书国家当治邺，应大乐五十年，劝太宗迁都。浩与特进周澹言于太宗曰："今国家迁都于邺，可救今年之饥，非长久之策也。东州之人，常谓国家居广漠之地，民畜无算，号称牛毛之众。今留守旧都，分家南徙，恐不满诸州之地。参居郡县，处榛林之间，不便水土，疾疫死伤，情见事露，则百姓意沮。四方闻之，有轻侮之意，屈丐、蠕蠕必提挈而来，云中、平城则有危殆之虑，阻隔恒代千里之险，虽欲救援，赴之甚难，如此则声实俱损矣。今居北方，假令山东有变，轻骑南出，耀威桑梓之中，谁知多少？百姓见之，望尘震服。此是国家威制诸夏之长策也。至春草生，乳酪将出，兼有菜果，足接来秋，若得中熟，事则济矣。"太宗深然之，曰："唯此二人，与朕意同。"复使中贵人问浩、澹曰："今既糊口无以至来秋，来秋或复不熟，将如之何？"浩等对曰："可简穷下之户，诸州就谷，若来秋无年，愿更图也。但不可迁都。"太宗从之，于是分民诣山东三州食，出仓谷以禀之。来年遂大熟。赐浩、澹妾各一人，御衣一袭，绢五十匹，绵五十斤。

初，姚兴死之前岁也，太史奏：荧惑在匏瓜星中，一夜忽然亡失，不知所在。或谓下入危亡之国，将为童谣妖言，而后行其灾祸。太宗闻之，大惊，乃名诸硕儒十数人，令与史官求其所诣。浩对曰："案《春秋左氏传》说神降于莘，其至之日，各以其物祭也。请以日辰推之，庚午之夕，辛未之朝，天有阴云，荧惑之亡，当在此二日之内。庚之与未，皆在于秦，辛为西夷。今姚兴据咸阳，是荧惑入秦矣。"诸人皆作色曰："天上失星，人安能知其所诣，而妄说无征之言。"浩笑而不应。后八十余日，荧惑果出于东井，留守盘游，秦中大旱赤地，昆明池水竭，童谣讹言，国内喧扰。明年，姚兴死，二子交兵，三年国灭。于是诸人皆服曰："非所及也。"

【译文】

神瑞二年，秋天庄稼收成不好，太史令王亮、苏垣通过华阴公主等人向太宗说，根据谶书，魏国应当建都邺城，将会享受五十年的大好时光，因而劝太宗迁都。崔浩与特进周澹对太宗说："现在国家迁都到邺城，只可以度过今年的饥荒，但不是长久之计。京都平城东面各州的老百姓，常以为国家位于广漠的草原上，人口和牲畜不知其数，多如牛毛。如今要留下部分人守旧都，另分家向南迁都，恐怕不能遍布各州，而且散到各郡县，安家于林间野地，不服水土，会因疾病而发生死伤，这些事情出现后，百姓就会感到丧气。四方邻国听到后，便会产生轻视欺侮我国的念头。西边的赫连屈丐和北边的蠕蠕必定会联合进攻我们，云中和平城一带就会相当危急。邺城与平城相隔千里之遥，加上恒山、代地道路险峻，即便想援救，进军也非常困难，这样一来，声誉和实力都会受到损害。现在我们定都在北边，假如恒山以东的地方发生事变，则可以轻骑南下，驰骋于平野之中，有谁弄得清楚究竟有多少兵马？老百姓看见骑兵扬起的尘土，也会恐惧屈服。这才是我国用武力制伏中原的长久办法。只要等到春天青草长出来，牲畜就会产乳，加上蔬菜水果，足以接上明年秋粮。如果明年秋天有个中等收成，事业就会成功了。"太宗认为这话很正确，说："只有这两个人，与我意见相同。"又派宦官问崔浩、周澹说："现在就是勉强糊口也无法拖到明年秋熟，要是明年秋天收成又不好，那该怎么办呢？"崔浩等人回答说："可以挑选极贫穷的人家到各州有粮食的地方去就食，假如明年收成不好，可以再想办法，只是不能迁都。"太宗采纳了崔浩的建议，于是分民户到恒山以东三州就食，并拿出库藏谷物供给他们。第二年果然获得大丰收。于是赏赐崔浩、周澹每人姬妾一人、皇帝穿的衣服一件、绢五十匹、绵五十斤。

起先，姚兴死的前一年，太史上奏：荧惑星本来在匏瓜星中，一天夜里忽然失去踪影，不知所在。有人说荧惑星降落到将要灭亡的国家，将有童谣妖言，后来就会实现，成为灾难。太宗听了，极为惊恐。于是找来十多个大儒，让他们同史官一起探讨荧惑星到了什么地方。崔浩回答说："根据《春秋左氏传》说，天神降临莘地，当它降临那天，人们分别用相应的物品进行祭祀。现请允许我根据日期和时辰进行推断，庚午日的傍晚，辛未日的早晨，天上有阴云，荧惑星不见的时间，应当在这两天之内。庚与未都指的是秦地，辛指的是西方夷族。现在姚兴占有咸阳，这就是说荧惑星到了秦国。"大家都十分生气地说："天上星星不见了，世人怎能知道它的去向，却胡说些毫无根据的话。"崔浩笑而不答。过了八十多天，荧惑星果然在东井星旁出现，在那儿徘徊不定，秦地发生大旱灾，赤地千里，昆明池中的水都干涸了，童谣和讹言四起，国内扰攘不宁。次年，姚兴死去，他的两个儿子相互厮杀，才三年国家就灭亡了。于是大家都折服地说："我们可赶不上崔浩啊。"

泰常元年，司马德宗将刘裕伐姚泓，舟师自淮泗入清，欲溯河西上，假道于国。诏群臣议之。外朝公卿咸曰："函谷关号曰天险。一人荷戈，万夫不得进。裕舟船步兵，何能西入？脱我乘其后，还路甚难。若北上河岸，其行为易。扬言伐姚，意或难测。假其水道，寇不可纵，宜先发军断河上流，勿令西过。"又议之内朝，咸同外计。太宗将从之。浩曰："此非上策。司马休之之徒扰其荆州，刘裕切齿来久。今兴死子劣，乘其危亡而伐之，臣观其意，必欲入关。劲躁之人，不顾后患。今若塞其西路，裕必上岸北侵，如此则姚无事而我受敌。今蠕蠕内寇，民食又乏，不可发军。发军赴南则北寇进击，若其救北则东州复危。未若假之水道，纵裕西入，然后兴兵塞其东归之路，所谓卞庄刺虎，两得之势也。使裕胜也，必德我假道之惠；今姚氏胜也，亦不失救邻之名。纵使裕得关中，县远难守，彼不能守，终为我物。今不劳兵马，坐观成败，斗两虎而收长久之利，上策也。夫为国之计，择利而为之，岂顾婚姻，酬一女子之惠哉？假令国家弃恒山以南，裕必不能发吴越之兵与官军争守河北也，居然可知。"议者犹曰："裕西入函谷，则进退路穷，腹背受敌；北上岸则姚军必不出关助我。扬声西行，意在北进，其势然也。"太宗遂从群议，遣长孙嵩发兵拒之，战于畔城，为裕将朱超石所败，师人多伤。太宗闻之，恨不用浩计。

二年，司马德宗齐郡太守王懿来降，上书陈计，称刘裕在洛，劝国家以军绝其后路，则裕军可不战而克。书奏，太宗善之。会浩在前进讲书传，太宗问浩曰："刘裕西伐，前军已至潼关。其事如何？以卿观之，事得济不？"浩对曰："昔姚兴好养虚名，而无实用。子泓又病，众叛亲离。裕乘其危，兵精将勇，以臣观之，克之必矣。"太宗曰："刘裕武能何如慕容垂？"浩曰："裕胜。"太宗曰："试言其状。"浩曰："慕容垂乘父祖世君之资，生便尊贵，同类归之，若夜蛾之赴火，少加倚仗，便足立功。刘裕挺出寒微，不阶尺土之资，不因一卒之用，奋臂大呼而夷灭桓玄，北擒慕容超，南摧卢循等，僭晋陵迟，遂执国命。裕若平姚而还，必篡其主，其势然也。秦地戎夷混并，虎狼之国，裕亦不能守之。风俗不同，人情难变，欲行荆扬之化于三秦之地，譬无翼而欲飞，无足而欲走，不可得也。若留众守之，必资于寇。孔子曰："善人为邦百年，可以胜残去杀。今以秦之难制，一二年间岂裕所能哉？且可治戎束甲，息民备境，以待其归，秦地亦当终为国有，可坐而守也。"太宗曰："裕已入关，不能进退，我遣精骑南袭彭城、寿春，裕亦何能自立？"浩曰："今西北二冦未殄，陛下不可亲御六师。兵众虽盛，而将无韩白。长孙嵩有治国之用，无进取之能，非刘裕敌也。臣谓待之不晚。"太宗笑曰："卿量之已审矣。"浩曰：臣尝私论近世人物，不敢不上闻。若王猛之治国，苻坚之管仲也；慕容玄恭之辅少主，慕容暐之霍光也；刘裕之平逆乱，司马德宗之曹操也。太宗曰："卿谓先帝如何？"浩曰："小人管窥悬象，何能见玄穹之广大。虽然，太祖用漠北醇朴之人，南入中地，变风易俗，化洽四海，自与羲农齐列，臣岂能仰名。"太宗曰："屈丐何如？"浩曰："屈丐家国夷灭，一身孤寄，为姚氏封殖。不思树党强邻，报仇雪耻，乃结忿于蠕蠕，背德于姚兴，撅竖小人，无大经略，正可残暴，终为人所灭耳。"太宗大悦，语至中夜，赐浩御缥醪酒十觚，水精戎盐一两。曰："朕味卿言，若此盐酒，故与卿同其旨也。"

**【译文】**

泰常元年，司马德宗的将领刘裕进攻姚泓，水军从淮河、泗水进入清水，打算溯河西进，借道魏国。太宗命令群臣就此事进行讨论。外朝公卿们都说："函谷关号称天险，一人持戈据守，万人也难攻进去。刘裕依靠船只和步兵，哪能西入关中？假如我们起兵断绝他的后路，他要撤退回去都相当困难。但如果他想到黄河北岸进攻我们，行动起来就比较容易。他声称讨伐姚泓，本意原难预料。怎能把水路借给他，对强盗不应放纵，应该先派兵堵住黄河上游，不让他到西边去。"又在内朝官员之间进行讨论，都同意外朝公卿们的计谋。太宗就要采纳这一计谋，崔浩说："这不是上策，司马休之那帮人骚扰刘裕的荆州，刘裕一直对他们切齿痛恨。如今姚兴死了，他的儿子又无才能，趁其危亡的时候进行讨伐。我看刘裕的本意，一定是想进入关中。恃勇轻躁的人，是不会顾及后患的。现在如果切断他向西进军的道路，刘裕一定会上岸向北侵犯，这样的话，姚泓反倒没事，而我们却受到敌人的攻击。最近蠕蠕向南进犯，老百姓又没吃的，所以不宜征发军队。如果发兵到南边。北边的敌人将大举进攻，若回军救援，恒山以东的地方又有危险。不如把水路借给他，让刘裕西入关中，然后起兵切断他向东归的退路。这就好比卞庄刺虎，势在一举两得。假如刘裕取得胜利，肯定会因为我们借路给他而感恩戴德；假如姚泓胜了，我们也不会失掉援助邻邦的名誉。就算刘裕夺得关中，与江南隔得太远，难以据守，他不能据守，最终还是我们的。现在我们不用劳累兵马，坐观成败，使两虎相斗而获得长久的利益，才是上策。国家大计，应当择利而行，哪能考虑婚姻关系，只为了酬答得到一个女子的恩惠呢？假如我们放弃恒山以南的土地，刘裕绝不可能派江南兵同我国军队争夺黄河以北的地方，这是显而易见的。"参加讨论的人仍然说："刘裕如果西入函谷关，将进退无路，腹背受敌；如果上黄河北岸进攻我们，姚泓的军队则绝不会出函谷关援助我们。所以刘裕声称进攻西边的姚泓，而其本意却是想进攻北方，形势就是这样啊。"于是太宗听从了大家的意见，派长孙嵩率军阻挡刘裕，在畔城发生战斗，被刘裕的将领朱超石打败，兵士伤亡很大。太宗听到了这一消息，悔恨没有采纳崔浩的计策。

泰常二年，司马德宗齐郡太守王懿来投降，上书陈述计谋，说刘裕在上洛，劝魏发军断绝他的后路，这样就不经战斗而可消灭刘裕的军队。他的上书上奏后，太宗认为这主意不错。刚好崔浩在太宗面前讲授经书史籍，太宗便问崔浩：“刘裕西伐姚泓，前锋已抵达潼关。这事怎样？就你看来，刘裕会不会成功？”崔浩回答说：“先前姚兴喜欢沽名钓誉，实际上却无用处。他的儿子姚泓又犯这个毛病，搞得众叛亲离。刘裕乘其危，加上兵精将勇，以臣下看来，他肯定能打败姚泓。”太宗说：“刘裕勇武才能比得上慕容垂吗？”崔浩说：“刘裕胜过慕容垂。”太宗说：“请你说说具体情况。”崔浩说：“慕容垂凭借父亲和祖父世代为国君的资本，生下来就尊贵，同族人投靠他，就像夜间灯蛾扑火一样，所以稍稍加以利用，就可以建立功业。刘裕从寒族微贱中挺身而出，没有一尺土地作为资本，也没有一个士兵可以利用，只振臂大呼便消灭了桓玄，在北边活捉了南燕国主慕容超，在南边打败了卢循之辈，趁伪晋衰弱之机，掌握了国家大政。这次刘裕如果消灭姚泓胜利而返，一定会篡夺司马德宗的皇位，形势便是如此。但秦地各少数族混居一处，风俗暴戾，刘裕也难据守。风俗不同，人心难以改变，想把荆、扬一带实行的政策法令推行到三秦之地，就好像没生翅膀却想飞翔，没长双足却想奔跑，是不可能的。如果留大军驻守，兵众必将为仇敌所得。孔子说过：有德行的人治理国家一百年，才可使凶暴的人化恶为善，不会相互仇杀。而今秦地如此难以制服，刘裕岂能在一两年间便治理好呢？我们应该整治军备，按兵不动，减轻百姓负担，派兵防守边境，等刘裕撤军，秦地最终仍将为我国所有，我们可以坐享其成。”太宗说：“刘裕的军队已进入函谷关，进退不得，如我派精锐骑兵向南袭击彭城、寿春，刘裕又怎能支持得住呢？”崔浩说：“如今我们西边和北边的两家仇敌还未消灭，陛下不能亲自统帅大军前往。我们兵士虽多，但没有韩信、白起那样的将领。长孙嵩虽有治国之才，却没有指挥队伍冲锋陷阵的才能，不是刘裕的对手。臣下认为等待不迟。”太宗笑着说：“你分析得已经很透彻了。”崔浩说：“我曾私下里对近代人物作过评论，不敢不让陛下知道。像王猛治理国家，好比苻坚的管仲；慕容玄恭辅佐幼主，好比慕容暐的霍光；刘裕平定叛乱，可说得上是司马德宗的曹操。”太宗说：“你认为先帝是什么样的人呢？”崔浩说：“我一个小人，管中窥天，怎能看得出上天的辽阔。话说回来，太祖统率漠北敦厚纯朴的人向南进入中原，改变风俗，教化周遍四海，自然与伏羲、神农并列，岂是我所能称道的。”太宗问：“那赫连屈丐怎样呢？”崔浩说：

"屈丐家破人亡，国家毁灭，一人飘零，得到姚兴的扶持。不想法与邻近的强国联合起来，报仇雪耻，却与蠕蠕结仇，忘记姚兴的恩德。卑劣小人，没有远大的韬略，只不过残暴一时，终将被人消灭。"太宗很高兴，两人谈到半夜，赏赐崔浩御用的缥醪酒十觚，水精戎盐一两，并说："我体味你的话，如同品尝这盐和酒，所以与你分享这美味。"

三年，彗星出天津，入太微，经北斗，络紫微，犯天棓，八十余日，至汉而灭。太宗复召诸儒术士问之曰："今天下未一，四方岳峙，灾咎之应，将在何国？朕甚畏之，尽情以言，勿有所隐。"咸共推浩令对。浩曰："古人有言，夫灾异之生，由人而起。人无衅焉，妖不自作。故人失于下，则变见于上，天事恒象，百代不易。《汉书》载王莽篡位之前，彗星出入，正与今同。国家主尊臣卑，上下有序，民无异望。唯僭晋卑削，主弱臣强，累世陵迟，故桓玄逼夺，刘裕秉权。彗孛者，恶气之所生，是为僭晋将灭，刘裕篡之之应也。"诸人莫能易浩言，太宗深然之。五年，裕果废其主司马德文而自立。南镇上裕改元赦书。时太宗幸东南潟卤池射鸟，闻之，驿召浩，谓之曰："往年卿言彗星之占验矣，朕于今日始信天道。"

初，浩父疾笃，浩乃剪爪截发，夜在庭中仰祷斗极，为父请命，求以身代，叩头流血，岁余不息，家人罕有始者。及父终，居丧尽礼，时人称之。袭爵白马公。朝廷礼仪、优文策诏、军国书记，尽关于浩。浩能为杂说，不长属文，而留心于制度、科律及经术之言。作家祭法，次序五宗，蒸尝之礼，丰俭之节，义理可观。性不好《老》、《庄》之书，每读不过数十行，辄弃之，曰："此矫诬之说，不近人情，必非老子所作。老聃习礼，仲尼所师，岂设败法文书，以乱先王之教。韦生所谓家人筐箧中物，不可扬于王庭也。

【译文】

泰常三年，彗星出现在天津星附近，穿过太微星，经由北斗，掠过紫微星，直达天棓星，历经八十多天，到银河后才消失。太宗又把各位儒生和方术之士找来，问他们："如今天下没有统一，各地方势力互相对峙，灾异将在哪一国应验呢？这事很让我害怕，你们把真实情况全部说出来，不要隐瞒。”大家都推崔浩来回答。崔浩说：“古时候的人说，灾异的发生是由人们的行为造成的。人若没有罪过，怪异就无从形成。所以人在世上有过失，天象就会发生变化。天象变化有一定的原则，经历百代也不会改变。《汉书》上记载王莽篡位以前，彗星出入各个星宿，正好和今日的一样。国家主上尊崇，群臣卑下，上下有秩序，人民没有非分的想法。只有伪晋卑微，主弱臣强，几代衰败不振，所以桓玄篡位，刘裕掌权。彗星是恶气形成的，它是伪晋行将灭亡，刘裕将篡夺帝位的征兆。”其他人没有谁能推翻崔浩这一说法，太宗深表赞同。泰常五年，刘裕果然废掉了他的君主司马德文而自立为帝。南边各镇送来刘裕改年号时颁布的大赦令。当时太宗在平城东南的潟卤池射鸟，听到这消息，用驿马把崔浩找来，对他说：“你往年就彗星作出的占辞如今应验了，我到今天才开始相信天道。”

当初，崔浩的父亲患了重病，他便剪了指甲，削短头发，夜里在院子中向着北斗祷告，请求用自己的生命换取父亲的生命，不停地叩头，直到流出血来，这样过了一年多，从不间断，家中很少有人知道。父亲死后，他又完全遵照礼仪守丧，当时人都称赞他。崔浩继承了父亲白马公的爵位，朝廷礼仪、优文、策命、诏诰及军国文书，都由崔浩经手办理。他善于论说，而不长于写文章，对制度、法令和经术都很留心。他还制定家祭的方法，排定五宗次序，考究祭祀的礼节，讲明持家的原则，所讲道理都值得借鉴。他生性不喜欢《老子》、《庄子》，每次阅读不到数十行便扔在一边，说：“这是欺骗人的学说，不近人情，肯定不是老子撰写的。老聃明习礼仪，孔子还向他学习，怎么会写出败坏法制的著作，以扰乱先代圣王的教义呢？这就像韦生所说的私人杂货篓子中的东西，不能在朝廷中宣讲。”

太宗恒有微疾，怪异屡见，乃使中贵人密问于浩曰：“《春秋》：星孛北斗，七国之君皆将有咎。今兹日蚀于胃昴，尽光赵代之分野，朕疾弥年，疗治无损，恐一旦奄忽，诸子并少，将如之何？其为我设图后之计。”浩曰：“陛下春秋富盛，圣业方融，德以除灾，幸就平愈。且天道悬远，或消或应。昔宋景见灾修德，荧惑退舍。愿陛下遗诸忧虞，恬神保和，纳御嘉福，无以暗昧之说，致损圣思。必不得已，请陈瞽言。自圣化龙兴，不崇储贰，是以永兴之始，社稷几危。今宜早建东宫，选公卿忠贤陛下素所委仗者使为师傅，左右信臣简在圣心者以充宾友，入总万机，出统戎政，监国抚军，六柄在手。若此，则陛下可以优游无为，颐神养寿，进御医药。万机之后，国有成主，民有所归，则奸宄息望，旁无觊觎。此乃万世之令典，塞祸之大备也。今长皇子焘，年渐一周，明睿温和，众情所系，时登储副，则天下幸甚。立子以长，礼之大经。若须并待成人而择，倒错天伦，则生履霜坚冰之祸。自古以来，载籍所记，兴衰存亡，鲜不由此。”太宗纳之。于是使浩奉策告宗庙，命世祖为国副主，居正殿临朝。司徒长孙嵩、山阳公奚斤、北新公安同为左辅，坐东厢西面；浩与太尉穆观、散骑常侍丘堆为右弼，坐西厢东面。百僚总己以听焉。太宗避居西宫，时隐而窥之，听其决断，大悦，谓左右侍臣曰：“长孙嵩宿德旧臣，历事四世，功存社稷；奚斤辩捷智谋，名闻遐迩；安同晓解俗情，明练于事；穆观达于政要，识吾旨趣；崔浩博闻强识，精于天人之会；丘堆虽无大用，然在公专谨。以此六人辅相，吾与汝曹游行四境，伐叛柔服，可得志于天下矣。”群臣时奏所疑，太宗曰：“此非我所知，当决之汝曹国主也。”

会闻刘裕死，太宗欲取洛阳、虎牢、滑台。浩曰：“陛下不以刘裕欻起，纳其使贡，裕亦敬事陛下。不幸今死，乘丧伐之，虽得之不令。《春秋》：晋士丐帅侵齐，闻齐侯卒，乃还。君子大其不伐丧，以为恩足以感孝子，义足以动诸侯。今国家亦未能一举而定江南，宜遣人吊祭，存其孤弱，恤其凶灾，布义风于天下，令德之事也。若此，则化被荆扬，南金象齿羽毛之珍，可不求而自至。裕新死，党与未离，兵临其境，必相率拒战，功不可必，不如缓之，待其恶稔。如其强臣争权，变难必起，然后命将扬威，可不劳士卒，而收淮北之地。”太宗锐意南伐，诘浩曰：“刘裕因姚兴死而灭其国，裕死我伐之，何为不可？”浩固执曰：“兴死，二子交争，裕乃伐之。”太宗大怒，不从浩言，遂遣奚斤南伐。议于监国之前曰：“先攻城也？先略地也？”斤曰：请先攻城。”浩曰：“南人长于守城，苻氏攻襄阳，经年不拔。今以大国之力攻其小城，若不时克，挫损军势，敌得徐严而来。我怠彼锐，危道也。不如分军略地，至淮为限，列置守宰，收敛租谷。滑台、虎牢反在军北，绝望南救，必沿河东走。若或不然，即是囿中之物。”公孙表请先图其城。斤等济河，先攻滑台，经时不拔，表请济师。太宗怒，乃亲南巡。拜浩相州刺史，加左光禄大夫，随军为谋主。

【译文】

太宗一直有小病，经常出现怪异现象，于是派宦官暗中问崔浩：“《春秋》上说：彗星扫过北斗，七国君主都将有灾祸。现在日食发生于胃星和昴星一带，在赵、代分野的星宿附近食尽。我患病已整一年，经治疗也未见减轻，担心一旦去世，几个儿子都还年幼，这该怎么办呢？你给我考虑一下身后之计吧。”崔浩说：“陛下年富力强，伟大的事业，正在蒸蒸日上，德能消灾，但愿陛下就会康复。况且天道渺渺，有的应验，有的不应验。以前宋景公见到灾异现象，便修养自己的德行，结果荧惑星退回到原来所在的地方。希望陛下排除种种忧虑，使精神恬淡安和，享受福庆，不要让愚昧的说法，损伤了您的思想。但一定要让我说身后事的话，就容许我说些瞎话吧：自从国家开创以来，就不重视继承人，所以永兴初年的时候，国家几乎危亡。现在应当早立太子，选拔公卿大臣中忠诚贤能，陛下平常信得过的人做太子的师、傅，选拔左右亲信之臣作太子的宾、友，让太子对内统理国家大政，对外统帅军事，监察国政，统辖军队，掌握生杀予夺的权力。这样，陛下就可以悠闲无事，养神延寿，治疗身体。您不幸去世后，国家有现成的君主，人民也知道该归服谁，奸猾之徒就不会有非分的想法，旁人也不会有觊觎的心理。这是继承万代法则，防备祸乱的好办法。如今长皇子拓跋焘，年龄快十二岁了，聪明睿智，人心所向，尽快把他立为太子，这就是天下大幸。立长子为太子，是古礼的重要原则，假如等到皇子们都成人后才作选择，则违反了天伦，便一定会发生祸乱。自古以来，书籍上记载的兴衰存亡，很少不是因为这个缘故。”太宗采纳了他的意见。于是让崔浩带上立拓跋焘的策文敬告宗庙，命令世祖拓跋焘为国家的副主，居于正殿，临朝听政。以司徒长孙嵩、山阳公奚斤、北新公安同为左辅，在正殿东厢向西而坐；崔浩与太尉穆观、散骑常侍丘堆为右弼，坐在正殿西厢，面向东边。百官听命于副主。太宗迁居西宫，时常躲在一旁观察，听副主处理政事。太宗很高兴地对左右侍臣说："长孙嵩是朝中德高望重的老臣，侍奉过四朝君主，对国家立有大功；奚斤能言善辩而有谋略，远近闻名；安同了解世间情状，做事干练；穆观深知为政大体，明白我的意图；崔浩见多识广，记忆力好，又精通天道和人事之间的关系；丘堆虽然没有大的才干，但为公家做事专心谨慎。有这六人辅佐副主，我与你们巡行边境，讨伐叛乱的人，绥抚服从者，这样就可以实现统一天下的志向了。"群臣有时向他报告一些难以处理的事，太宗说："这事不该我管，应当去找你们的国主做决定。"

在听到刘裕死去的消息时，太宗打算攻占洛阳、虎牢、滑台。崔浩说："陛下不因为刘裕一时兴起而不理睬他，接待他的使臣，收取他贡献的物品，刘裕侍奉陛下也很恭敬。他今天不幸死去，趁着丧事出兵讨伐，即便取得城池，也不是好事。据《春秋》记载：晋国士丐统师军队侵略齐国，听到齐侯的死讯，当即撤军。有德的人都赞赏士丐不趁人有丧事而进行讨伐，认为他的恩德足以感动孝子，他的仁义足以激励诸侯。如今我们也不可能一举平定江南，所以应该派人前去吊丧，慰问刘裕的孤儿弱子，体恤他们所蒙受的灾祸，使德义之风传遍天下，这是美德之事。这样，我国的教化便可推行到江南，南方的金、象牙、羽毛等珍宝，用不着去索求，自然就会送上门来。刘裕刚死，党羽没有离散，如大军压境，他们一定会齐心抵抗，我们并非一定能取胜，倒不如慢慢来，等到他们的罪恶充分暴露以后再说。如果他们强臣相互争权夺利，则必然会发生祸乱，那时再命将出师，奋扬国威，就可以不使士卒劳累，便占有淮河以北的土地。"太宗执意南伐，反驳崔浩说："刘裕趁姚兴死后，灭亡了他的国家，现在刘裕死了，我进行讨伐，为什么不可以呢？"崔浩坚持说："姚兴死后，他的两个儿子互相争权，刘裕才起兵讨伐他们。"太宗大怒，不听从崔浩的建议，便派遣奚斤南伐。在监国拓跋焘面前讨论进军事宜，拓跋焘问："是应该先攻占城池呢？还是应该先夺取土地？"奚斤说："请让我先攻占城池。"崔浩说："南方人擅长守城，当初苻坚攻襄阳，一年也没攻下。现在用大国的军力去进攻小城池，假如不能立刻攻下来，就会有损我军的势力，敌人便可以慢慢整装而来。那时我军疲惫，敌军士气正盛，可就危险了。不如把军队分散，占据地盘，到淮河为止，于各处设置郡县长官，收纳租谷。滑台、虎牢等城反在我军的北面，没有希望得到南方部队的救援，肯定会沿黄河向东逃窜。如果不逃走，就会成为苑囿中的猎物了。”公孙表请求先攻打城池。奚斤等率军渡过黄河，先向滑台发起攻击，过了很久没有攻下，上书请求增派军队。太宗很生气，便亲自率军南下。任命崔浩为相州刺史，加左光禄大夫之官，在军中作为谋主。

及车驾之还也，浩从太宗幸西河、太原。登憩高陵之上，下临河流，傍览川域，慨然有感，遂与同僚论五等郡县之是非，考秦始皇、汉武帝之违失。好古识治，时伏其言。天师寇谦之每与浩言，闻其论古治乱之迹，常自夜达旦，竦意敛容，无有懈倦。既而叹美之曰：“斯言也惠，皆可底行，亦当今之皋繇也。但世人贵远贱近，不能深察之耳。”因谓浩曰：“吾行道隐居，不营世务，忽受神中之诀，当兼修儒教，辅助泰平真君，继千载之绝统。而学不稽古，临事暗昧。卿为吾撰列王者治典，并论其大要。”浩乃著书二十余篇，上推太初，下尽秦汉变弊之迹，大旨先以复五等为本。

世祖即位，左右忌浩正直，共排毁之。世祖虽知其能，不免群议，故出浩，以公归第。及有疑议，召而问焉。浩纤妍洁白，如美妇人。而性敏达，长于谋计。常自比张良，谓己稽古过之。既得归第，因欲修服食养性之术，而寇谦之有《神中录图新经》，浩因师之。

始光中，进爵东郡公，拜太常卿。时议讨赫连昌，群臣皆以为难，唯浩曰：“往年以来，荧惑再守羽林，皆成钩己，其占秦亡。又今年五星并出东方，利以西伐。天应人和，时会并集，不可失也。”世祖乃使奚斤等击蒲坂，而亲率轻骑袭其都城，大获而还。及世祖复讨昌，次其城下，收众伪退。昌鼓噪而前，舒阵为两翼。会有风雨从东南来，扬沙昏冥。宦者赵倪进曰：“今风雨从贼后来，我向彼背，天不助人。又将士饥渴，愿陛下摄骑避之，更待后日。”浩叱之曰：“是何言欤！千里制胜，一日之中岂得变易？贼前行不止，后已离绝，宜分军隐出，奄击不意。风道在人，岂有常也！”世祖曰“善”。分骑奋击，昌军大溃。

**【译文】**

当太宗返回时，崔浩随从到达西河、太原。他登上一座高高的山陵，在上面歇息，山下有黄河流过，四望山川土地，感慨顿生，于是和同僚讨论起五等分封制与郡县制的是与非，考察秦始皇与汉武帝的过失。崔浩喜爱古代制度，懂得治国之道，当时人都佩服他的言论。天师寇谦之常同崔浩交谈，倾听崔浩谈说古代治乱的往事，常常从夜晚一直听到第二天早晨，神情肃敬庄重，没有倦意。过后他赞叹崔浩说："这些话都很好，全都得到实行的话，崔浩该是当今的皋陶了。只是世人看重古人而轻忽今人，不能深入地思索他的话罢了。"于是他对崔浩说："我信奉道教，隐居世外，不问世事，现忽然得到神仙秘诀，我应当兼学儒家教义，辅助太平真君，继承断绝千年的道统。求学而不研究古代，遇事就茫然不知。您为我撰写一本记叙先代诸王治国方针的书，并且就这些方针的要旨做出评论。"崔浩便写了二十多篇文章，上自天地开辟之时，下至秦汉改朝换代的历史，主要精神是以恢复五等分封制为治国的根本。

世祖拓跋焘即帝位，左右近臣忌惮崔浩正直，全都排斥诋毁他。世祖虽知道崔浩有才能，但不能不照顾众人的议论，所以罢了崔浩的官，让他以白马公的身份回家。碰上什么疑难之事，才把他找来询问。崔浩身体纤弱俊美，皮肤洁白，像个漂亮的女人。但他生性聪明，通达事理，善于谋略，常把自己比作张良，声称自己在研习古事方面还超过了他。被罢免回家后，便想学习道家服食仙药、保养性命的方法。寇谦之又有《神中图录新经》一书，崔浩便拜他为师。

始光年间，世宗把崔浩的爵位升为东郡公，任命他为太常卿。当时讨论讨伐赫连昌一事，群臣都认为这件事难办，只有崔浩说："去年以来，荧惑星两次出现在羽林四十五星中，同它们形成钩形，作'己'字状，占辞是秦地国家将灭亡。而且今年金、木、水、火、土五星同时于东方出现，有利于向西方进军。上天和人事相应，四时运行也正和顺，不应失去这大好时机。"世祖于是派奚斤等进攻蒲坂，而自己亲率轻装骑兵袭击赫连昌的都城，取得重大胜利后退军。当世祖再次讨伐赫连昌时，驻军于他的都城下，召集大军佯作败退。赫连昌的军队擂动战鼓，呼叫着向前冲锋，把阵势冲击成两部分。刚好从东南方向刮过来一阵风雨，尘土飞扬，天昏地暗。宦官赵倪对世祖说："现在风雨从敌人背后刮过来，我军面对风雨而敌军背向风雨，上天都不帮助我们。再加上将士饥渴，希望陛下收拢骑兵以避敌锋芒，等他日再说。”崔浩斥责他说：“这是什么话！谋略已定，岂能在一天之内加以改变？敌军不断向前冲击，同后续部队已经脱离，应当分一支队伍隐蔽出发，出其不意地袭击敌军。风向因人谋而变化，哪有定准！”世祖说：“好。”分骑兵奋勇出击，赫连昌的军队大败。

初，太祖诏尚书郎邓渊著《国记》十余卷，编年次事，体例未成。逮于太宗，废而不述。神䴥二年，诏集诸文人撰录国书，浩及弟览、高谠、邓颖、晁继、范亨、黄辅等共参著作，叙成《国书》三十卷。

是年，议击蠕蠕，朝臣内外尽不欲行，保太后固止世祖，世祖皆不听，唯浩赞成策略。尚书令刘洁、左仆射安原等乃使黄门侍郎仇齐推赫连昌太史张渊、徐辩说世祖曰：“今年己巳，三阴之岁，岁星袭月，太白在西方，不可举兵。北伐必败，虽克，不利于上。”又群臣共赞和渊等，云渊少时尝谏苻坚不可南征，坚不从而败。今天时人事都不和谐，何可举动！”世祖意不决，乃召浩令与渊等辩之。

浩难渊曰：“阳者，德也；阴者，刑也。故日蚀修德，月蚀修刑。夫王者之用刑，大则陈诸原野，小则肆之市朝。战伐者，用刑之大者也。以此言之，三阴用兵，盖得其类，修刑之义也。岁星袭月，年饥民流，应在他国，远期十二年。太白行苍龙宿，于天文为东，不妨北伐。渊等俗生，志意浅近，牵于小数，不达大体，难与远图。臣观天文，比年以来，月行奄昴，至今犹然。其占：‘三年，天子大破旄头之国。’蠕蠕、高车，旄头之众也。夫圣明御时，能行非常之事。古人语曰：‘非常之原，黎民惧焉，及其成功，天下晏然。’愿陛下勿疑也。”渊等惭而言曰：“蠕蠕，荒外无用之物，得其地不可耕而食，得其民不可臣而使，轻疾无常，难得而制，有何汲汲而苦劳士马也？”浩曰：“渊言天时，是其所职，若论形势，非彼所知。斯乃汉世旧说常谈，施之于今，不合事宜也。何以言之？夫蠕蠕者，旧是国家北边叛隶，今诛其元恶，收其善民，令复旧役，非无用也。漠北高凉，不生蚊蚋，水草美善，夏则北迁。田牧其地，非不可耕而食也。蠕蠕子弟来降，贵者尚公主，贱者将军、大夫，居满朝列，又高车号为名骑，非不可臣而畜也。夫以南人追之，则患其轻疾，于国兵则不然。何者？彼能远走，我亦能远逐，与之进退，非难制也。且蠕蠕往数人国，民吏震惊。今夏不乘虚掩进，破灭其国，至秋复来，不得安卧。自太宗之世，迄于今日，无岁不惊，岂不汲汲乎哉！世人皆谓渊、辩通解数术，明决成败。臣请试之，问其西国未灭之前有何亡征。知而不言，是其不忠；若实不知，是其无术。”时赫连昌在座，渊等自以无先言，惭赧而不能对。世祖大悦，谓公卿曰：“吾意决矣。亡国之师不可与谋，信矣哉。”而保太后犹难之，复令群臣于保太后前评议。世祖谓浩曰：“此等意犹不伏，卿善晓之令悟。”

**【译文】**

当初，太祖曾令尚书郎邓渊撰《国记》，有十多卷，按年代记载史事，但体例未臻完善。到太宗时，废弃《国记》，没有继续编写。世祖神麚二年，下令集中文人们撰写国家史书，崔浩及其弟崔览、高谠、邓颖、晁继、范亨、黄辅等人全都参与著作事宜，编撰成三十卷的《国书》。

这一年，讨论进攻蠕蠕之事，内外朝官员们都不愿出兵，保太后也坚决阻止世祖出军，世祖不听他们的意见，只有崔浩帮助他制定进军的策略。尚书令刘洁、左仆射安原等派黄门侍郎仇齐推举原赫连昌的太史张渊与徐辩对世祖说：“今年甲子是己巳，为三阴之年，木星遮掩月亮，太白金星在西方出现，不能发兵。北伐的话，肯定会失败，即使打胜了，对主上也不好。”大臣们都赞成附和邓渊等人，说邓渊年轻时曾谏阻苻坚不要南征，苻坚没有听他的话，结果失败了；如今天象和人事都不和谐，哪能轻举妄动。“世祖拿不定主意，于是把崔浩叫来，让他就天象之事同邓渊等人进行辩论。

崔浩驳难邓渊说：“阳就是德义，阴就是刑罚，所以有日蚀便应注意多做德义之事，有月蚀便应整治刑罚。帝王所用刑罚，大刑在原野上施行，小刑在市场或官府实施。战争便是刑罚中的大刑。从这一方面说，三阴之年发动战争，或者正好和天道相符，即有整治刑罚的意义。木星遮掩月亮，将出现饥荒年成，人民将有流散之祸。但这将在其他国家应验，而且远在十二年以后。太白金星行经苍龙七星，从天文上讲，仍在东方，不会妨害北伐。邓渊世俗儒生，志向短浅，为小技巧所束缚，不识大体，很难同他们商量什么远大计划。我观察天象，近年来月亮行经昴星，到现在仍然如此，占辞为：‘三年之内，天子将大败旄头之国。’蠕蠕、高车，都是所谓旄头之人。圣明君主掌握住时机，才能做出一般人所不能做的事。古时人说：‘非常之原，黎民惧焉，及其成功，天下晏然。’希望陛下不要有所疑虑。”邓渊等人感到羞愧，仍然说：“蠕蠕为荒远无用之物，获取他们的土地，不能耕种而获得粮食，俘获他们的人口，不能役使，他们来去轻捷快速而且反复无常，难以制服，哪里值得慌慌忙忙地让士马劳累呢？”崔浩说：“邓渊谈论天时，是他所主管的，若讨论形势，就不是他所能明白的了。他讲的不过是汉代人的老生常谈，拿到今天来实行，则不合事理。为什么这样说呢？蠕蠕先前是我国北边的逃亡奴隶，现在杀其首恶，收其从善之民，让他们从事先前所服的劳役，并不能说没用。漠北地势高，气候凉爽，不生蚊虫，水草丰美，夏天我们可以向北迁徙，在那儿狩猎放牧，不是不能耕种，得不到食物。蠕蠕子弟前来投降的，尊贵的与公主成婚，卑贱的也做将军、大夫等官，满朝都是，而且高车骑兵号称名骑，并不是不能使之臣服而加以役使。如果让南方人去追击他们，倒会担心他们来往轻捷快速，而对于我国军队来说，就不是这样。为什么呢？他们能远远地逃走，我军也能够远远地追击，随他们进退，并非难以制服。而且前些年蠕蠕曾多次侵略我国，使我国人民和官吏都感到震惊。今年夏天若不趁其空虚而进攻，消灭他们的国家，到秋天他们会再来骚扰，使我们不能安宁。从太宗直到今天，没有哪一年我们没受到蠕蠕的惊扰，难道还不算是慌慌忙忙吗！世人都说邓渊、徐辩通晓术数，可以明确地推断事情的成败。那么我请验证一下，试问赫连昌灭亡前可有什么亡国征兆？如果他们当时知道而不说，便是他们不忠；如果确实不知有什么征兆，他们便是没有什么办法。”当时赫连昌正好在座，邓渊等因为自己先前确实没说什么，惭愧地红着脸，说不出话来。世祖很高兴，对公卿们说：“我下定决心了。亡国官吏不应参与谋略，此话不假啊。”但保太后仍阻止出军，又令群臣到保太后面前商量讨论。世祖对崔浩说：“这些人心中还不服气，你要好好地开导他们，让他们明白过来。”

既罢朝，或有尤浩者曰：“今吴贼南寇而舍之北伐。行师千里，其谁不知。若蠕蠕远遁，前无所获，后有南贼之患，危之道也。”浩曰：

"不然。今年不摧蠕蠕，则无以御南贼。自国家并西国以来，南人恐惧，扬声动众以卫淮北。彼北我南，彼劳我息，其势然矣。比破蠕蠕，往还之间，故不见其至也。何以言之？刘裕得关中，留其爱子，精兵数万，良将劲卒，犹不能固守，举军尽没。号哭之声，至今未已。如何正当国家休明之世，士马强盛之时，而欲以驹犊齿虎口也？设令国家与之河南，彼必不能守之。自量不能守，是以必不来。若或有众，备边之军耳。夫见瓶水之冻，知天下之寒；尝肉一脔，识镬中之味。物有其类，可推而得也。且蠕蠕恃其绝远，谓国家力不能至，自宽来久，故夏则散众放畜，秋肥乃聚，背寒向温，南来寇抄。今出其虑表，攻其不备。大军卒至，必惊骇星分，望尘奔走。牡马护群，牝马恋驹，驱驰难制，不得水草，未过数日则聚而困敝，可一举而灭。暂劳永逸，长久之利，时不可失也。唯患上无此意，今圣虑已决，发旷世之谋，如何止之？陋矣哉，公卿也！"诸军遂行。天师谓浩曰："是行也，如之何，果可克乎？"浩对曰："天时形势，必克无疑。但恐诸将琐琐，前后顾虑，不能乘胜深入，使不全举耳。"

及军入其境，蠕蠕先不设备，民畜布野，惊怖四奔，莫相收摄。于是分军搜讨，东西五千里，南北三千里，凡所俘虏及获畜产车庐，弥漫山泽，盖数百万。高车杀蠕蠕种类，归降者三十余万落。虏遂散乱矣。世祖沿弱水西行，至涿邪山，诸大将果疑深入有伏兵，劝世祖停止不追。天师以浩曩日之言，固劝世祖穷讨，不听。后有降人，言蠕蠕大檀先被疾，不知所为，乃焚烧穹庐，科车自载，将数百人入山南走。民畜窘聚，方六十里中，无人领统。相去百八十里，追军不至，乃徐徐西遁，唯此得免。后闻凉州贾胡言，若复前行二日，则尽灭之矣。世祖深恨之。大军既还，南贼竟不能动，如浩所量。

【译文】

罢朝后，有人责怪崔浩说："现在吴寇在南边侵犯我国，你却不管他们而主张北伐，千里行军，哪一个会不知道。如果蠕蠕逃得远远的，前面没有掳获物，后边又有南方敌人造成的灾难，可就危险了。"崔浩说："不对。今年不打垮蠕蠕，就没办法抵御南边的敌人。自从我们吞并西方的赫连昌以来，南方的人很恐惧，大造声势，动用大军防守淮河以北的土地。他们向北进攻，我们则向南进攻，他们劳苦而我们却安然处之，时势就是这样。等到打败蠕蠕，从出军到退军，一定看不到南方出兵。为什么这样说呢？刘裕夺取关中以后，留下爱子驻守，有数万精兵良将，仍不能坚守，全军覆没。其家属悲伤号哭之声，到现在还未断绝。哪能正当我国政治清明、兵强马壮之时，却打算把马驹牛犊往虎口里送呢？即使把黄河以南的土地送给他们，他们也肯定守不住。他们清楚自己没能力守住，所以肯定不会派军来争。如果说有军队，只不过是为了防备边境罢了。人们看到瓶里的水结了冰，便会知道天下寒冷；尝一块肉，就会知道一锅肉的味道。事物有相同的情形，可以推断而知。而且蠕蠕依仗他们离我国很远，以为我们没有力量打到那儿，自个儿一直放松警惕。所以夏天便解散军队，放牧牲畜。等到秋天马肥壮后才又召集起来，离开寒冷的地方，向温暖的地方迁移，并向南进犯，抢掠财物。如今我们在他们意想不到的情况下攻其不备，大军突然降临，他们必然会惊骇离散，望尘奔逃。而公马护群，母马顾恋小马，奔逃之时难以驯服，又不能饮水吃草，过不了几天便会疲惫不堪，可以一举而加以消灭，一劳永逸，获得长久的益处，机会不能失去。唯恐皇上没有这个主意，现在皇上决心已定，制定空前的谋略，为何还要去阻止他呢？愚昧啊！你们这帮公卿们。”于是各路军队进发。天师问崔浩说：“这次出军究竟怎样？当真能胜吗？”崔浩回答说：“从天时和形势看，一定会成功，只恐众将领卑琐，瞻前顾后，不能乘胜深入，致使不能大获全胜罢了。”

等到大军进入蠕蠕境内，蠕蠕预先没有防备，人员和牲畜遍布在原野上，因受惊吓而四处逃散，没有谁能集合起来。于是分散军队，搜索征讨，战线东西长达五千里，南北长达三千里。所俘获的人口和牲畜、马车、穹庐，山野间到处都是，约有数百万之多。高车人杀死蠕蠕人来投降魏军的达三十多万家。蠕蠕人因此离散混乱。世祖沿弱水向西进军，到达涿邪山，各位大将军果然怀疑继续向前进击将会碰上伏兵，劝世祖停军不要追击。天师用崔浩先前说过的话，坚持劝世祖穷追不舍，世祖不听。后来有投降过来的人说，蠕蠕首领事先患有疾病，不知所措，于是烧掉自己居住的穹庐，取来车马载着自己，率领数百人进入山中向南逃窜。人口牲畜疲劳困顿，聚在一起，没有人统辖。离魏军只有一百八十里地，后来追击的军队没有来，才慢慢向西逃亡，因此免遭灭亡之祸。后来又听凉州经商的胡人说，假如当时魏军再向前走两天，就可完全灭掉蠕蠕。世祖极其后悔。直到大军撤回后，南方的敌人竟然没有什么行动，正如崔浩分析的那样。

浩明识天文，好观星变。常置金银铜铤于酢器中，令青，夜有所见即以铤画纸作字以记其异。世祖每幸浩第，多问以异事。或仓促不及束带，奉进蔬食，不暇精美。世祖为举匕箸，或立尝而旋。其见宠爱如此。于是引浩出入卧内，加侍中、特进、抚军大将军、左光禄大夫，赏谋谟之功。世祖从容谓浩曰："卿才智渊博，事朕祖考，忠著三世，朕故延卿自近。其思尽规谏，匡予弼予，勿有隐怀。朕虽当时迁怒，若或不用，久久可不深思卿言也。"因令歌工历颂群臣，事在《长孙道生传》。又召新降高车渠帅数百人，赐酒食于前。世祖指浩以示之，曰："汝曹视此人，尪纤懦弱，手不能弯弓持矛，其胸中所怀，乃逾于甲兵。朕始时虽有征讨之意，而虑不自决，前后克捷，皆此人导吾令至此也。"乃敕诸尚书曰："凡军国大计，卿等所不能决，皆先谘浩，然后施行。"

俄而南藩诸将表刘义隆大严，欲犯河南。请兵三万。先其未发逆击之，因诛河北流民在界上者，绝其乡导，足以挫其锐气，使不敢深入。诏公卿议之，咸言宜许。浩曰："此不可从也。往年国家大破蠕蠕，马力有余，南贼震惧，常恐轻兵奄至，卧不安席，故先声动众，以备不虞，非敢先发。又南土下湿，夏月蒸暑，水潦方多，草木深邃，疾疫必起，非行师之时。且彼先严有备，必坚城固守。屯军攻之，则粮食不给；分兵肆讨，则无以应敌。未见其利。就使能来，待其劳倦，秋凉马肥，因敌取食，徐往击之，万全之计，胜必可克。在朝群臣及西北守将，从陛下征讨，西灭赫连，北破蠕蠕，多获美女珍宝，马畜成群。南镇诸将闻而生羡，亦欲南抄，以取资财。是以披毛求瑕，妄张贼势，冀得肆心。既不获听，故数称贼动，以恐朝廷。背公存私，为国生事，非忠臣也。"世祖从浩议。南镇诸将复表贼至，而自陈兵少，简幽州以南戍兵佐守，就漳水造船，严以为备。公卿议者佥然，欲遣骑五千，并假署司马楚之、鲁轨、韩延之等，令诱引边民。浩曰："非上策也。彼闻幽州已南精兵悉发，大造舟船，轻骑在后，欲存立司马，诛除刘族，必举国骇扰，惧于灭亡，当悉发精锐，来备北境。后审知官军有声无实，恃其先聚，必喜而前行，径来至河，肆其侵暴，则我守将无以御之。若彼有见机之人，善设权谲，乘间深入，虞我国虚，生变不难，非制敌之良计。今公卿欲以威力攘贼，乃所以招令速至也。夫张虚声而召实害，此之谓矣。不可不思，后悔无及。我使在彼，期四月前还。可待使至，审而后发，犹未晚也。且楚之之徒，是彼所忌，将夺其国，彼安得端坐视之。故楚之往则彼来，止则彼息，其势然也。且楚之等琐才，能招合轻薄无赖，而不能成就大功。为国生事，使兵连祸结，必此之群矣。臣尝闻鲁轨说姚兴求入荆州，至则散败，乃不免蛮贼掠卖为奴，使祸及姚泓，已然之效。”浩复陈天时不利于彼，曰：“今兹害气在扬州，不宜先举兵，一也；午岁自刑，先发者伤，二也；日蚀灭光，昼昏星见，飞鸟堕落，宿值斗牛，忧在危亡，三也；荧惑伏匿于翼轸，戒乱及丧，四也；太白未出，进兵者败，五也。夫兴国之君，先修人事，次尽地利，后观天时，故万举而万全，国安而身盛。今义隆新国，是人事未周也；灾变屡见，是天时不协也；舟行水涸，是地利不尽也。三事无一成，自守犹或不安，何得先发而攻人哉？彼必听我虚声而严，我亦承彼严而动，两推其咎，皆自以为应敌。兵法当分灾迎受害气，未可举动也。”

**【译文】**

崔浩通晓天文，喜欢观察星象变化，经常把金、银和铜块放在装醋的器皿中，使之呈现青色，晚上观察天象时有所发现，便用它们在纸上写字，记下天象的变化情况。世祖每次到崔浩家，常问些奇异之事。崔浩有时仓促间来不及穿好衣服，献上的饮食没时间弄得精美一些，世祖还是拿起汤匙筷子就吃，有时站着尝一下就回宫。崔浩如此受到世祖的宠信和亲近。世祖让崔浩进入自己的寝室，加封崔浩侍中、特进、抚军大将军、左光禄大夫等官，以奖赏他出谋划策的功劳。世祖曾不慌不忙地对崔浩说：“你的才智精深广博，曾侍奉过我死去的祖父和父亲，忠心显于三代，我因此把你召在自己身边。你应当想办法尽力正言相劝，以辅佐我，不要有什么隐藏在心中。我有时虽会向你发火，或者不听信你的话，但过一段时间后，还是会仔细思索你所说过的话。”于是让唱歌的乐师用歌曲遍颂群臣，这事记叙在《长孙道生传》中。又召集最近投降的几百名高车首领，在御前赏赐他们酒和食物。世祖把崔浩指给他们看，说：“你们看看这个人，他身材弱小无力，双手拉不开弓箭，舞不动长矛，但他胸中所藏的东西，比甲兵还厉害。我当初虽有出兵的想法，但自个儿下不了决心，几次打胜仗，都是因为这个人指导我，使我获得成功。”于是命令各位尚书：“一切军国大计，你们不能做出决定的，都要先向崔浩请示，才加以施行。”

过了不久，南方州镇将军报告说，刘义隆大肆整顿军备，想进取黄河以南的土地。请求发兵三万，在刘义隆的军队未行动前率先发起攻击，并趁机杀掉黄河北边来定居在两国交界处的流民，使南方失去向导，这样足以挫败敌人锐气，使他们不敢深入。世祖令公卿们就此进行讨论，都说应该答应。崔浩说：“这事不应该顺从。去年我国大败蠕蠕，而马匹还有剩余，南边的敌人惊恐，总担心我们会轻兵突袭，连觉都睡不安稳，因此率先制造声势，发动军队，以防备意料不到的事件发生，并非胆敢首先对我们发起进攻。而且南方地势低下，气候潮湿，夏天天气闷热如蒸，雨水又多，草木茂盛，肯定会发生疫疾，不是出兵的时候，况且敌方既率先整顿军队，做好了防备，一定会加固城池，拼命抵抗。如果我们驻扎军队进行攻击，粮食会不足；分散军队任其攻击，又没法防备敌军。看不到出军的好处。即使敌人要来进攻，等他们疲倦以后，到秋天气候凉爽、战马肥壮之时，我们再收取敌方的庄稼作为军粮，慢慢地进攻他们。这才是万全之计，一定可以获取胜利。朝中群臣及西边和北边的守将，跟随陛下作战，在西边消灭了赫连氏，在北边打败了蠕蠕，获取了许多漂亮女人和珍宝，还有成群的马匹牲畜。南边各镇将领们听说后，都产生羡慕之心，也想向南抢掠，以获得财物。因此吹毛求疵，毫无根据地夸大敌人的声势，企图满足自己的欲望。没有得到允许后，便多次声称敌军有所行动，以使朝廷担心而采取手段。不顾公家利益，只为个人私利着想，给国家造成事端，这不是忠臣所为。”世祖听从了崔浩的意见。南边各镇将领又打报告，说敌军已压境，自己的兵员很少，请选幽州以南各地戍守之军到南边助守，在漳水制造战船，以加强防守力量。公卿大臣参与议论的人都认为应该这样做，准备派遣五千骑兵，同时给司马楚之、鲁轨、韩延之等人虚号官职，让他们引诱敌方边境居民。崔浩说："这不是上策。敌方若听说我们幽州以南的精锐部队已全部调动，一定会全国骚动不安，害怕自己被消灭掉，必然会征发所有精锐部队防守北部边境。事后弄清我军只是虚张声势而无实际行动，他们仰仗先聚集起来的军队，定会踊跃进军，一直攻到黄河边，肆意侵掠，我们的守将却无力抵抗。假若敌方有人能见机行事，善于搞些机巧诡诈的谋略，乘势深入，估计我们国力虚弱，容易给我们造成灾难。因此，这并不是制伏敌人的好策略。如今公卿们想用武力把敌人拒于边境之外，竟促使他们提前进攻。虚张声势却受到实质性的危害，讲的就是这种情况。不能不好好想一想，否则后悔可就来不及了。我们的使节在敌方境内，按约定时间，当在四月以前回来，可以等使节回来，把事情弄清楚以后再发兵，也不晚。而且司马楚之这批人，正为敌方所忌惮，你要去夺取他们的国家，他们哪能安坐无事，等闲视之呢。所以司马楚之等人若到南边去，敌方就会派兵来，司马楚之等人不去，敌方便会按兵不动，形势必然如此。而且司马楚之等实为庸才，只能召集一些轻薄无赖之徒，不可能取得重大成功，给国家造成变故，致使兵连祸结的，肯定会是这帮人。我曾听说鲁轨劝姚兴，请求率军进攻南方荆州之地，到那儿后军队就逃散失利，有的竟被蛮人掠取当成奴隶卖了，使姚泓蒙受灾祸，这是明摆着的证验。"崔浩又讲述天时于敌方发兵不利，说："现在灾害之气聚结在扬州一带，我们不宜先发兵，这是其一；今年甲子逢午，为自杀之年，先起兵将给自己造成伤害，这是其二；发生日蚀，太阳完全失去光泽，白天昏暗，能看见星星，飞鸟从天上自个儿掉了下来，日食又在斗宿和牛宿之间发生，国家将有危亡之患，这是第三；荧惑星藏匿在翼、轸二星座间，这是对祸乱和丧亡提出的警告，这是第四；太白金星还未出现，率先进攻者将遭受失败，这是第五。使国家兴盛的君主，首先应致力于人事，其次应尽量发挥土地的作用，然后观察天象，所以每一次行动都很安全，国家安定而自身强盛。现在刘义隆刚即位，这意味着人事还不完备；不断出现灾祸变化，这就是说天时还不协调；要行船河水却枯竭，这就不能完全发挥有利的地理条件。三件事没哪一件成功，自我防守还恐不安全，哪能先起兵进攻别人呢？他们一定是听到我们大造声势以后，才整治军队，假如我们又因其整治军队而发起攻击，相互推托责任，都自以为所做不过是根据敌方而采取行动。从兵法上讲，这就是分灾受祸，不能采取行动啊。”

世祖不能违众，乃从公卿议。浩复固争，不从。遂遣阳平王杜超镇邺，琅邪王司马楚之等屯颍川。于是贼来遂疾，到彦之自清水入河，溯流西行，分兵列守南岸，西至潼关。

世祖闻赫连定与刘义隆悬分河北，乃治兵，欲先讨赫连。群臣曰：“义隆犹在河中，舍之西行，前寇未可必克，而义隆乘虚，则失东州矣。”世祖疑焉，问计于浩。浩曰：“义隆与赫连定同恶相招，连结冯跋，牵引蠕蠕，规肆逆心，虚相唱和。义隆望定进，定待义隆前，皆莫敢先入。以臣观之，有似连鸡，不得俱飞，无能为害也。臣始谓义隆军来当屯住河中，两道北上，东道向冀州，西道冲邺。如此，则陛下当自致讨，不得徐行。今则不然，东西列兵，径二千里，一处不过数千，形分势弱。以此观之，儜儿情见，止望固河自守，免死为幸，无北渡意也。赫连定残根易摧，拟之必仆。克定之后，东出潼关，席卷而前，则威震南极，江淮以北无立草矣。圣策独发，非愚近所及，愿陛下西行勿疑。”平凉既平，其日宴会，世祖执浩手以示蒙逊使曰：“所云崔公，此是也。才略之美，当今无比。朕行止必问，成败决焉，若合符契，初无失矣。”后冠军将军安颉军还，献南俘，因说南贼之言云，义隆敕其诸将，若北国兵动，先其未至，径前入河，若其不动，住彭城勿进。如浩所量。世祖谓公卿曰：“卿辈前谓我用浩计为谬，惊怖固谏。常胜之家，始皆自谓逾人远矣，至于归终，乃不能及。”迁浩司徒。

**【译文】**

世祖没办法违背大家的意志，就听从了公卿们的建议。崔浩又坚持辩驳，世祖还是不听。于是派阳平王杜超镇守邺城，琅邪王司马楚之等屯据颍川。因此敌人进取势头加快，到彦之从清水进入黄河，溯河西上，分兵在黄河南岸据守，西面直达潼关。

世祖听说赫连定与刘义隆预先把黄河以北的土地瓜分了，便整顿军队，想先讨伐赫连定。群臣都说：“刘义隆的军队还在黄河中，置之不顾而进攻西方的敌人，未必就能打败前面之敌。如刘义隆乘虚进兵，那么我们就会失去都城东面各州土地。”世祖对此感到疑惑，向崔浩问计。崔浩说：“刘义隆与赫连定共同作恶，相互引诱，并联合东边的冯跋和北边的蠕蠕，图谋纵其叛逆之心，相互虚伪地呼应。刘义隆希望赫连定先进攻我们，赫连定却等待刘义隆率先进击，都不敢先来。据我看来，他们好比两只连在一起的鸡，不能一起飞，对我们不会产生危害。我当初认为，刘义隆军队若来进攻的话，应屯军于黄河中游，分两路向黄河以北出击，东路军直指冀州，西边一路攻向邺城。这样的话，陛下就应该亲自率军讨伐，不能缓慢从事。今日之事则不一样，刘义隆军队沿黄河从东到西，到处驻扎，战线长达二千里，而一处兵员只不过几千人，形势分散，力量薄弱。从这可看出劣才儿的真心，那就是只希望凭借黄河固守，以免除死亡为幸事，没有北渡黄河的打算。赫连定残余之众容易摧毁，如向他发起攻击，肯定会将他击败。灭掉赫连定后，大军东出潼关，席卷而前，其威势将使最南边的人也会感到震恐，长江、淮河以北将望风披靡，陛下自己定下计策，我们这些资质愚昧、见识短浅的人哪能考虑得到，希望陛下西讨赫连定，不要有什么疑虑。”攻取平凉后，于当天举行宴会，世祖拉着崔浩的手，把他指给沮渠蒙逊说：“我所说的崔公，就是他，才能谋略出众，当今没人能比得上他，我要不要采取行动，一定要询问他的意见，成败都取决于他，他对事情成败与否做出的判断，与事实完全相符，就像符契一样，没有一点差错。”后来冠军将军安颉从南方退军回来，献上俘虏的南方兵士，并讲述南方敌人的话说，刘义隆曾命令他的将领，若北方敌国军队有什么行动，在他们未到达之前，径直向前进入黄河，若敌军不动，便驻扎在彭城，不要前进。正如崔浩分析的那样。世祖对公卿大臣们说：“你们这些人说我采纳崔浩的策略是一种错误，很惊恐，坚决阻止。你们总是打胜仗，起初都自认为远远超过别人，但归根结底，才知道还是比不上别人。”于是升崔浩官为司徒。

时方士祁纤奏立四王，以日东西南北为名，欲以致祯吉，除灾异。诏浩与学士议之。浩对曰：“先王建国以作蕃屏，不应假名以为其福。夫日月运转，周历四方，京都所居，在于其内，四王之称，实奄邦畿，名之则逆，不可承用。”先是，纤奏改代为万年，浩曰：“昔太祖道武皇帝，应天受命，开拓洪业，诸所制置，无不循古。以始封代土，后称为魏，故代、魏兼用，犹彼殷商。国家积德，著在图史，当享万亿，不待假名以为益也。纤之所闻，皆非正义。”世祖从之。

是时，河西王沮渠牧犍内有贰意，世祖将讨焉，先问于浩。浩对曰：“牧犍恶心已露，不可不诛。官军往年北伐，虽不克获，实无所损。于时行者内外军马三十万匹，计在道死伤不满八千，岁常羸死，恒不减万，乃不少于此。而远方承虚，便谓大损，不能复振。今出其不意，不图大军卒至，必惊骇骚扰，不知所出，擒之必矣。且牧犍劣弱，诸弟骄恣，争权从横，民心离解。加比年以来，天灾地变，都在秦凉，成灭之国也。”世祖曰：“善，吾意亦以为然。”命公卿议之。弘农王奚斤等三十余人皆曰：“牧犍西垂下国，虽心不纯臣，然继父职贡，朝廷接以蕃礼。又王姬釐降，罪未甚彰，谓宜羁縻而已。今士马劳止，宜可小息。又其地卤斥，略无水草，大军既到，不得久停。彼闻军来，必完聚城守，攻则难拔，野无所掠。”于是尚书古弼、李顺之徒皆曰：“自温圉河以西，至于姑臧城南，天梯山上冬有积雪，深一丈余，至春夏消液，下流成川，引以溉灌。彼闻军至，决此渠口，水不通流，则致渴乏。去城百里之内，赤地无草，又不任久停军马。斤等议是也。”世祖乃命浩以其前言与斤共相难抑。诸人不复余言，唯曰“彼无水草”。浩曰：“《汉书地理志》称：‘凉州之畜，为天下饶。’若无水草，何以畜牧？又汉人为居，终不于无水草之地筑城郭、立郡县也。又雪之消液，才不敛尘，何得通渠引漕，溉灌数百万顷乎？此言大诋诬于人矣。”李顺等复曰：“耳闻不如目见，吾曹目见，何可共辨！”浩曰：“汝曹受人金钱，欲为之辞，谓我目不见便可欺也！”世祖隐听，闻之乃出，亲见斤等，辞旨严厉，形于神色。群臣乃不敢复言，唯唯而已。于是遂讨凉州而平之。多饶水草，如浩所言。

【译文】

这时方术之士祁纤上奏，请立四个王，分别以日东、日西、日南、日北作为名称，想以此得到祥瑞，消除灾异。世祖命令崔浩与学士们进行商谈。崔浩回答说：“先代圣王建立封国是把它们作为王室的屏障，不应该借名称来祈求福庆。日月运行，遍照四方，京都所在之地，也在其照耀之内，四王的名称，实际上包括了京城所在地区，这样命名不好，不能采纳他的意见。”在此以前，祁纤还上奏，请求将“代”改称“万年”，崔浩说：“当初太祖道武皇帝承受天命，开创大业，他所制定的各项制度，全都遵循古制。因为祖先最初的封地在代，后才改称为魏，所以代、魏均可使用，如同殷和商可通用一样。我国历代君主的德行，在史籍中明明白白地记载着，自会享受亿万年的福庆，不需借名号而取得好处。祁纤所说的，都不是正理。”世祖听从了崔浩的意见。

这时，西河王沮渠牧犍暗中怀有二心，世祖将出兵讨伐，先问崔浩的意见。崔浩回答说：“沮渠牧犍罪恶之心已经暴露出来，不可不加以讨伐。我国军队去年北伐，虽说没取得胜利，却也没有遭受损失。当时出征的内外军马有三十万匹，在路上死去和受伤的，总共不到八千匹，而平常每年疲病死亡的一般也不少于万匹，竟比出征时死的还要多。可是远方的人听到不实之词，便认为我们损失很大，再也振作不起来。而今出其不意，他们想不到大军会突然降临，必定会恐惧骚乱，不知所为，肯定能擒获沮渠牧犍。况且沮渠牧犍才能不大，几个弟弟又骄横跋扈，争权夺利，为所欲为，人民离心离德。加上近年来天灾地震都发生在秦、凉一带，沮渠牧犍已成必然灭亡之势了。”世祖说：“好，我也认为如此。”命令公卿大臣加以讨论。弘农王奚斤等三十多人说：“沮渠牧犍是我国西边的小国，尽管内心不是绝对忠诚，但他继续父亲之职，贡献方物，我国也以藩臣礼节对待他，又把公主嫁给他作王姬。现在沮渠牧犍的罪行并未完全暴露，我们认为应该加以笼络。如今我国兵员和马匹都疲困，应该休整，再说河西为盐碱地，几乎没有水源和草料，大军到达后，不能长期停留。他们听说有军队来攻，一定会修筑城池，聚集粮草，据城坚守。我们进攻的话，很难攻得下，而野地里又不可能掳掠到什么。”尚书古弼、李顺等人都说：“从温圉河以西，到姑臧城南边，只有天梯山冬天有积雪，厚达一丈多，到春天、夏天便消融，流下来汇成河流，引其水灌溉土地。他们听说大军前来，定会决开这条水渠，使水流不通，就会使我们人马无水可饮。距姑臧城百里以内，地表呈红色，不生青草，不可能长期驻扎军马，奚斤等人的意见是正确的。”世祖于是令崔浩用先前的说法同奚斤等相互辩驳。众人不再说什么，只是说："那儿没有饮水和草料。"崔浩说："《汉书·地理志》说：'凉州的牲畜，在天下最为丰富。'假如没有水草，怎样放牧牲畜呢？又汉代的人定居，总不至于在没有水草的地方修筑城池，设置郡县。而且冰雪消融，连尘土都难浸湿，哪能修筑渠道，进行运输，并灌溉数百万顷土地呢？这些话确实是骗人的。"李顺等人又说："耳闻不如目见，我们亲眼所见，你有什么值得同我们争论的！"崔浩说："你们这些人接受了别人贿赂的金银钱财，就想替他说话，以为我未亲见便可以欺骗吗？"世祖躲在一边听他们争论，听完这些话后才出来，亲自接见奚斤等人，声色俱厉，群臣才不敢再说什么，只好唯唯诺诺地应承。于是就出军凉州，加以平定，那里水草丰茂，正如崔浩所说的那样。

乃诏浩曰："昔皇祚之兴，世隆北土，积德累仁，多历年载，泽流苍生，义闻四海。我太祖道武皇帝，协顺天人，以征不服，应期拨乱，奄有区夏。太宗承统，光隆前绪，厘正刑典，大业惟新。然荒域之外，犹未宾服。此祖宗之遗志，而贻功于后也。朕以眇身，获奉宗庙，战战兢兢，如临渊海，惧不能负荷至重，继名丕烈。故即位之初，不遑宁处，扬威朔裔，扫定赫连。逮于神䴥，始命史职注集前功，以成一代之典。自尔已来，戎旗仍举，秦陇克定，徐兖无尘，平逋寇于龙川，讨孽竖于凉域。岂朕一人获济于此，赖宗庙之灵，群公卿士宣力之效也。而史阙其职，篇籍不著，每惧斯事之坠焉。公德冠朝列，言为世范，小大之任，望君存之。命公留台，综理史务，述成此书，务从实录。"浩于是监秘书事，以中书侍郎高允、散骑侍郎张伟参著作，续成前纪。至于损益褒贬，折中润色，浩所总焉。

及恭宗始总百揆，浩复与宜都王穆寿辅政事。时又将讨蠕蠕，刘洁复致异议。世祖逾欲讨之，乃召问浩。浩对曰："往击蠕蠕，师不多日，洁等各欲回还。后获其生口，云军还之时，去贼三十里。是洁等之计过矣。夫北土多积雪，至冬时常避寒南徙。若因其时，潜军而出，必与之遇，则可擒获。"世祖以为然。乃分军为四道，诏诸将俱会鹿浑海。期日有定，而洁恨计不用，沮误诸将，无功而还。事在《洁传》。

【译文】

于是世祖命令崔浩说："先前皇运初开，世代兴盛于北方，经历许多年后，恩泽遍及苍生，德义之声传遍四海。我太祖道武皇帝协调上天和世人，征讨不服从者，接受天命，拨乱反正，统治中国。太宗继承皇位，发扬先代业绩，改正刑法制度，使天下大业焕然一新。但边远之人，仍未归附。这是祖宗遗志，留待子孙来完成。我以微弱之躯，继承祖宗大业，谨慎小心，如同面对深渊大海，唯恐自己不能担负重任，继续光大祖宗的事业。所以即位初年，没有安居之时，扬国威于北方，消灭了赫连氏。到神麚时，才命令史臣收集记录以前的功绩，撰成一代大典。从那时起，战争不断，征服了秦、陇，平定了徐、兖，在龙川消灭了逃亡之敌，在凉土肃清了残余之众。这些哪里是我一人能做得到的呢？而是托祖宗在天之灵保佑，群臣尽力的结果。但史官缺职，没有把这些记载下来，常恐这些事会被遗忘。你德行在群臣中居于首位，言论成为世人的楷模，事无大小，望君都留心一下。我命令你留在京都，总管修史工作，撰成史书，务必真实记录。"崔浩于是监秘书事，中书侍郎高允、散骑侍郎张伟参加编写，续修先前的《国书》。至于增削史事，褒贬评论，处理史实间的分歧，润饰文字等工作，则由崔浩负责。

及恭宗拓跋晃以太子监国，统领百官，崔浩又与宜都王穆寿一起辅佐他处理政务。当时准备讨伐蠕蠕，刘洁又一次表示不同意见。世祖越发想发军征讨，于是把崔浩找来，问他的想法。崔浩说："前次进攻蠕蠕，出师不久，刘洁等人均想退军，后来俘获蠕蠕之人，说我军撤退时，离敌方只有三十里地了。这是刘洁等人计划上的失误。北方常年积雪，到冬天，北方人经常为避开严寒而向南迁移。如果趁这个时候暗中派兵前往，一定会同敌人遭遇，那就可以把他们俘获。"世祖认为这个说法正确，于是分大军为四路，命令各位将领一同到鹿浑海会师。日期确定了，可是刘洁怀恨自己的计策未被采纳，便延误其他将领，大军无功而返。这件事在《刘洁传》中有详细叙述。

世祖西巡，诏浩与尚书、顺阳公兰延都督行台中外诸军事。世祖至东雍，亲临汾曲，观叛贼薛永宗垒，进军围之。永宗出兵欲战，世祖问浩曰：“今日可击不？”浩曰：“永宗未知陛下自来，人心安闲，北风迅疾，宜急击之，须臾必碎。若待明日，恐其见官军盛大，必夜遁走。”世祖从之。永宗溃灭。车驾济河，前驱告贼在渭北。世祖至洛水桥，贼已夜遁。诏问浩曰：“盖吴在长安北九十里。渭北地空，谷草不备。欲渡渭南西行，何如？”浩对曰：“盖吴营去此六十里，贼魁所在。击蛇之法，当须破头，头破则尾岂能复动。宜乘势先击吴。今军往，一日便到。平吴之后，回向长安，亦一日而至。一日之内，未便损伤。愚谓宜从北道。若从南道，则盖吴徐入北山，卒未可平。”世祖不从，乃渡渭南。吴闻世祖至，尽散入北山，果如浩言，军无所克。世祖悔之。后以浩辅东宫之勤，赐缯絮布帛各千段。

著作令史太原闵湛、赵郡郄标素谄事浩，乃请立石铭，刊载《国书》，并勒所注《五经》。浩赞成之。恭宗善焉，遂营于天郊东三里，方百三十步，用功三百万乃讫。

【译文】

世祖率军巡视西边各州镇，令崔浩与顺阳公兰延同为都督行台中外诸军事。世祖到达雍州，亲自到汾河湾，观察叛乱者薛永宗的城堡，进军将其包围。薛永宗派军出来想和魏军交战，世祖问崔浩：“今天可以发起进攻吗？”崔浩说：“薛永宗不知道陛下亲自率军而来，人心安闲，没有防备，现在北风刮得正猛，应赶快进攻，不一会儿叛贼就会土崩瓦解。若等到明天，恐怕他们看见官军强盛，一定会在晚间逃走。”世祖听从了他的计策，薛永宗溃亡。世祖渡过黄河，前锋部队报告说叛乱军集中在渭水北边。世祖抵达洛水桥时，叛军已经趁夜间逃走。世祖问崔浩：“叛军首领盖吴在长安城北九十里的地方，渭水以北无人，我们又没准备粮草，我打算向南渡过渭河，再向西进击，这样行吗？”崔浩回答说：“盖吴叛军驻地离这儿六十里，叛贼头目就在那儿。打蛇的方法，先要打破蛇头，蛇头破碎后，蛇尾怎能再动弹？应乘势先进攻盖吴，现在遣军前去，一天就可以到那儿，消灭盖吴后，再挥师长安，一天也就到了。一天之内没有粮草，我军也不会受到多大损失。愚意认为应该从北道进军。如果从南道进军，那么盖吴会从容地逃进北方山地，就不可能顺利地加以消灭。”世祖不按他的计策行事，便渡过渭水，从南道进发。盖吴听说世祖率军而来，将部众解散，进入北方山地，果真像崔浩说的那样。魏军没有收获，世祖为此很后悔。后来因为崔浩辅佐太子勤劳，赏赐他缯、絮、布、帛各一千段。

著作令史太原人闵湛和赵郡人郄标平常对崔浩就很谄媚，于是请求建造石刻，把《国书》镌刻在上面，同时还镌刻崔浩撰的《五经》注。崔浩也赞成这件事。恭宗觉得不错，于是在祭天处以东三里的地方营建石刻，方圆一百三十步，用了三百万个劳动日才刻成。

世祖搜于河西，诏浩诣行在所议军事。浩表曰：“昔汉武帝患匈奴强盛，故开凉州五郡，通西域，劝农积谷，为灭贼之资。东西迭击。故汉未疲，而匈奴已弊，后遂入朝。昔平凉州，臣愚以为北贼未平，征役不息，可不徙其民，案前世故事，计之长者。若迁民人，则土地空虚，虽有镇戍，适可御边而已，至于大举，军资必乏。陛下以此事阔远，竟不施用。如臣愚意，犹如前议，募徙豪强大家，充实凉土，军举之日，东西齐势，此计之得者。”

浩又上《五寅元历》，表曰：“太宗即位元年，敕臣解《急就章》、《孝经》、《论语》、《诗》、《尚书》、《春秋》、《礼记》、《周易》。三年成讫。复诏臣学天文、星历、《易》式、九宫，无不尽看。至今三十九年，昼夜无废。臣禀性弱劣，力不及健妇人，更无余能，是以专心思书，忘寝与食，至乃梦共鬼争义。遂得周公、孔子之要术，始知古人有虚有实，妄语者多，真正者少。自秦始皇烧书之后，经典绝灭。汉高祖以来，世人妄造历术者有十余家，皆不得天道之正，大误四千，小误甚多，不可言尽。臣愍其如此。今遭陛下太平之世，除伪从真，宜改误历，以从天道。是以臣前奏造历，今始成讫。谨以奏呈。唯恩省察，以臣历术宣示中书博士，然后施用。非但时人，天地鬼神知臣得正，可以益国家万世之名，过于三皇、五帝矣。”事在《律历志》。

**【译文】**

世祖在黄河西边打猎，令崔浩到自己所在的地方来商量军事。崔浩上表说："先前汉武帝因匈奴强盛而感到忧虑，所以开拓凉州五郡之地，沟通西域，鼓励农业生产。聚积粮食，作为消灭敌人的资本。东西轮流进击，所以汉朝没有衰弱，而匈奴已经破败，后来便臣服于汉。以前平定凉州时，我认为北方敌人还没有消灭，战争还未停止，可以不迁徙那儿的人口。根据前汉旧事看，这个计划比较好。如果迁走人口，那里空虚，虽然设置镇、戍，只可用来防守边境罢了。若要大举进攻，必然会出现军备不足的情况。陛下当时认为这事情迂阔，竟没有采用。按我的想法，还是应照先前意见，招募迁徙豪强大族，以充实凉州之地，出军之时，东西力量相同，这是好计策。"

崔浩又献上《五寅元历》，并上表说："太宗即帝位的当年，令臣注解《急就章》、《孝经》、《论语》、《诗》、《尚书》、《春秋》、《礼记》、《周易》等书，我用三年时间才完成。太宗又令我学习天文、星历、《易》式、九宫等术，有关的书，我全都看了。如今已有三十九年了，我白天晚上都没停过。臣下生性低劣，力气还比不上一个强壮的妇女，也没其他才能，所以一心一意思考书籍中的问题，废寝忘食，甚至竟梦见和鬼争论问题。因此获得了周公、孔子的精髓，才知道古人文章中有虚有实，胡说八道的时候多，讲真话的时候少。自从秦始皇焚烧《诗》、《书》以后，儒家经典便灭绝了。汉高祖以来，世人妄造历法者有十多人，都没有掌握天道正义，大错误有四十项，小错误就多得说不完。我为此而感到忧伤。现在欣逢陛下太平之世，消除谬误，遵从真理，也应当修改错误的历法，以顺从天道。所以我先前报告要制定历法，如今才完成。谨把它奉献上来，望陛下加以省察，把我制定的历法向中书博士们公开，然后在全国实施。不仅今世之人，就是天地鬼神知道我弄清了正确的历法，也可以为国家万代声名增添光彩，使陛下超过三皇、五帝啊。"这事记载在《律历志》中。

真君十一年六月诛浩，清河崔氏无远近，范阳卢氏、太原郭氏、河东柳氏，皆浩之姻亲，尽夷其族。初，郄标等立石铭刊《国记》，浩尽述国事，备而不典。而石铭显在衢路，往来行者咸以为言，事遂闻发。有司按验浩，取秘书郎吏及长历生数百人意状。浩伏受赇，其秘书郎吏已下尽死。

浩始弱冠，太原郭逸以女妻之。浩晚成，不曜华采，故时人未知。逸妻王氏，刘义隆镇北将军王仲德姊也，每奇浩才能，自以为得婿。俄而女亡，王深以伤恨，复以少女继婚。逸及亲属以为不可，王固执与之，逸不能违，遂重结好。浩非毁佛法，而妻郭氏敬好释典，时时读诵。浩怒，取而焚之，捐灰于厕中。及浩幽执，置之槛内，送于城南，使卫士数十人溲其上，呼声嗷嗷，闻于行路。自宰司之被戮辱，未有如浩者，世皆以为报应之验也。初浩构害李顺，基萌已成，夜梦秉火爇顺寝室，火作而顺死，浩与室家群立而观之。俄而顺弟息号哭而出，曰："此辈，吾贼也！"以戈击之，悉投于河。寤而恶之，以告馆客冯景仁。景仁曰："此真不善也，非复虚事。夫以火爇人，暴之极也。阶乱兆祸，复己招也。《商书》曰：'恶之易也，如火之燎于原，不可向迩，其犹可扑灭乎？'且兆始恶者有终殃，积不善者无余庆。厉阶成矣，公其图之。"浩曰："吾方思之"，而不能悛，至是而族。浩既工书，人多托写《急就章》。从少至老，初不惮劳，所书盖以百数，必称"冯代强"，以示不敢犯国，其谨也如此。浩书体势及其先人，而妙巧不如也。世宝其迹，多裁割缀连以为模楷。

**【译文】**

太平真君十一年六月，诛杀崔浩，清河崔氏不论远近，范阳卢氏、太原郭氏、河东柳氏都是崔浩联姻的亲戚，全都被族灭。当初，郄标等建立石刻，刊载《国记》，崔浩记叙国家之事，详尽却不典雅，而用石刻把这些暴露在交通要道上，来往过路人都谈论上面的事，这件事，便被上边发觉了。有关官员审讯崔浩，取得了秘书郎吏与长历生等数百人的供词。崔浩承认自己曾接受贿赂，秘书郎吏以下全都被杀。

崔浩才二十岁时，太原人郭逸把女儿嫁给他为妻。崔浩大器晚成，不以辞藻自我炫耀，所以当时人知道他的不多。郭逸妻子王氏是刘义隆镇北将军王仲德的姐姐，她常为崔浩的才能而感到惊奇，自认为得了一个好女婿。不久女儿死了，王氏为此深感遗憾，又把小女儿送去，再次联姻。郭逸和亲属都认为要不得，王氏坚持把小女儿送去，郭逸不能违背，于是重新结为姻亲。崔浩诋毁佛教，而其妻郭氏却崇爱佛教经典，经常诵读。崔浩很生气，就把佛经拿来烧掉，并把灰烬倒在厕所中。当崔浩被囚禁，用栅笼送到城南时，让几十个看守轮流在栅笼上小便，士兵们大呼小叫，嗷嗷之声路上的行人全都听见了。大臣被杀之辱，没有谁像崔浩这么惨。世人都认为这是遭受报应。起先崔浩陷害李顺，事情已基本准备成熟，晚上梦见自己拿着火把去烧李顺的卧室，火燃起后，李顺被烧死了，崔浩与自己一家人都站在一边看。忽然李顺的弟弟和儿子们号哭着冲出来说："这帮家伙是我们的仇人啊！"用戈刺杀崔浩等人，把他们全都扔进了河里。崔浩醒来后，对这个梦感到讨恶，就把它告诉自己收养的宾客冯景仁。冯景仁说："这梦确实不好啊，而且并非无中生有。拿火去烧活人，也太残暴了。制造乱事，形成灾祸，都是自己找的。《商书》上说：'不要轻视小恶，否则，就好像大火在原野里燃烧起来，不可接近，还能够扑灭吗？'而且最先作恶的人终将遭殃，长期做不好的事也不会有好结果。祸害之因已经形成，您还是想想办法吧。"可是崔浩不能改正错误，到这时便遭灭族之祸。崔浩善于写字，很多人都请他抄写《急就章》。他从小到老，一点也不怕劳累，大概写了上百遍，（碰到"冯汉强"三字，）他总是写为"冯代强"，表示自己不敢触犯国家忌讳，他就是这样谨慎。崔浩书法的字体和笔势比得上他的先辈，但微妙细巧之处却比不上。世人把他的手迹视为珍宝，大都加以裁割粘贴，作为字帖临摹。

浩母卢氏，谌孙也。浩著《食经叙》曰："余自少及长，耳目闻见，诸母诸姑所修妇功，无不蕴习酒食。朝夕养舅姑，四时祭祀，虽有功力，不任僮使，常手自亲焉。昔遭丧乱，饥馑仍臻，饘蔬糊口，不能具其物用，十余年间不复备设。先妣虑久废忘，后生无知见，而少不习业书，乃占授为九篇，文辞约举，婉而成章，聪辩强记，皆此类也。亲没之后，值国龙兴之会，平暴除乱，拓定四方。余备位台铉，与参大谋，赏获丰厚，牛羊盖泽，赀累巨万。衣则重锦，食则粱肉。远惟平生，思季路负米之时，不可复得，故序遗文，垂示来世。"

始浩与冀州刺史赜、荥阳太守模等年皆相次，浩为长，次模，次赜。三人别祖，而模、赜为亲。浩恃其家世魏晋公卿，常侮模、赜。模谓人曰："桃简正可欺我，何合轻我家周儿也。"浩小名桃简，赜小名周儿。世祖颇闻之，故诛浩时，二家获免。浩既不信佛、道，模深所归向，每虽粪土之中，礼拜形象。浩大笑之，云："持此头颅不净处跪是胡神也。"

史臣曰：崔浩才艺通博，究览天人，政事筹策，时莫之二，此其所以自比于子房也。属太宗为政之秋，值世祖经营之日，言听计从，宁廓区夏。遇既隆也，勤亦茂哉。谋虽盖世，威未震主，末途邂逅，遂不自全。岂鸟尽弓藏，民恶其上？将器盈必概，阴害贻祸？何斯人而遭斯酷，悲夫！

【译文】

崔浩的母亲卢氏是卢谌的孙女。崔浩曾作《食经叙》说："我从小到成人，各位婶娘和姑姑所做的妇女活计，据我看见的和听到的，都是操作酒食。平日奉养公公、婆婆及一年中祭祀之事，虽要用功夫、下力气，也不让仆人做，经常亲自动手。先前碰到战乱，连年遭受饥荒，只好用稠粥菜蔬糊口，不可能讲究饮食。有十多年中，都不再制作那些精美的食物。我已过世的母亲怕时间长了，这些食物的制作方法将被遗忘，后来的人见不到，而她小时候又没读过书，于是就口授为九篇文章，文辞简明，词义通达，这可见她是多么聪慧，记忆力多么好。母亲去世后，喜逢国家开创之机，平暴除乱，开拓平定四方。我位任公卿，参与制定各项重大谋略，获得丰厚的赏赐，牛羊成群，财产达亿万之多。衣服华丽，食物精美。回想此生，再想像季路那样负米赡养父母，也是不可能之事，所以为母亲的遗文作序，把它传给后世。"

当初，崔浩与冀州刺史崔赜、荥阳太守崔模年龄都有差别，崔浩最大，其次是崔模，最后是崔赜。三人不同祖，但崔模与崔赜的关系亲一些。崔浩依仗他家先祖为魏、晋时公卿，常欺侮崔模与崔赜。崔模对人说："桃简可以看不起我，但怎能也轻视我们家的周儿呢。"崔浩小名叫桃简，崔赜小名叫周儿。世祖也听说过不少这种话，所以杀崔浩的时候，崔模、崔赜两家不受牵连。崔浩不信佛教，崔模却一心皈依佛门，经常不顾自己身在粪土当中，而向佛像礼拜。崔浩讥笑他，说："用这脑袋在不干净的地方向这胡人的神灵朝拜。"

撰史人说：崔浩才艺通博，弄清了上天和人事有关的学问，在处理政务和制定计策方面，当时没有谁能比得上他。刚好遇到太宗执政和世祖开拓疆土的时机，对他言听计从，因此使中原得到安宁和统一。崔浩所受到的待遇是相当高了，而他做的事也很多。他谋略虽盖世无双，但并无震主之威势，最后遭不测之祸，以致于不能保全自己性命。这难道是飞鸟尽、良弓藏，人民仇视其统治者？或者是过分盈满，暗中造成的灾祸？为什么他这样的人遭受这么残酷的结局，真是太可悲了啊！

# 李冲列传

李冲，字思顺，陇西人，敦煌公宝少子也。少孤，为长兄荥阳太守承所携训。承常言："此儿器量非恒，方为门户所寄。"冲沉雅有大量，随兄至官。是时牧守子弟多侵乱民庶，轻有乞夺，冲与承长子韶独清简皎然，无所求取，时人美焉。

显祖末，为中书学生。冲善交游，不妄戏杂，流辈重之。高祖初，以例迁秘书中散，典禁中文事，以修整敏惠，渐见宠待。迁内秘书令、南部给事中。

旧无三长，惟立宗主督护，所以民多隐冒，五十、三十家方为一户。冲以三正治民，所由来远，于是创三长之制而上之。文明太后览而称善，引见公卿议之。中书令郑羲、秘书令高祐等曰："冲求立三长者，乃欲混天下一法。言似可用，事实难行。"羲又曰："不信臣言，但试行之，事败之后，当知愚言之不谬。"太尉元丕曰："臣谓此法若行，于公私有益。"咸称方今有事之月，校比民户，新旧未分，民必劳怨，请过今秋，至冬闲月，徐乃遣使，于事为宜。冲曰："民者，冥也，可使由之，不可使知之。若不因调时，百姓徒知立长校户之勤，未见均徭省赋之益，心必生怨。宜及课调之月，令知赋税之均。既识其事，又得其利，因民之欲，为之易行。"著作郎傅思益进曰："民俗既异，险易不同，九品差调，为日已久，一旦改法，恐成扰乱。"太后曰："立三长，则课有常准，赋有恒分，苞荫之户可出，侥幸之人可止，何为而不可？"群议虽有乖异，然惟以变法为难，更无异义。遂立三长，公私便之。

【译文】

李冲，字思顺，陇西人，敦煌公李宝最小的儿子。他很小的时候双亲就去世了，受到大哥荥阳太守李承的抚养教导。李承常说："这小家伙才能气度非同凡响，将成为我们家族的依靠。"李冲深沉儒雅，器量远大，其哥赴任，李冲随兄到任所。当时刺史太守的子弟们大都骚扰老百姓，有巧取豪夺的行为，只有李冲和李承的长子李韶极其清白，不向百姓索取财物，当时人都称赞他们。

显祖献文帝拓跋弘末年，李冲做中书学生。他善于同朋友们相处，不随便开玩笑或说不正经的事，同辈人都很尊重他。高祖孝文帝拓跋元宏即帝位初年，按惯例升李冲为秘书中散，掌管宫中文书事务，因为他行为严谨，做事机敏，逐渐受到宠信。升任内秘书令、南部给事中。

先前没有设置党、里、邻三长，只有宗主督护制度，因此百姓被豪族隐庇，户籍不实，五十家或三十家才立一个户头。李冲认为通过三正管理人户，历史已经很长了，因此创定三长制，把它上奏给执政者。文明太后看了之后，认为不错，便把李冲介绍给公卿大臣们来共同商量这件事。中书令郑羲、秘书令高祐等人说："李冲之所以请求设立三长，是想统一天下法令，这说起来似乎可以采纳，但实际上难以推行。"郑羲又说："不相信我的话，那就试试看，等事情失败之后，就会知道我的话没错。"太尉元丕说："我认为这一法令若能推行下去，对公对私都有好处。"他们都说现在正是农活忙的月份，如果清查登记户口，新迁户和原住户都没有区别，老百姓一定会因烦扰而生怨气，请求等这个秋天过后，到冬天没农活的月份，再慢慢派人推行，比较合适。李冲说："所谓民，就是冥，可以让他们怎样做，不可以让他们知道为什么要那样做。假如不趁征发租税的时候设置三长，百姓只知道设立三长清查户口烦人，看不到平均徭役、减少赋敛的好处，心里定会有怨气。应当趁收取租税的月份进行，使百姓知道这将有平摊赋税的好处，他们既知道置三长的事，又因此获得好处，利用百姓的愿望，就容易推行。"著作郎傅思益上前说："古今民俗不同，事情做起来危险和容易也不一样。如今将民户分为九等而征收赋税，已经实行很久了，一下子要加以改变，恐怕会发生动乱。"文明太后说："设立三长，租税徭役就有一定标准，隐匿的人口就可以清查出来，侥幸逃避的人也将停止，有什么不可以的？"大家意见虽仍不一致，但只不过认为变法实行起来不容易，更没有其他反对的说法。于是便设置三长，公家和老百姓都称道这样很方便。

迁中书令，加散骑常侍，给事中如故。寻转南部尚书，赐爵顺阳侯。

冲为文明太后所幸，恩宠日盛，赏赐月至数千万，进爵陇西公，密致珍宝御物以充其第，外人莫得而知焉。冲家素清贫，于是始为富室。而谦以自牧，积而能散，近自姻族，逮于乡闾，莫不分及。虚己接物，垂念羁寒，衰旧沦屈由之跻叙者，亦以多矣。时以此称之。

初，冲兄佐与河南太守来崇同自凉州入国，素有微嫌。佐因缘成崇罪，饿死狱中。后崇子护又纠佐赃罪，佐及冲等悉坐幽系，会赦乃免，佐甚衔之。至冲宠贵，综摄内外，护为南部郎，深虑为冲所陷，常求退避，而冲每慰抚之。护后坐赃罪，惧必不济。冲乃具奏与护本末嫌隙，乞原恕之，遂得不坐。冲从甥阴始孙孤贫，往来冲家，至如子侄。有人求官，因其纳马于冲，始孙辄受而不为言。后假方便，借冲此马，马主见冲乘马而不得官，后乃自陈始末。冲闻之，大惊，执始孙以状款奏，始孙坐死。其处要自厉，不念爱恶，皆此类也。

**【译文】**

李冲升任中书令，加官散骑常侍，南部给事中一职仍保留。不久转任南部尚书，被赐以顺阳侯的爵位。李冲受到文明太后的宠爱，日甚一日，赏赐的财物每月达数千万钱之多，进其爵为陇西公，暗中把珍宝及皇帝所用之物送往他的家中，外面的人无从知道这些事。李冲家一直清贫，这时才开始成为富家。但他做事谦虚，并以此自我约束，把积蓄的财物分散给别人，从姻亲同族到同乡同里的人，都得到过他的施舍。他虚己待人，留心照顾漂泊贫寒之士，门第衰落的家族及沦落的士人通过他而得到升迁的为数不少。当时人都为此称赞他。

起先，李冲的哥哥李佐与河南太守来崇一起从凉州来到魏都城，他俩平时有小矛盾。李佐因一次机会使来崇获罪，来崇饿死于监狱中。其后来崇之子来护又举报李佐犯有贪污罪，李佐与李冲等人均被逮捕入狱，碰到大赦，才免除罪罚，李佐因而痛恨来护。等到李冲受宠尊贵，执掌内外大权，来护为尚书南部郎，非常担心会被李冲陷害，多次请求免官退避，但李冲总都安慰他。来护后来犯了贪污罪，担心自己一定不能免死。李冲于是将自己与来护之间的隔阂原原本本地向上做了报告，请求宽恕来护，来护因此没被判刑。李冲的从甥阴始孙自幼父母双亡，家又穷，常到李冲家去，有如李冲的子侄一样。有人想做官，通过阴始孙向李冲送了一匹马，始孙把马接下，却没向李冲说起这事。后来李冲要乘马方便，阴始孙便把这匹马借给李冲，送马的人看到李冲骑着自己送的马，而自己却没有得到官位，后来送马人便自己把事情的始末经过给李冲讲了。李冲听说这事后，大吃一惊，把始孙逮捕起来，写成自首状报告朝廷，始孙被判处死刑。李冲身居要职，却严格要求自己，不照顾亲近的人，也不报复旧仇，都像这类情况。

是时循旧，王公重臣皆呼其名，高祖常谓冲为中书而不名之。文明太后崩后，高祖居丧，引见待接有加。及议礼仪律令，润饰辞旨，刊定轻重，高祖虽自下笔，无不访决焉。冲竭忠奉上，知无不尽，出入忧勤，形于颜色。虽旧臣戚辅，莫能逮之，不法服其明断慎密而归心焉。于是天下翕然，及殊方听望，咸宗奇之。高祖亦深相仗信，亲敬弥甚，君臣之间，情义莫二。及改置百司，开建五等，以冲参定典式，封荥阳郡开国侯，食邑八百户，拜廷尉卿。寻迁侍中、吏部尚书、咸阳王师。东宫既建，拜太子少傅。高祖初依《周礼》，置夫、嫔之列，以冲女为夫人。

诏曰："昔轩皇诞御，垂栋宇之构；爰历三代，兴宫观之式。然茅茨土阶，昭德于上代；层台广厦，崇威于中叶。良由文质异宜，华朴殊礼故也。是以周成继业，营明堂于东都；汉祖聿兴，建未央于咸镐。盖所以尊严皇威，崇重帝德，岂好奢恶俭，苟弊民力者哉？我皇运统天，协纂乾历，锐意四方，未遑建制，宫室之度，颇为未允。太祖初基，虽粗有经式，自兹厥后，复多营改。至于三元庆飨，万国充庭，观光之使，具瞻有阙。朕以寡德，猥承洪绪，运属休期，事钟昌运，宜遵远度，式兹宫宇。指训规模，事昭于平日；明堂、太庙，已成于昔年。又因往岁之丰资，借民情之安逸，将以今春营改正殿。违犯时令，行之惕然。但朔土多寒，事殊南夏，自非裁度当春，兴役徂暑，则广制崇基，莫由克就。成功立事，非委贤莫可；改制规模，非任能莫济。尚书冲器怀渊博，经度明远，可领将作大匠；司空、长乐公亮，可与大匠共监兴缮。其去故崇新之宜，修复太极之制，朕当别加指授。"

【译文】

这时还按旧规矩，王公重臣都直呼其名，只有高祖孝文帝常把李冲称作“中书”而不叫他的名字。文明太后逝世后，高祖在守丧期间接见李冲，比先前更为频繁。议定礼仪和律令制度，遣词造句、修改及决定令文的轻重，虽都是高祖亲自动手写定，但没哪一项不是询问李冲后再做决定的。李冲竭尽忠诚，侍奉孝文帝，凡他知道对国家有利的事，都尽心尽力去做，无论是在官府还是在自己家中，都为国事忧心操劳，从他的举止行动中就可以看出来。就算朝中的老臣和皇亲国戚，也比不上他，无不佩服他做事明白果断又审慎细致，大家都很相信他。于是所有魏国人及他国来魏使节，都把他看成奇才。高祖对他也极依赖信任，亲敬有加，君臣二人之间的情义，没有谁能比得上。后来重新设置各级官员，创置五等封爵制度，都因李冲参与制定法令条例，而封他为荥阳郡开国侯，食邑八百户，并任命他为廷尉卿。不久又升任侍中、吏部尚书、咸阳王师。设立太子后，又任他为太子少傅。高祖开始根据《周礼》，于后宫设置夫人、九嫔等，以李冲的女儿充作夫人。

孝文帝发布诏书说：“先前轩辕皇帝统治臣民时，开始建造房舍；到了夏、商、周三代君主时，便兴建宫殿。茅草盖屋，夯土成阶，显示了上古君主的德行；而高楼大厦也体现了中世帝王的威风。这确实因为文彩和质朴适应于不同时代，繁华和朴素代表着不同的礼仪制度。所以周成王继承王业后，在东都洛阳修造明堂；汉高祖刚夺得天下，便在咸阳修建未央宫。这是为了尊崇皇帝的威严，使皇帝的品德更为崇高伟大，哪里是因为他们喜欢奢侈、厌恶俭朴而剥夺民力呢？今我皇朝先代承天运命，开创大业，一心开拓疆土，来不及搞建设，使宫室规模，不能令人满意。太祖开创基业之初，虽曾按古制修建了一些，但那以后，又经过多次重新改建。以至于正月朝会，各国使臣齐集的时候，不能向他们显示我国的气派。我德行不高，辱承祖宗大业，恰好遇到国家昌盛的时期，应遵循先代圣王的制度，建造宫室。有关指导思想和规划，早已讲得很明白了；明堂、太庙都已在去年建成。现在我又想利用去年留下来的丰富的财物，趁百姓安定闲适的时机，在今年春天改建正殿。这违反了季节，做起来也让人有些提心吊胆的，但北方寒冷天气多，和南方中原的情况不一样，如果不从春天开工，到夏天完成，那么宏大的宫殿将永远不可能建成。要把事情做好，只有委仗贤才；改变制度，设计规划，也只有能人可胜任。尚书李冲才干超群，胸怀远大，可代理将作大匠；司空、长乐公穆亮，可与将作大匠一起监察修筑之事。至于怎样以新制代替旧制及太极殿的修建规划，我会另外给你们指示。”

车驾南伐，加冲辅国大将军，统众翼从。自发都至于洛阳，霖雨不霁，仍诏六军发轸。高祖戎服执鞭，御马而出，群臣启颡于马首之前。高祖曰：“长驱之谋，庙算已定，今大军将进，公等更欲何云？”冲进曰：“臣等不能折冲帷幄，坐制四海，而令南有窃号之渠，实臣等之咎。陛下以文轨未一，亲劳圣驾，臣等诚思亡躯尽命，效死戎行。然自离都淫雨，士马困弊，前路尚遥，水潦方甚。且伊洛境内，小水犹尚致难，况长江浩汗，越在南境。若营舟楫，必须停滞，师老粮乏，进退为难，矜丧反旆，于义为允。”高祖曰：“一同之意，前已具论。卿等正以水雨为难，然天时颇亦可知。何者？夏既炎旱，秋故雨多，玄冬之初，必当开爽。比后月十间，若雨犹不已，此乃天也，脱于此而晴，行则无害。古不伐丧，谓诸侯同轨之国，非王者统一之文。已至于此，何容停驾。”冲又进曰：“今者之举，天下所不愿，唯陛下欲之。汉文言，吾独乘千里马，竟何至也？臣有意而无其辞，敢以死请。”高祖大怒曰：“方欲经营宇宙，一同区域，而卿等儒生，屡疑大计，斧钺有常，卿勿复言！”策马将出。于是大司马、安定王休，兼左仆射、任城王澄等并殷勤泣谏。高祖乃谕群臣曰：“今者兴动不小，动而无成，何以示后？苟欲班师，无以垂之千载。朕仰惟远祖，世居幽漠，违众南迁，以享无穷之美，岂其无心，轻遗陵壤。今之君子，宁独有怀？当由天工人代、王业须成故也。若不南銮，即当移都于此，光宅土中，机亦时矣，王公等以为何如？议之所决，不得旋踵，欲迁者左，不欲者右。”安定王休等相率如右。前南安王桢进曰：“夫愚者暗于成事，智者见于未萌。行至德者不议于俗，成大功者不谋于众，非常之人乃能建非常之事。廓神都以延王业，度土中以制帝京，周公启之于前，陛下行之于后，故其宜也。且天下至重，莫若皇居，人之所贵，宁如遗体？请上安圣躬，下慰民望，光宅中原，辍彼南伐。此臣等愿言，苍生幸甚。”群臣咸唱“万岁”。

【译文】

孝文帝亲自率军南伐萧齐，加授李冲辅国大将军，让他带一支部队跟随大军以相策应。从平城出发直到抵达洛阳，阴雨连绵，没一个晴天，孝文帝在洛阳又下令大军开拔。他全副武装，手执马鞭，骑马将出军营，群臣都在他的马前跪下叩头。孝文帝说：“我早就制订好了长驱直入的计划，现在大军将继续前进，你们还要说些什么？”李冲走到前面说：“我们臣下不能通过决策帷幄使陛下安居，四海臣服，而让南方还存在僭称皇帝的罪魁，这确实是我们的罪责。陛下因天下仍未统一，亲自率军前往，我们实在想过要舍身忘命，在战场上拼死尽力。但是从离开都城以来，长期下雨不止，战士和马匹都极其疲倦，而前边的道路还很遥远，水势正在上涨，而且在洛阳这儿，小小雨水已使大军难以行动，何况南边还有波涛汹涌的长江。假若要造船只，必定得让大军停留等待，那样会使军队士气低落，给养缺乏，进退两难。考虑到有失败的危险而退军，从道理上讲这才是合理的选择。”高祖说：“我要统一天下的想法，先前已给你们详细地讲过了。现在你们只不过因雨水便感到为难，但时令是可以预知的，怎么说呢？夏天既然炎热大旱，秋天雨水必然会多，初冬之时，一定会有晴朗天气。等到十月间，如雨还是下个不停，那就只好说是天意如此了，假如那时会晴，那么现在进军就没有什么害处。古人不趁人有丧事而发动进攻，讲的是统一政权下诸侯国家之间的事，不是指帝王发动的统一战争。现在事情已经到了这一步，哪能中途停止呢。”李冲又向前说：“这次举兵，天下的人都不愿发生，只有陛下想这样做。汉文帝曾说过：‘我一个人就算骑了一匹千里马，又能走到哪儿去呢？’我的想法未能用语言表达出来，只好斗胆以生命请求退军。”孝文帝大怒说：“我正打算经略天下，实现统一，你们这帮儒生多次使此大计不能贯彻执行。按照常规，你们是应受刑罚的，你不要再说了！”说完就要骑马出去。于是大司马、安定王拓跋休，兼左仆射、任城王拓跋澄等人都哭着不停地谏阻。孝文帝于是告诉群臣说：“这次行动声势不小，如果有行动而无成就，怎能给后代做出表率？如果就此班师回平城，就不能扬声誉于千载以后了。我想我们先祖，本来居住在极遥远的大漠，后违背众人意愿向南迁徙，给子孙后代留下无穷无尽的好处。难道是他没有恋念故土之情，而轻易地抛弃祖先的坟墓和家乡，而只有今天的有德行的人才有这种情感吗？应当说这是上天的职责要通过人才能完成，帝王大业需有所成就的缘故啊。如今如不继续向南进发，就应把都城迁到这儿，定都于大地正中央，现在正是大好时机，王公们认为如何？谋议决定以后，就不得改变了。愿意迁都的站在左边去，不愿意的站到右边。”安定王拓跋休等一同站到了右边。曾做过南安王的拓跋桢走向前说：“愚昧的人对已经做成的事情还理解不了，而聪明人在事情还未起因时便能有所觉察。推行大德的人不会和常人商议，要成就大功大业的人就不能和众人谋划。只有不一般的人才做作不一般的事。开拓皇都使帝王之业更为久长，于大地正中营建京城，周公先前曾这样做过，现在陛下您又如此行事，所以本就应该这样。而且天下最重要的莫过于京都，人所最贵重的莫过于父母恩赐的身体，请陛下善自保重，以使天下百姓放心，迁都中原，停止南伐。这是我们的由衷之言，也是天下苍生的幸事。”群臣都齐声高呼“万岁”。

高祖初谋南迁，恐众心恋旧，乃示为大举，因以胁定群情，外名南伐，其实迁也。旧人怀土，多所不愿，内惮南征，无敢言者，于是定都洛阳。冲言于高祖曰：“陛下方修周公之制，定鼎成周。然营建六寝，不可游驾待就；兴筑城郛，难以马上营讫。愿暂还北都，令臣下经造，功成事讫，然后备文物之章，和玉銮之响，巡时南徙，轨仪土中。”高祖曰：“朕将巡省方岳，至邺小停，春始便还，未宜遂不归北。”寻以冲为镇南将军，侍中、少傅如故，委以营构之任。改封阳平郡开国侯，邑户如先。

车驾南伐，以冲兼左仆射，留守洛阳。车驾渡淮，别诏安南大将军元英、平南将军刘藻讨汉中，召雍泾岐三州兵六千人拟戍南郑，克城则遣。冲表谏曰：“秦州险阨，地接羌夷，自西师出后，饷援连续，加氐胡叛逆，所在奔命，运粮擐甲，迄兹未已。今复豫差戍卒，悬拟山外，虽加优复，恐犹惊骇，脱终攻不克，徒动民情，连胡结夷，事或难测。辄依旨密下刺史，待军克郑城，然后差遣，如臣愚见，犹谓未足。何者？西道险阨，单径千里，今欲深戍绝界之外，孤据群贼之中，敌攻不可卒援，食尽不可运粮。古人有言，‘虽鞭之长，不及马腹’，南郑于国，实为马腹也。且昔人攻伐，或城降而不取；仁君用师，或抚民而遗地。且王者之举，情在拯民；夷寇所守，意在惜地。校之二义，德有浅深。惠声已远，何遽于一城哉？且魏境所掩，九州过八，民人所臣，十分而九。所未民者，惟漠北之与江外耳。羁之在近，岂急急于今日也？宜待大开疆宇，广拔城聚，多积资粮，食足支敌，然后置邦树将，为吞并之举。今钟离、寿阳，密迩未拔；赭城、新野，跬步弗降。所克者舍之而不取，所降者抚之而旋戮。东道既未可以近力守，西蕃宁可以远兵固？若果欲置者，臣恐终以资敌也。又今建都土中，地接寇壤，方须大收死士，平荡江会。轻遣单寡，弃令陷没，恐后举之日，众以留守致惧，求其死效，未易可获。推此而论，不戍为上。”高祖从之。

**【译文】**

高祖孝文帝开始计划迁都到南边时，怕大家心里依恋旧都，便表示要大举进攻南方，以此相威胁，好让大家取得一致，名义上虽说是南伐，实际上是向南迁都。贵族们依恋北方，很不情愿，但又怕对南方作战，才没有人表示反对，于是定都于洛阳。李冲对高祖说：“陛下将效仿周公，于成周洛阳营建都城，但您总不能到处奔走等皇宫建成，也不可能在马背上等城郭完工，希望陛下暂时回到北都平城，命令臣下营建新都，等事情完全做好后，再找个时间，堂而皇之地南迁中原，统治天下。”高祖说：“我将巡察四方，到邺城稍作停留，等开春后便回到平城，不可能就此不再回去。”不久任命李冲为镇南将军，侍中、太子少傅等官职仍保留，委以建造新都的重任。改其封爵为阳平郡开国侯，食邑户数如先前一样。

孝文帝又亲自率军南伐萧齐，让李冲兼任尚书左仆射，留守洛阳。孝文帝率军渡过淮河，又命令安南大将军元英、平南将军刘藻进攻汉中，并命征发雍、泾、岐三州地方兵共六千人，准备去南郑设防，等元英攻下南郑后就派他们前往。李冲打报告谏阻说：“秦州地势险峻，又接近羌族居住区，自从西面出军以后，转运军饷，增派援军，接连不断，再加上氐人叛乱，西方各州百姓奔走应命，或运送军粮，或裹甲从征，至今仍未停息。现在又预先征发士兵，打算把他们派到秦岭以南的地方去，虽然让他们优免赋税，但我还是担心这会引起他们的恐惧，假如南郑最后攻不下，徒然使民心骚动，若他们联合各少数族起事，事情就难以预料了。依照陛下下密令给各州刺史，让他们在大军确已攻克南郑后，才征发士卒加以派遣，就我个人看来，这还是不够的。为什么呢？西边道路险阻，羊肠小道逶迤千里，如今要在远离我方边界的地方，在群敌环伺的情况下孤城独守，若遭敌方进攻，不能立即增援，粮食耗尽又不能运去。古人说过'虽鞭之长，不及马腹'，南郑对我国来说，可说得上是马腹。而且古人发动战争，有时攻克敌方城池也不防守；仁德的君主指挥军队，有时只是为了安抚百姓而不是为了夺取土地。况且陛下举兵，究其本心是要救百姓于水火；而敌人固守，本意在于爱惜土地，比较两种用兵的意义，所显示的德行就有深浅不同。我军的好名声已传得很远，又何必忙于争夺一座城池呢？况且魏国疆域，于古代九州已超过八个，所统治的人民，占天下十分之九，还未臣服的，只有漠北和长江以南的人了。要不了多久就会让他们驯服，现在又何必操之过急呢？应等我国边界进一步扩展，攻占敌方更多的城池堡垒，聚积更多的财富粮食，使军粮充足，即使受到敌方的长期进攻也能支持得住，然后再设置机构，委派将领，准备全部消灭敌人。现在敌方钟离、寿阳二城接近我方边境，还未攻下，赭城、新野距洛阳没几步路，也没降服。我军攻下的城池放弃不加驻守，俘获的人员安抚之后旋加杀戮。东边较近的军队还不能坚守，难道调西边远方的兵卒来就可固守？如果真的要置兵防守，我担心最终也会送给敌人。现在定都中原，接近敌境，正须大力招募敢死之士，平定江南。如果轻率地派出势力弱小的部队，则等于抛弃他们，使他们落入敌手，恐怕往后有什么行动，大家都会害怕留守，要让他们舍身效力，就非轻易能得了。从此点来说，不戍守南郑为上策。"高祖听从了他的意见。

车驾还都，引见冲等，谓之曰："本所以多置官者，虑有令仆暗弱，百事稽壅，若明独聪专，则权势大并。今朕虽不得为聪明，又不为劣暗，卿等不为大贤，亦不为大恶。且可一两年许，少置官司。"

高祖自邺还京，泛舟洪池，乃从容谓冲曰："朕欲从此通渠于洛，南伐之日，何容不从此入洛，从洛入河，从河入汴，从汴入清，以至于淮？下船而战，犹出户而斗，此乃军国之大计。今沟渠若须二万人以下、六十日有成者，宜以渐修之。”冲对曰：“若尔，便是士无远涉之劳，战有兼人之力。”迁尚书仆射，仍领少傅。改封清渊县开国侯，邑户如前。及太子恂废，冲罢少傅。

【译文】

孝文帝回到都城，接见李冲等人，对他们说：“原先设置官员很多，这是担心尚书令、尚书仆射如果是昏庸懦弱的，则会使政事延误；如果是聪明能干的，又怕会出现权势过度集中的现象。现在我虽说不上是聪明的君主，也不能就算昏庸无才，你们说不上是大贤，也不能说成是大恶。姑且再等一两年，便可以精简机构。”

高祖从邺城回到京城洛阳，在洪池里荡舟时，不慌不忙地对李冲说：“我想从这儿凿条水道通向洛水，到南伐的时候，不就可以乘船从这儿到洛水，从洛水进入黄河，从黄河进入汴河，从汴河进入清水，再从清水进入淮河了吗？一下船就可战斗，好比出家门而对敌，这是国家的军事战略。今后如有需人在两万以下，六十天内便能修好的渠道，就应该逐渐修造。”李冲回答说：“如果那样的话，士兵们就不会受长途跋涉的劳苦，打起仗来一个顶俩。”不久李冲升任尚书仆射，仍代理太子少傅。改其爵位为清渊县开国侯，食邑户数与先前一样。后太子拓跋恂被废黜，李冲被免去太子少傅。

高祖引见公卿于清徽堂，高祖曰：“圣人之大宝，惟位与功，是以功成作乐，治定制礼。今徙极中天，创居嵩洛，虽大构未成，要自条纪略举。但南有未宾之竖，兼凶蛮密迩，朕夙夜怅惋，良在于兹。取南之计决矣，朕行之谋必矣。若依近代也，则天子下帷深宫之内；准上古也，则有亲行，祚延七百。魏晋不征，旋踵而殒，祚之修短，在德不在征。今但以行期未知早晚。知几其神乎，朕既非神，焉能知也。而顷来阴阳卜术之士，咸劝朕今征必克。此既家国大事，宜共君臣各尽所见，不得以朕先言，便致依违，退有同异。”冲对曰：“夫征战之法，先之人事，然后卜筮，今卜筮虽吉，犹恐人事未备。今年秋稔，有损常实，又京师始迁，众业未定，加之征战，以为未可。宜至来秋。”高祖曰：“仆射之言，非为不合。朕意之所虑，乃有社稷之忧。然咫尺寇戎，无宜自安，理须如此。仆射言人事未从，亦不必如此。朕去十七年，拥二十万众，行不出畿甸，此人事之盛，而非天时。往年乘机，天时乃可，而阙人事，又致不捷。若待人事备，复非天时，若之何？加仆射之言，便终无征理。朕若秋行无克捷，三君子并付司寇。不可不人尽其心。”罢议而出。

**【译文】**

孝文帝在清徽堂接见公卿，对他们说：“圣人最重要的事物是帝位和功业，所以功业成就后便制作音乐，政治安定后便制定礼仪。现在我们徙都中原，在洛阳再创帝都，虽然宏大的规划还未全部完成，但总的来说，大的方面已基本做成。但是南方还未降服，而且与强悍的少数民族接近，我经常彻夜未眠，想念的就是这件事。我征服南方的决心已下定，进攻的谋略也已做出。若按近代例子，天子是深居宫中不出的，若仿照上古的例子，天子就要亲自率军出征。周武王东征灭商，为后代开创了七百年的基业；魏、晋的君主不亲自出征，结果很快就灭亡了。因此，国运长短，决定于君主的德行，而不在于打不打仗。现在只是不知是早些行动好，还是晚一些行动好。能知道的大概也只有神仙了，我既然不是神仙，当然不可能知道。不过近来阴阳占卜方术之士都劝我，说今年出征一定能成功。这既然是国家的大事，我们君臣应该在一起各抒己见，不要因为我发了话，你们便顺从我，过后又有不同的看法。”李冲回答说：“决定打不打仗的方法，应当先分析人事，然后再参考占卜的结果，如今占卜说出军吉利，我还是担心人事还不周全。今年秋收，比往年要差一些，再加上刚迁都，百姓家业还未奠定，又让他们出征，我认为不行。应该等到明年秋天再说。”孝文帝说：“仆射的话不是没有道理。我所考虑的事，是国家的兴亡大事。敌人就在我们身边，不可能安居，道理上就是这样。仆射说人事不顺当，也不一定就如此。我于太和十七年率二十万大军出征，未到达边境便回来了，这主要是人事上的决定，与天时无关。去年又乘有利时机出兵，天时是有了，但人事不足，使此次行动又未能成功。假使等人事周全后，又与天时不合，该怎么办呢？像仆射所说的那样做，便永远不能出征。我若秋天出军不能大获全胜，将把你们拿来问罪。你们一定得人人尽心尽力。”于是宣告议论结束，大家走出清徽堂。

后世宗为太子，高祖宴于清徽堂。高祖曰：“皇储所以纂历三才，光昭七祖，斯乃亿兆咸悦，天人同泰，故延卿就此一宴，以畅忻情。”高祖又曰：“天地之道，一盈一虚，岂有常泰。天道犹尔，况人事乎？故有升有黜，自古而然。悼往欣今，良用深叹。”冲对曰：“东晖承储，苍生咸幸。但臣前忝师傅，弗能弼谐，仰惭天日，慈造宽含，得预此宴，庆愧交深。”高祖曰：“朕尚弗能革其昏，师傅何劳愧谢也。”

后尚书疑元拔、穆泰罪事，冲奏曰：“前彭城镇将元拔与穆泰同逆，养子降寿宜从拔罪。而太尉、咸阳王禧等，以为律文养子而为罪，父及兄弟不知情者不坐。谨审律意，以养子于父非天性，于兄弟非同气，敦薄既差，故刑典有降，是以养子虽为罪，而父兄不预。然父兄为罪，养子不知谋，易地均情，岂独从戮乎？理固不然。臣以为：依据律文，不追戮于所生，则从坐于所养，明矣。又律惟言父不从子，不称子不从父，当是优尊厉卑之义。臣禧等以为：‘律虽不正见，互文起制，于乞也举父之罪，于养也见子坐，是为互起。互起两明，无罪必矣。若以嫡继，养与生同，则父子宜均，只明不坐。且继养之法云：若有别制，不同此律。又令文云：诸有封爵，若无亲子，及其身卒，虽有养继，国除不袭。是为有福不及已，有罪便预坐。均事等情，律令之意，便相矛盾。伏度律旨，必不然也。’臣冲以为：指例条寻，罪有无疑，准令语情，颇亦同式。”诏曰：“仆射之议，据律明矣；太尉等论，于典矫也。养所以从戮者，缘其已免所生，故不得复甄于所养。此独何福，长处吞舟？于国所以不袭者，重列爵，特立制，因天之所绝，推而除之耳，岂复报对刑赏？于斯则应死，可特原之。”

**【译文】**

后来世宗元恪被立为太子，孝文帝在清徽堂设宴庆贺。孝文帝说：“设立皇太子，是准备让他继承帝位，协调天地与世人，光大祖宗的事业，这是亿万人民为之高兴，普天同乐的事。所以我把你叫来参加宴聚，共叙欢欣喜悦的心情。”孝文帝又说：“天地的法则，时圆时缺，哪能一直完美呢？天道尚且如此，又何况人事呢？所以有人被提升，就会有人遭贬黜，自古以来就是如此。我为先前的事感到难过，又为今天的事感到欣喜，这真让人感叹不已啊。”李冲回答说：“复置皇太子，如朝日东升，天下百姓都深感万幸。只是先前我忝为废太子的师傅，不能很好地辅导他，有愧陛下托付，陛下宽宏大量，让我参加这个宴会，我真是又高兴、又羞愧。”孝文帝说：“我作为父亲还不能阻止他胡作非为，你作为师傅又哪用得着惭愧道歉呢。”

后来尚书们在对元拔、穆泰等人的定罪问题上发生疑问。李冲上奏说：“前彭城镇将元拔与穆泰一起谋反，元拔养子元降寿应该同元拔一起问罪。可是太尉、咸阳王元禧等却认为，法律条文上说养子犯罪，其养父及兄弟不知内情者不连坐。谨按法律条文本意，是说养子与养父之间没有天然的联系，与兄弟之间没有血缘关系，情义既有差别，所以刑法上对其处罚也相应减轻，故养子虽犯了罪，其养父与兄弟可以不受牵连。那么如果养父和兄弟们犯了罪，养子不知道他们的预谋，关系倒过来，情形还是一样，怎能独在这种情况下而让养子从坐呢？从道理讲不应这样。我认为：按照法律条文，养子犯罪，其生身之父不受诛连，那么很明显，他的养父就应该连坐；而且，法律上只说养父可不因养子有罪而获罪，而没有说养父有罪，养子可以不连坐，法律这种规定应是取对尊长优待而对晚辈严厉之义。臣下元禧等认为：‘法律上未见明文规定，但是这是条例互见的原则，在有关收继的条目下列举养父犯罪时的惩罚办法，在有关养育条目下又列举养子犯罪时的惩罚办法，这就叫所谓互起。而律文中互起两项规定都清楚明了，养子肯定可宣判无罪。假如以嫡子身份继承爵位，养子与亲生之子一样对待，那么养父养子应相互连坐，而这一点也可证明养子可以不因养父有罪而受诛连。况且继养的律令条文下的注文说：如果皇上有特别命令，可以不按此律文行事。又令文说：有封爵的人，如果没有亲生儿子，自身死亡之后，其封爵作废，不再由养子继承。这就是说养子有好事赶不上，有罪责逃不了。情形差不多，可是律令条文就自相矛盾了。我们想法律的本意，一定不会是这样的。’臣下李冲认为：根据案例和法律条文，元降寿当连坐无疑，从令文说到据情节定罪，也应该如此。”孝文帝于是发布诏令说：“仆射的议论，很明显是有法律根据的，太尉等人的议论，则违背了法典本意。养子之所以要与养父连坐，是因他既可不因生父有罪而受诛连，所以不能再免去因养父而所获之罪。要不养子就太有福气了，使他可以长逃法网！养子之所以不能继承养父的爵位，目的是要使爵位受到尊重，所以特别立下规定，趁上天绝其后代，顺势除其封爵罢了，哪能因此而免除其罪罚？元降寿应连坐而死，但可特此赦免他。”

冲机敏有巧思，北京明堂、圆丘、太庙，及洛都初基，安处郊兆，新起堂寝，皆资于冲。勤志强力，孜孜无怠，旦理文簿，兼营匠制，几案盈积，剞劂在手，终不劳厌也。然显贵门族，务益六姻，兄弟子侄，皆有爵官，一家岁禄，万匹有余，是其亲者，虽复痴聋，无不超越官次。时论亦以此少之。

**【译文】**

李冲机敏而富有创造性思维，平城的明堂、圆丘、太庙等建筑物以及洛阳划定基址、设置郊庙之地、官殿建筑等事，都由李冲操办。他矢志勤勉，尽力为公，孜孜不倦，一大早便起来处理文件，并兼掌都城营建的工作，案头文书总是堆得满满的，他审阅批驳，始终不感到劳累厌倦。但他致力于使自己的家族显贵于世，并给自己的亲戚谋求好处，他的兄弟和儿子侄儿们都做了官、封了爵位，一家人每年俸禄收入有一万多匹绢布，只要与他有亲戚关系，不管是呆是聋，无不越级提升。当时人们谈起来，也因此而轻视他。

年才四十，而鬓发班白，姿貌丰美，未有衰状。李彪之入京也，孤微寡援，而自立不群，以冲好士，倾心宗附。冲亦重其器学，礼而纳焉，每言之于高祖，公私共相援益。及彪为中尉、兼尚书，为高祖知待，便请非复藉冲，而更相轻背，惟公坐敛袂而已，无复宗敬之意也。冲颇衔之。后高祖南征，冲与吏部尚书、任城王澄并以彪倨傲无礼，遂禁止之。奏其罪状，冲手自作，家人不知，辞甚激切，因以自劾。高祖览其表，叹怅者久之，既而曰："道固可谓溢也，仆射亦为满矣。"冲时震怒，数责彪前后愆悖，瞋目大呼，投折几案。尽收御史，皆泥首面缚，詈辱肆口。冲素性温柔，而一旦暴恚，遂发病荒悸，言语乱错，犹扼腕叫詈，称李彪小人。医药所不能疗，或谓肝藏伤裂。旬有余日而卒，时年四十九。高祖为举哀于悬瓠，发声悲泣，不能自胜。诏曰："冲贞和资性，德义树身，训业自家，道素形国。太和之始，朕在弱龄，早委机密，实康时务。鸿渐瀍洛，朝选开清，升冠端右，惟允出纳。忠肃柔明，足敷睿范，仁恭信惠，有结民心。可谓国之贤也，朝之望也。方升宠秩，以旌功旧，奄致丧逝，悲痛于怀。既留勤应陟，兼良宿宜褒，可赠司空公，给东园秘器、朝服一具、衣一袭，赠钱三十万、布五百匹、蜡二百斤。"有司奏谥曰文穆。葬于覆舟山，近杜预冢，高祖之意也。后车驾自邺还洛，路经冲墓，左右以闻，高祖卧疾望坟，掩泣久之。诏曰："司空文穆公，德为时宗，勋简朕心，不幸徂逝，托坟邙岭，旋銮覆舟，躬睇茔域，悲仁恻旧，有恸朕衷。可遣太牢之祭，以申吾怀。"及与留京百官相见，皆叙冲亡没之故，言及流泪。高祖得留台启，知冲患状，谓右卫宋弁曰："仆射执我枢衡，总厘朝务，清俭居躬，知宠已久。朕以仁明忠雅，委以台司之寄，使我出境无后顾之忧，一朝忽有此患，朕甚怀怆慨。"其相痛惜如此。

冲兄弟六人，四母所出，颇相忿阋。及冲之贵，封禄恩赐皆以共之，内外辑睦。父亡后同居二十余年，至洛乃别第宅，更相友爱，久无间然。皆冲之德也。始冲之见私宠也，兄子韶恒有忧色，虑致倾败。后荣名日显，稍乃自安。而冲明目当官，图为己任，自始迄终，无所避屈。其体时推运，皆此类也。子延寔等，语在《外戚传》。

**【译文】**

李冲才四十岁时，两鬓头发就花白了，但他相貌堂堂，没有衰老的迹象。李彪刚到京城来的时候，独自一人，没有名声，又没有朋友援助，但却能保持操守，不随流俗，因李冲喜欢招徕士人，便全心依附于他。李冲也看重李彪的才干学识，对他以礼相待，常在孝文帝面前谈到他，在公事和私事方面都给予帮助。后李彪任御史中尉，兼任度支尚书，被孝文帝熟识并受到亲信，便认为自己并不是凭借李冲才走到这一步，而且轻视李冲，与他发生矛盾。两人在大庭广众见面，李彪只整理一下衣袖便算是向李冲表示敬意而已，不再依附尊崇他。李冲为此很恨李彪。后来孝文帝率军南征，李冲与吏部尚书、任城王元澄都认为李彪傲慢无礼，把他看押起来。向孝文帝奏说李彪的罪状，奏章是李冲亲自写的，家里人都不知道这事，奏文中言辞激动，并承认自己因推荐李彪也有罪责。孝文帝读完奏章以后，叹息不快了很久，好一会儿才说："李彪可说是太不检点了，仆射的行为也过分啊！"李冲当时极为愤怒，反复指责李彪历来所犯错误和无礼行为，并瞪着眼睛大声呵斥，把案桌都摔坏了。他还让人把御史们都抓起来，在他们头上涂上泥巴表示有罪，并把他们的双手绑在胸前，对他们破口大骂。李冲平常性情很温和，可是这次突发狂怒，因此生病，神经错乱，胡言乱语，仍紧握双手，大声痛骂，称李彪为小人，吃药也没效果，有人说这是肝脏碎裂所致。过了十多天以后，李冲便死了，当时才四十九岁。孝文帝在悬瓠为他发丧，悲痛得哭出声来。于是发布诏令说："李冲生性坚贞温和，以德义塑造自己，受到家庭的良好教养，节俭朴素，对全国都发生影响。太和初年，我年龄很小，把国家机密大事委托给他，而他把政事都处理得很完美。后来迁都洛阳，朝廷选举区别清流，他官任群臣之首，掌管诏令出纳。他忠诚严谨、文雅聪明，是群臣的好榜样。他仁慈恭敬、取信于民，为他们谋福利，受到人民的衷心爱戴。他可以说是国家的贤臣，朝廷的期望。正准备给他更丰厚的俸禄，以表彰他的功勋的时候，他却忽然间离我们而去，使我内心十分悲痛。他留守辛勤，本应加赏，而且是朝中老臣，更应褒奖，可赠他司空公，送棺椁及朝服一套、上衣一件，赠送他家钱三十万、布五百匹、蜡二百斤。"给李冲"文穆"的谥号。安葬在覆舟山上，坟墓靠近杜预的坟墓，这是孝文帝的主意。后来孝文帝从邺城返回洛阳，途经李冲的墓旁，左右侍臣把这事给他说了，孝文帝当时卧病不起，还是前往探望，伤心地哭了很久。下诏说："司空文穆公德行为当今第一，其功勋我永远也不会忘记，他不幸去世，在邙岭的坟墓中安身，我回程路过覆舟山，亲自来察看他的坟墓，悲仁人早去，伤昔日情谊，使我内心悲恸不已。可用太牢的礼仪祭祀他，以此表示我的心怀。"后来他与京城留守的大臣们见面，都谈到李冲死亡的情况，一说就流眼泪。当初孝文帝收到留台送来的报告，知道李冲的病情，对右卫将军宋弁说："仆射执掌国家大权，总管朝廷政务，他廉洁俭朴，事必躬亲，我很早就了解他，信任他。我正因为他仁慈聪明，忠诚正直，才把政府各部门都交给他，使我率军进攻敌人时没有后顾之忧，现在他忽然得了这种病，我深感悲叹。"他如此为李冲痛惜。

李冲兄弟共有六人，是四个母亲生的，相互间很不和气。后来李冲尊贵以后，封邑收入与俸禄及受到的赏赐都同兄弟们一起分享，家里家外都很和睦。父亲死了以后，兄弟们一起住了二十多年，到洛阳后才分家而居，但更加友爱，很长时间都没矛盾，这都是李冲的德行所致啊！当初李冲受到文明太后宠爱时，李冲的侄子李韶脸上常有焦虑的表情，怕因此而全家遭祸。后来李冲名声越来越大，李韶才稍稍放心。但李冲本人做官光明正大，一心把自己的事做好，自始至终，都毫不畏缩苟免。他随时运而听命，都是这种情况。李冲的儿子李延寔等，其事迹记载在《外戚传》中。

## 〔北齐书〕

# 斛律光列传

光，字明月，少工骑射，以武艺知名。魏末，从金西征，周文帝长史莫孝晖时在行间，光驰马射中之，因擒于阵，光时年十七。高祖嘉之，即擢为都督。世宗为世子，引为亲信都督，稍迁征虏将军，累加卫将军。武定五年，封永乐县子。尝从世宗于洹桥校猎，见一大鸟，云表飞飏，光引弓射之，正中其颈。此鸟形如车轮，旋转而下，至地乃大雕也。世宗取而观之，深壮异焉。丞相属邢子高见而叹曰："此射雕手也"。当时传号落雕都督。寻兼左卫将军，进爵为伯。

齐受禅，加开府仪同三司，别封西安县子。天保三年，从征出塞，光先驱破敌，多斩首虏，并获杂畜。还，除晋州刺史。东有周天柱、新安、牛头三戍，招引亡叛，屡为寇窃。七年，光率步骑五千袭破之，又大破周仪同王敬俊等，获口五百余人，杂畜千余头而还。九年，又率众取周绛川、白马、浍交、翼城等四戍。除朔州刺史。十年，除特进、开府仪同三司。二月，率骑一万讨周开府曹回公，斩之。柏谷城主仪同薛禹生弃城奔遁，遂取文侯镇，立戍置栅而还。乾明元年，除并州刺史。皇建元年，进爵钜鹿郡公。时乐陵王百年为皇太子，肃宗以光世载醇谨，兼著勋王室，纳其长女为太子妃。大宁元年，除尚书右仆射，食中山郡干。二年，除太子太保。河清二年四月，光率步骑二万筑勋掌城于轵关西，仍筑长城二百里，置十三戍。三年正月，周遣将达奚成兴等来寇平阳，诏光率步骑三万御之，兴等闻而退走。光逐北，遂入其境，获二千余口而还。其年三月，迁司徒。四月，率骑北讨突厥，获马千余匹。是年冬，周武帝遣其柱国大司马尉迟迥、齐国公宇文宪，柱国庸国公可叱雄等，众称十万，寇洛阳。光率骑五万驰往赴击，战于邙山，迥等大败。光亲射雄，杀之，斩捕首虏三千余级，迥、宪仅而获免，尽收其甲兵辎重，仍以死者积为京观。世祖幸洛阳，策勋班赏，迁太尉，又封冠军县公。先是世祖命纳光第二女为太子妃，天统元年，拜为皇后。其年，光转大将军。三年六月，父丧去官，其月，诏起光及其弟羡并复前任。秋，除太保，袭爵咸阳王，并袭第一领民酋长，别封武德郡公，徙食赵州干，迁太傅。

【译文】

解律光，字明月，小时候便擅长骑马射箭，因武艺高强而闻名。北魏末年。随父亲斛律金进攻关中，周文帝宇文泰的长史莫孝晖当时参加了战斗，斛律光飞马射中莫孝晖，于是在战场上将他擒获，这时斛律光才十七岁。齐高祖神武帝高欢称赞他，当即提升他为都督。世宗文襄帝被封为世子时，任用他为亲信都督。逐渐升为征虏将军，多次加官至卫将军。东魏孝静帝武定五年，封他为永乐县子。斛律光有一次跟随世宗到洹桥围猎，看见一只大鸟在云端翱翔，斛律光弯弓发箭，正中这只鸟的颈项。这鸟就像车轮一样，旋转着滚落下来，落到地上后才发现是只大雕。世宗拿过雕来观看，深感斛律光勇猛非凡。丞相属邢子高见后感叹道："这就是射雕的名家啊！"当时这话一经传开，大家就称斛律光为"落雕都督"。不久兼任左卫将军，进封为永乐县伯。

北齐文宣帝高洋取代东魏孝静帝元善见即皇帝位后，加斛律光开府仪同三司，另封西安县子。天保三年，随文宣帝到塞北进攻突厥，斛律光率军作前锋打败敌人，杀死、俘虏许多敌军，并夺得各种牲畜。退军回来后，朝廷任命他为晋州刺史。晋州东边有北周设置的天柱、新安、牛头等三个戍所，它们招亡纳叛，多次侵犯抢掠。天保七年，斛律光率领步兵和骑兵共五千人发动突然袭击，把它们攻下，又大败北周仪同王敬俊等人，俘获五百多人及牲畜一千多头而回。天保九年，他又带军攻下北周绛川、白马、浍交、翼城等四个戍所。改任朔州刺史。天保十年，被任命为特进、开府仪同三司。二月，率领一万骑兵进攻北周开府曹回公所部，杀曹回公。北周柏谷城主、仪同薛禹生弃城逃跑，于是斛律光攻下文侯镇，设立戍所建置栅栏后才退军。北齐废帝乾明元年，改任并州刺史。孝昭帝皇建元年，将他的爵位提升为钜鹿郡公。当时乐陵王高百年为皇太子，肃宗因斛律光父子都忠厚谨慎，加上他们有功于朝廷，接纳斛律光的大女儿为皇太子妃。武成帝大宁元年，任命斛律光为尚书右仆射，食中山郡干。

大宁二年，任命他为太子太保。河清二年四月，斛律光率领步兵和骑兵两万人在轵关以西修筑起勋掌城，并建造了长达二百里的长城，设置十三个戍所。河清三年正月，北周派将军达奚成兴等人进攻北齐平阳城，朝廷命令斛律光率领步兵和骑兵三万人进行抵御，达奚成兴等人闻讯退逃。斛律光乘势追击，深入北国境内，抓获两千多人而回。这年三月，升任司徒。四月，他率骑兵向北进攻突厥，缴获了一千多匹马。这年冬天，北周武帝宇文邕派他的柱国、大司马尉迟迥与齐国公宇文宪，柱国、庸国公可叱雄等人，号称十万大军，进攻洛阳城。斛律光率领五万骑兵奔驰迎击，在邙山相遇而战，尉迟迥等人大败。斛律光亲自射杀可叱雄，杀死俘获周军三千多人，尉迟迥、宇文宪只来得及自己逃身，斛律光将他们的甲兵和军用物资全部缴获，并把杀死的敌军的尸体堆积成京观。世祖武成帝高湛到洛阳，纪功行赏，提升斛律光为太尉，又封他为冠军县公。事前世祖已经命令接纳斛律光的二女儿为太子妃，天统元年，拜为皇后。当年，斛律光转任大将军。天统三年六月，因为他父亲死了而离任服丧，就在此月，令斛律光和他的弟弟斛律羡官恢复原职。这年秋天，任命解律光为太保，继承他父亲咸阳王的爵位，并且继承第一领民酋长的官衔，又封他为武德郡公，改食赵州干，升任太傅。

十二月，周遣将围洛阳，壅绝粮道。武平元年正月，诏光率步骑三万讨之。军次定陇，周将张掖公宇文桀、中州刺史梁士彦、开府司水大夫梁景兴等又屯鹿庐交道，光擐甲执锐，身先士卒，锋刃才交，桀众大溃，斩首二千余级。直到宜阳，与周齐国公宇文宪、申国公擒跋显敬相对十旬。光置筑统关、丰化二城，以通宜阳之路。军还，行次安邺，宪等众号五万，仍蹑军后。光纵骑击之，宪众大溃，虏其开府宇文英、都督越勤世良、韩延等，又斩首三百余级。宪仍令桀及其大将军中部公梁洛都与景兴、士彦等步骑三万于鹿卢交塞断要路。光与韩贵孙、呼延族、王显等合击，大破之，斩景兴，获马千匹。诏加右丞相，并州刺史。其冬，光又率步骑五万于玉壁筑华谷、龙门二城，与宪、显敬等相持，宪等不敢动。光乃进围定阳，仍筑南汾城，置州以逼之，夷夏万余户并来内附。

二年，率众筑平陇、卫壁、统戎等镇戍十有三所。周柱国枹罕公普屯威、柱国韦孝宽等，步骑万余，来逼平陇，与光战于汾水之北，光大破之，俘斩千计。又封中山郡公，增邑一千户。军还，诏复令率步骑五万出平阳道，攻姚襄、白亭城戍，皆克之，获其城主仪同、大都督等九人，捕虏数千人。又别封长乐郡公。是月，周遣其柱国纥干广略围宜阳。光率步骑五万赴之，大战于城下，乃取周建安等四戍，捕虏千余人而还。军未至邺，敕令便放兵散。光以为军人多有勋功，未得慰劳，若即便散，恩泽不施，乃密通表请使宣旨，军仍且进。朝廷发使迟留，军还，将至紫陌，光仍驻营待使。帝闻光军营已逼，心甚恶之，急令舍人追光入见，然后宣劳散兵。拜光左丞相，又别封清河郡公。

【译文】

天统三年十二月，北周派将领围攻洛阳，堵绝向洛阳运送粮食的道路。武平元年正月，诏令斛律光率步兵和骑兵三万人向北周军队发起攻击。大军进驻定陇时，北周将领张掖公宇文桀、中州刺史梁士彦与开府、司水大夫梁景兴等又率军屯守鹿卢交，扼守要道。斛律光穿着铠甲，手执利器，身先士卒，两军刚一交战，宇文桀所部便大败而逃，杀敌两千多人。斛律光率军直抵宜阳，与北周齐国公宇文宪、申国公擒跋显敬对垒长达一百天。斛律光修建统关、丰化两城，以打通到宜阳的道路。大军退还，路经安邺驻军时，宇文宪等人率军号称五万，仍尾随于后。斛律光放骑兵加以打击，宇文宪的部队溃败，俘获他的部将开府宇文英、都督越勤世良、韩延等人，又杀了三百多人。宇文宪又命令他的部将大将军、中部公梁洛都与梁景兴、梁士彦等人率步兵和骑兵三万在鹿卢交堵住斛律光退军的要路。斛律光与韩贵孙、呼延族、王显等人并力进攻，将他们打得大败，杀梁景兴，缴获战马一千匹。朝廷命令加斛律光右丞相、并州刺史等职。这年冬天，斛律光又率领步兵和骑兵五万人在玉壁筑起华谷、龙门两座城池，与宇文宪、擒跋显敬等人对垒，宇文宪等人不敢采取行动。斛律光于是进军围攻定阳，并筑南汾城，设置南汾州以进逼定阳，少数民族与汉人一万多户都归降了北齐。

武平二年，斛律光率军修筑了平陇、卫壁、统戎等十三座镇戍所。北周柱国、枹罕见普屯威和柱国韦孝宽等人率步兵和骑兵一万多人，来进攻平陇，与斛律光在汾水北边展开战斗，斛律光将他们打得大败，俘虏、杀死上千敌军。又封他为中山郡公，增加食邑户一千。军队退还后，朝廷又命令他率领步兵和骑兵五万人经平阳，进攻北周姚襄、白亭城戍所。斛律光把它们全部攻了下来，俘获北周城主、仪同、大都督等官员九人，抓获几千人。又另封他为长乐郡公。同月，北周派柱国纥干广略围攻宜阳。斛律光又率领步兵和骑兵五万人奔救，大战于宜阳城下，于是攻占北周建安等四个戍所，俘虏一千多人而回。大军还未抵达邺城，后主命令他就地将部队解散。斛律光认为士兵们大都立有战功，没有得到犒赏，如果马上将他们解散，他们就得不到朝廷的恩赏，于是暗中上表朝廷，请求派使臣宣布朝廷的意图，大军仍就向邺城进发。朝廷派使的速度缓慢，大军回到邺城，将抵达紫陌时，斛律光才驻扎下来，等待朝廷的使者。后主听说斛律光的军营已经逼近邺城，心中对他极感厌恶，急忙命令舍人赶快召斛律光入宫觐见，然后才派人慰劳部队，解散士兵。任命斛律光为左丞相，又另封他为清河郡公。

光入，常在朝堂垂帘而坐。祖珽不知，乘马过其前。光怒，谓人曰：“此人乃敢尔！”后珽在内省，言声高慢，光适过，闻之，又怒。珽知光忿，而赂光从奴而问之曰：“相王瞋孝征耶？”曰：“自公用事，相王每夜抱膝叹曰：‘盲人入，国必破矣！’”穆提婆求娶光庶女，不许。帝赐提婆晋阳之田，光言于朝曰：“此田，神武帝以来常种禾，饲马数千匹，以拟寇难，今赐提婆，无乃阙军务也？”由是祖、穆积怨。

周将军韦孝宽忌光英勇，乃作谣言，令间谍漏其文于邺，曰“百升飞上天，明月照长安”，又曰“高山不推自崩，槲树不扶自竖”。祖珽因续之曰：“盲眼老公背上下大斧，饶舌老母不得语。”令小儿歌之于路。提婆闻之，以告其母令萱。萱以饶舌，斥已也，盲老公，谓珽也，遂相与协谋，以谣言启帝曰：“斛律累世大将，明月声震关西，丰乐威行突厥，女为皇后，男尚公主，谣言甚可畏也。”帝以问韩长鸾，鸾以为不可，事寝。祖珽又见帝请间，唯何洪珍在侧。帝曰：“前得公启，即欲施行，长鸾以为无此理。”珽未对，洪珍进曰：“若本无意则可，既有此意而不决行，万一泄露如何？”帝曰：“洪珍言是也。”犹豫未决，会丞相府佐封士让密启云："光前西讨还，敕令放兵散，光令军逼帝京，将行不轨，事不果而止。家藏弩甲，奴僮千数，每遣使丰乐、武都处，阴谋往来。若不早图，恐事不可测。"启云"军逼帝京"，会帝前所疑意，谓何洪珍云："人心亦大圣，我前疑其欲反，果然。"帝性至怯懦，恐即变发，令洪珍驰召祖珽告之。又恐追光不从命。珽因云："正尔召之，恐疑不肯入。宜遣使赐其一骏马，语云'明日将往东山游观，王可乘此马同行'，光必来奉谢，因引入执之。"帝如其言。顷之，光至，引入凉风堂，刘桃枝自后拉而杀之，时年五十八。于是下诏称光谋反，今已伏法，其余家口并不须问。寻百发诏，尽灭其族。

【译文】

解律光入朝任左丞相后，有一次在朝堂里挂着帘子坐着。祖珽不知道，骑马从他面前经过。解律光很生气，对别人说："这个人竟敢如此！"后来祖珽在官内，说话时声音既洪亮又缓慢，解律光正好从那儿经过，听到后，又很愤怒。祖珽知道解律光怨恨自己，便贿赂解律光的奴仆，问他说："相王恨我祖孝征吗？"那人说："自从您任职以来，相王每晚都要抱着膝头叹息说：'瞎子掌权，国家肯定要灭亡了！'"穆提婆请解律光把妾生的女儿嫁给他，解律光不答应。后主把晋阳附近一些土地赏赐给穆提婆，解律光在朝堂上说："这些土地，自从神武帝以来一直种植谷物，养马数千匹，以防备祸难，现在赐给穆提婆，岂不是要使军备缺乏吗？"因此祖珽、穆提婆都非常恨他。

北周将军韦孝宽忌恨解律光英勇善战，于是制造谣言，让间谍在邺城把谣言传开，说："百升飞上天，明月照长安。"又说："高山不摧自崩，槲树不扶自竖。"祖珽趁机在后面加话说："盲眼老公背上下大斧，饶舌老母不得语。"让小孩在路上唱着玩。穆提婆听到后，把这些话告诉他的母亲陆令萱。陆令萱认为饶舌讽刺的是自己，盲老公说的是祖珽，于是相互商定好计策，把谣言告诉后主说："解律氏两代人都做大将，解律光声势震动关西，解律羡威风传遍突厥，女儿为皇后，儿子娶公主，民谣所讲的话太可怕了。"后主因此询问韩长鸾的意见，韩长鸾认为不能处理解律光，事情便被搁了下来。祖珽又面见后主，找了一个空子，只有何洪珍在旁边。后主说："前次听到你的诉说后，我就想做出处置，但韩长鸾认为没有这种可能。"祖珽还没回答，何洪珍就进言道："如果本来就没有这种意图也就算了，既然有了这种意图却不坚决实行，万一泄露出去又该怎么办呢？"后主说："何洪珍的话有道理啊。"但仍犹豫不决。刚好丞相府佐封士让送来一封密信说："斛律光上次讨伐关西回军时，陛下命令他解散部队，斛律光却命令军队进逼京城，想发动叛乱，没有做成便停止行动。他家中藏有弓弩铠甲，奴僮上千，经常派人到他弟弟幽州刺史斛律羡和长子兖州刺史斛律武都那儿去，相互进行密谋。如果不趁早想办法对付，恐怕会出现意想不到的事。"密信中所说的"军队进逼京城"，正触动了后主先前心中产生的疑虑，便对何洪珍说："人的心也太神了，我上次怀疑他想谋反，果然如此。"后主生性极其胆小懦弱，害怕斛律光马上就会发生叛乱，命令何洪珍骑马把祖珽叫进宫来，告诉他这一情况。又担心召斛律光进宫时，他不听从命令。祖珽于是说："就这样去叫他，怕他产生疑心，不肯进宫来。应派人赏赐他一匹骏马，告诉他：'明天我准备到东山游览，咸阳王你可乘这匹马和我一同前往。'斛律光肯定会来道谢，便可以趁机让他进宫来，把他擒获。"后主按他的话行事。过不多久，斛律光就来了，被带入凉风堂，刘桃枝从他背后拉住他，将他杀死，当时他五十八岁。于是后主下诏书称斛律光谋反，现在已经伏法，其他家属一概不追究。不久又下诏书，将斛律光一族人全部杀绝。

光性少言刚急，严于御下，治兵督众，唯仗威刑。版筑之役，鞭挞人士，颇称其暴。自结发从戎，未尝失律，深为邻敌所慑惮。罪既不彰，一旦屠灭，朝野痛惜之。周武帝闻光死，大喜，赦其境内。后入邺，追赠上柱国、崇国公。指诏书曰："此人若在，朕岂能至邺。"

光有四子。长子武都，历位特进、太子太保、开府仪同三司。梁兖二州刺史。所在并无政绩，唯事聚敛，侵渔百姓。光死，遣使于州斩之。次须达，中护军、开府仪同三司，先光卒。次世雄，开府仪同三司。次恒伽，假仪同三司，并赐死。光小子钟，年数岁，获免，周朝袭封崇国公。隋开皇中卒于骠骑将军。

【译文】

解律光生性不爱讲话，性情刚猛急躁，对部下很严厉，治理军队，统率部众，只依靠威严和刑罚。修筑长城那次，他竟鞭笞士大夫，大家都说他很残暴。自从年轻时参加军队以后，他从未失利过，邻国的敌军十分畏惧。他的罪行既不明显，一时遭到杀戮，朝野之士都为他感到悲痛惋惜。周武帝听说斛律光死了，极为高兴，大赦全国。后周武帝率军进入邺城，追赠斛律光为上柱国、崇国公。他指着追赠斛律光的诏书说："如果这个人还活着，我怎么能进入邺城呢。"

斛律光有四个儿子。长子斛律武都，历任特进、太子太保、开府仪同三司、梁兖二州刺史。在哪儿都没有政绩，只知道收敛钱财，盘剥百姓。斛律光死后，朝廷派人到兖州将他杀了。次子斛律须达，官至中护军、开府仪同三司，死在斛律光之前。第三子斛律世雄，官至开府仪同三司；第四子斛律恒伽，假仪同三司，都被赐死。斛律光的小儿子斛律钟，年龄才几岁，免于一死。北周灭掉北齐以后，继承父亲崇国公的封号，隋文帝开皇年间死于骠骑将军任上。

# 杨愔传

杨愔，字遵彦，小名秦王，弘农华阴人。父津，魏时累为司空侍中。愔儿童时，口若不能言，而风度深敏，出入门闾，未尝戏弄。六岁学史书，十一受《诗》、《易》，好《左氏春秋》。幼丧母，曾诣舅源子恭。子恭与之饮。问读何书，曰："诵《诗》。"子恭曰："诵至《渭阳》未邪。"愔便号泣感噎，子恭亦对之欷嘘，遂为之罢酒。子恭后谓津曰："常谓秦王不甚察慧，从今以后，更欲刮目视之。"愔一门四世同居，家甚隆盛，昆季就学者三十余人。学庭前有柰树，实落地，群儿咸争之，愔颓然独坐。其季父暐适入学馆，见之大用嗟异，顾谓宾客曰："此儿恬裕，有我家风。"宅内有茂竹，遂为愔于林边别葺一室，命独处其中，常以铜盘具盛馔以饭之。因以督厉诸子曰："汝辈但如遵彦谨慎，自得竹林别室、铜盘重肉之食。"愔从父兄黄门侍郎昱特相器重，曾谓人曰："此儿驹齿未落，已是我家龙文。更十岁后，当求之千里外。"昱尝与十余人赋诗，愔一览便诵，无所遗失。及长，能清言，美音制，风神俊悟，容止可观，人士见之，莫不敬异，有识者多以远大许之。

**【译文】**

杨愔，字遵彦，小名叫秦王，是弘农郡华阴县人。他父亲杨津，在北魏时做官官至司空、侍中。杨愔小的时候，似乎不太会说话，但风度深沉机敏，家里家外，从未做过什么顽皮的事。六岁时开始学习历史著作，到十一岁，就跟老师学习《诗经》、《周易》，喜爱《左传》。母亲在他幼年时就去世了，有一次他去拜访舅舅源子恭，源子恭和他一起喝酒，问他在读什么书，他回答说："诵读《诗经》。"源子恭问："读到《渭阳》篇没有？"杨愔顿时放声大哭，哽咽不已，源子恭也伤心地相对抽泣，酒再也喝不下去了。源子恭事后对杨津说："以前常说秦王不怎么聪明，从今以后，应当对他刮目相看。"杨愔一家四代人生活在一起，家业极其兴盛，兄弟辈一起读书的就有三十多人。学馆院子前面有柰树，果实掉下来时，小孩们都去争抢，他一个人却独坐在一旁。他的小叔父杨暐碰巧在学馆碰见到这一情况，大加感叹，认为这种行为很特别，回过头对客人们说："这孩子淡定自足，具有我们家族的风尚。"住宅里有一片茂密的竹林，于是特为杨愔一人在竹林边修建一间屋子，经常用铜盘装着丰盛的食物给他吃。因此督促其他男孩说："你们只要能像遵彦那样谨慎小心，自然会得到独住的竹林小屋，也会得到铜盘盛的美食。"杨愔堂兄、黄门侍郎杨昱对他特别器重，曾对人说："这孩子乳齿未脱，已成为我家的龙文名驹，再过十年，必当一跃千里。"杨昱曾与十多个人一起作诗，杨愔只要看过一遍就能让马上背下来，一点也没有遗漏的。成年以后，他更是善于清谈，声音优美，风度超凡脱俗，容貌举止可观。声望很大的人见了他，既敬重又很惊奇，见识多的认为他前途无量。

正光中，随父之并州。性既恬默，又好山水，遂入晋阳西悬瓮山读书。孝昌初，津为定州刺史，愔亦随父之职。以军功除羽林监，赐爵魏昌男，不拜。及中山为杜洛周陷，全家被囚絷。未几，洛周灭，又没葛荣，荣欲以女妻之，又逼以伪职。愔乃托疾，密含牛血数合，于众中吐之，仍佯喑不语。荣以为信然，乃止。永安初，还洛，拜通直散骑侍郎，时年十八。元颢入洛，时愔从父兄侃为北中郎将，镇河梁。愔适至侃处，便属乘舆失守，夜至河。侃虽奉迎车驾北渡，而潜欲南奔，愔固谏止之。遂相与扈从达建州。除通直散骑常侍。愔以世故未夷，志在潜退，乃谢病，与友人中直侍郎河间邢邵隐于嵩山。

及庄帝诛尔朱荣，其从兄侃参赞帷幄。朝廷以其父津为并州刺史、北道大行台，愔随之任。有邯郸人杨宽者，求义从出藩，愔请津纳之。俄而孝庄幽崩，愔时适欲还都，行达邯郸，过杨宽家，为宽所执。至相州，见刺史刘诞，以愔名家盛德，甚相哀念，付长史慕容白泽禁止焉。遣队主巩荣贵防禁送都。至安阳亭，愔谓荣贵曰："仆家世忠臣，输诚魏室，家亡国破，一至于此。虽曰囚虏，复何面目见君父之仇。得自缢于一绳，传首而去，君之惠也。"荣贵深相怜感，遂与俱逃。愔乃投高昂兄弟。

【译文】

正光年间，杨愔随父亲去并州。由于他本性恬淡文静，喜欢山水景致，于是就到晋阳西面的悬瓮山读书。孝昌初年，杨愔父亲转任定州刺史，因而跟父亲来到定州任所。因军功补授以羽林监，赐爵魏昌男，杨愔没有接受。后中山城被叛乱的杜洛周攻克，杨愔全家都被关押起来。不久，杜洛周灭亡，杨愔被葛荣所获，葛荣想把女儿嫁给他，又逼他接受自己委任的官职。杨愔便称自己有病，暗中口含着几口牛血，在大庭广众下吐出来，并装哑不说话。葛荣认为他确实有病，才没强迫他。至魏孝庄帝永安初年，杨愔回到洛阳，被任命为通直散骑常侍郎，当时他十八岁。元颢在梁军的保护下进据洛阳，这时杨愔的堂史杨侃任北中郊将，镇河梁。杨愔刚好到杨侃那儿，便遇到孝庄帝放弃洛阳，夜间来到黄河边上。杨侃虽然迎接孝庄帝一行向北渡过黄河，但暗地里却想向南投奔元颢，杨愔坚决加以劝阻。于是两人一起随孝庄帝到达建州。杨愔被任命为通直散骑常侍。但因世道变故还未平息，于是称病辞职，与朋友中直侍郎河间邢劭到嵩山隐居，归隐山林躲避退隐。

孝庄帝诛杀尔朱荣时，杨愔的堂兄杨侃参与谋议。朝廷任命杨津为并州刺史、北道大行台，杨愔随父到任。那时有个邯郸人叫杨宽，请求自备资粮随杨津到并州镇守，杨愔请杨津收纳杨宽。不久孝庄帝被囚禁而死，杨愔当时正好要回都城洛阳，到达邯郸，到杨宽家中拜访，却被杨宽拘留。杨宽送他投奔相州刺史刘诞，刘诞因杨愔出身名门，德行极高，十分赏识他，便让长史慕容白泽把他软禁起来。后派队主巩荣贵把杨愔监送到都城去。到达安阳亭时，杨愔对巩荣贵说："我家世代都是忠臣，对魏朝忠心耿耿，现在国家破败，家族散亡，落到现在这种地步。我虽说是囚犯，哪里有脸去见我君父的仇人。还不如用一根绳子自杀，麻烦你把我的头送去，便是你给我施的恩惠了。"巩荣贵被他的言语深深感动，很怜悯他，便决定跟他一起逃跑。杨愔于是投靠了高昂兄弟。

既潜窜累载，属神武至信都，遂投刺辕门。便蒙引见，赞扬兴运，陈诉家祸，言辞哀壮，涕泗横集，神武为之改容。即署行台郎中。大军南攻邺，历杨宽村，宽于马前叩头请罪。愔谓曰："人不识恩义，盖亦常理，我不恨卿，无假惊怖。"时邺未下，神武命愔作祭天文，燎毕而城陷。由是转大行台右丞。于时霸图草创，军国务广，文檄教令，皆自愔及崔㥄出。遭离家难，以丧礼自居，所食唯盐米而已，哀毁骨立。神武愍之，恒相开慰。及韩陵之战，愔每阵先登，朋僚咸共怪叹曰："杨氏儒生，今遂为武士，仁者必勇，定非虚论。"

顷之，表请解职还葬。一门之内，赠太师、太傅、丞相、大将军者二人，太尉、录尚书及中书令者三人，仆射、尚书者五人，刺史、太守者二十余人。追荣之盛，古今未之有也。及丧柩进发，吉凶仪卫亘二十余里，会葬者将万人。是日隆冬盛寒，风雪严厚，愔跣步号哭，见者无不哀之。寻征赴晋阳，仍居本职。

**【译文】**

杨愔到处流亡了几年，又碰到北齐神武帝高欢率军到信都，于是他来到营门把自己的名片呈递上去，当即就受到接见。杨愔称颂国家中兴，诉说自己家族所遇到的祸难，言语悲痛而有气势，眼泪滚滚流下，神武帝听后也不禁为他改变仪容。立即委任他为行台郎中。大军向南攻打邺城，途经杨宽居住的村庄，杨宽在杨愔的马前叩头请罪。杨愔对他说："世上有人不知道什么叫恩德道义，这也是很寻常的事，我并不恨你，你也用不着害怕。"当时邺城还未攻下，神武帝命令杨愔撰写祭天的祭文，刚祭祀完毕，邺城便被攻克。杨愔因此升任大行台右丞。当时神武帝开创大业，军政事务很多，各种公文都是由杨愔和崔㥄砸撰写的。杨愔遭受一连串的打击，自行按礼制守丧，就只吃加盐的米饭，以致骨瘦如柴。神武帝哀怜他，经常对他进行开导。后来，在韩陵那次战役中，每次作战杨愔都冲在前面，他的朋友和同僚们很奇怪，感叹说："姓杨的，本是儒生，现在居然成了武士，仁德的人必然勇敢，这确实不是一句空话啊。"

随后，杨愔上表请求解除职务回乡安葬在灾难中逝世的亲属。一家人中，赠太师、太傅、丞相、大将军的有两人，赠太尉、录尚书事和中书令的有三人，赠尚书仆射、尚书的有五人，赠刺史、太守的达二十多人。追赠仪式非常盛大，古今未有。在去往墓地时，送葬的仪仗绵延二十多里地，前来参加葬礼的将近一万人。那天正值严冬，寒冷刺骨，风雪交加，杨愔赤着双脚，号哭着送葬，凡是看到这一情景的人，没有一个不伤心的。不久他被召回到晋阳，继续担任原来的职务。

愔从兄幼卿为岐州刺史，以直言忤旨见诛。愔闻之悲惧，因哀感发疾，后取急就雁门温汤疗疾。郭秀素害其能，因致书恐之曰："高王欲送卿于帝所。"仍劝其逃亡。愔遂弃衣冠于水滨若自沉者，变易名姓，自称刘士安，入嵩山，与沙门昙谟征等屏居削迹。又潜之光州，因东入田横岛，以讲诵为业，海隅之士，谓之刘先生。太守王元景阴佑之。

神武知愔存，遣愔从兄宝猗赍书慰喻，仍遣光州刺史奚思业令搜访，以礼发遣。神武见之悦，除太原公开府司马，转长史，复授大行台右丞，封华阴县侯，迁给事黄门侍郎，妻以庶女。又兼散骑常侍，为聘梁使主。至碻磝戍，州内有愔家旧佛寺，入精庐礼拜，见太傅容像，悲感恸哭，呕血数升，遂发病不成行，舆疾还邺。久之，以本官兼尚书吏部郎中。武定末，以望实之美，超拜吏部尚书，加侍中、卫将军，侍学典选如故。

天保初，以本官领太子少傅，别封阳夏县男。又诏监太史，迁尚书右仆射。尚太原长公主，即魏孝静后也。会有雉集其舍，又拜开府仪同三司、尚书右仆射，改封华山郡公。九年，徙尚书令，又拜特进、骠骑大将军。十年，封开封王。文宣之崩，百僚莫有下泪，愔悲不自胜。济南嗣业，任遇益隆，朝章国命，一人而已，推诚体道，时无异议。乾明元年二月，为孝昭帝所诛，时年五十。天统末，追赠司空。

【译文】

杨幼卿是杨愔的堂兄，在任岐州刺史时因言语耿直违背齐王旨意而被杀害。杨愔听到此消息后，悲痛至极以至于患病在身，于是请急假到雁门温泉去治疗。郭秀平时就妒忌杨愔的才能，趁机写信恐吓他说："高王想把你拘拿到魏帝那儿去。"并劝他逃走。杨愔便把自己的衣服和帽子扔在水边，仿佛自己投水自尽了，然后改变姓名，自称刘士安，到嵩山，与僧人昙谟征等一起隐居，不与外界联系。又暗中到光州，向东到田横岛，以教书谋生。海边一带的士人称他叫刘先生。太守王元景也在暗地里保护他。

神武帝知道杨愔还活着后，就派他的堂兄杨宝猗带着信去安慰并开导他。同时派光州刺史奚思业察访杨愔的踪迹，按礼节将他送到都城。神武帝见了杨愔很高兴，任命他为太原公开府司马，转任太原公开府长史，又任命他为大行台右丞，封华阴县侯，升任给事黄门侍郎，把小妾所生的女儿嫁给杨愔为妻。后杨愔任散骑常侍，担任出使梁朝的负责人。到碻磝戍，州城内有一座佛寺，是杨愔家先前出资修建的，杨愔走到僧堂礼拜，看到父亲杨津的像，悲从中来，放声大哭以至于鲜血从口中喷出，于是得病，不能出使，乘车返回邺城。过了很久，以原官兼任尚书吏部郎中。东魏孝静帝武定末年，杨愔因德才双备，越级提升为吏部尚书，加侍中、卫将军等官职，辅导孝静帝读书和掌管铨选。

北齐文宣帝天保初年，以原任官职兼任太子少傅，另封为阳夏县男。朝廷又命令他管理太史，升任尚书右仆射。娶神武帝女太原长公主，即原魏孝静帝的皇后。恰巧有群雉鸟飞到他家的房顶上，杨愔因此又被任命为开府仪同三司、尚书左仆射，改封为华山郡公。天保九年，升任尚书令，拜为特进、骠骑大将军。天保十年，封为开封王。文宣帝逝世时，朝臣没有人掉眼泪，杨愔却悲痛欲绝，泪如雨下。高殷继帝位后，更加信任亲待杨愔，全国大政，由他一人决定，杨愔以诚心待人，躬行正道，当时没有人对他有疑意。杨愔在乾明元年二月，被孝昭帝高演所杀，那年五十岁。北齐后主高纬天统末年，追赠他为司空。

愔贵公子，早著声誉，风表鉴裁，为朝野所称。家门遇祸，唯有二弟一妹及兄孙女数人，抚养孤幼，慈旨温颜，咸出人表。重义轻财，前后赐予，多散之亲族，群从弟侄十数人，并待而举火。频遭迍厄，冒履艰危，一餐之惠，酬答必重，性命之仇，舍百不问。

典选二十余年，奖擢人伦，以为己任。然取士多以言貌，时致谤言，以为愔之用人，似贫士市瓜，取其大者。愔闻，不屑焉。其聪记强识，半面不忘。每有所召问，或单称姓，或单称名，无有误者。后有选人鲁漫汉，自言猥贱，独不见识。愔曰："卿前在元子思坊，骑秃尾草驴，经见我不下，以方曲鄣面，我何不识卿？"漫汉惊服。又调之曰："名以定体，漫汉果自不虚。”又令吏唱人名，误以卢士深为士琛，士深自言。愔曰：“卢郎玉润，所以从玉。”自尚公主后，衣紫罗袍，金缕大带。遇李庶，颇以为耻，谓曰：“我此衣服，都是内裁，既见子将，不能无愧。”

及居端揆，权综机衡，千端万绪，神无滞用。自天保五年以后，一人丧德，维持匡救，实有赖焉。每天子临轩，公卿拜授，施号发令，宣扬诏册。愔辞气温辩，神仪秀发，百僚观听，莫不悚动。自居大位，门绝私交。轻货财，重仁义，前后赏赐，积累巨万，散之九族，架箧之中，唯有书数千卷。太保、平原王隆之与愔邻宅，愔尝见其门外有富胡数人，谓左右曰：“我门前幸无此物。”性周密畏慎，恒若不足，每闻后命，愀然变色。

**【译文】**

杨愔出身显贵，风度仪表和见识，都受到朝野之士的一致称赞。家族变故后，只剩下两个弟弟、一个妹妹和几个侄孙女。杨愔抚养孤儿幼弱，温和慈善，比任何人都做得好。他重道义轻钱财，获得的赏赐大部分都给了亲戚和族人，十多个侄儿侄女都跟随他、依靠他而生活。杨愔虽然亲历危难，连遭不幸，但别人给他一顿饭的恩情，他总是铭记心中加以重重地报答，而对他势不两立的仇人，他却不对他们加以清算。

杨愔主持铨选达二十多年，以奖励和提拔人士为己任。但他所录用的人大都言语迟钝、容貌不好，也因这个缘故，他常常受到讥斥，说他录用人才就像穷人买瓜专拣大的一样。杨愔听到这些话后，也没放在心上。他记忆力特别好，过目不忘。每当他召铨选的人询问情况时，要么只称姓，要么只称名，从未失误过。后来有个名叫鲁漫汉的候选人，声称自己才能不高，出身低贱，所以只有自己没被杨愔认识。杨愔说：“你前次在元子思坊，骑一头秃尾巴母驴，走到我旁边看到我后也不下来，用方形曲饼把脸遮着，我哪能不认识你呢？”鲁漫汉于是惊奇叹服。杨愔又开他的玩笑说：“名字是用来确定本体的，你叫漫汉，果然不假。”他又曾让属下官吏呼叫别人的名字，误把卢士深读成卢士琛，卢士深自己加以辨别。杨愔说：“卢郎润泽如玉，所以把你的名字看成玉旁。”自从娶太原长公主后，他总是穿着紫色的罗袍，系金线绣制的腰带。碰见李庶，很为自己的衣着感到羞耻，对李庶说："我这身衣服，都是宫内缝制的，可是看到你李子将后，我不禁为我的这身衣裳感到惭愧。"

不久后，杨愔的官位达到了百官之首，执掌国家机密大政，他思维敏捷，千头万绪的事情，都能清晰地理清。文宣帝从天保五年以后，日渐荒淫，而维持大局，救正时势的重担，全都依仗着杨愔。每当天子亲到朝堂任命公卿，都由杨愔发号施令，宣读诏册。他声音温和清楚，神态端庄，百官看到他的表情，听到他的声音，无不惊惧动容。杨愔自从任高官后，门中断绝私人交往。他轻贱钱财，看重仁义，先后得到的巨额赏赐，都分给族人，屋中架子和箱子中，只有几千卷书籍。杨愔的住宅与太保、平原王高隆之的住宅相邻，有一次，杨愔看到高隆之门外有几个富有的胡人，便对身边的人说："幸好我的门前没有这些人。"他性情周密而谨慎，追求完美，做事总感觉做得不够，每当闻知命下，脸色便变得很严肃。

文宣大渐，以常山、长广二王位地亲逼，深以后事为念。愔与尚书左仆射平秦王归彦、侍中燕子献、黄门侍郎郑子默受遗诏辅政，并以二王威望先重，咸有猜忌之心。初在晋阳，以大行在殡，天子谅闇，议令常山王在东馆，欲奏之事，皆先谘决。二旬而止。仍欲以常山王随梓宫之邺，留长广王镇晋阳。执政复生疑贰，两王又俱从至于邺。子献立计，欲处太皇太后于北宫，政归皇太后。又自天保八年以来，爵赏多滥，至是，愔先自表解其开府封王，诸叨窃恩荣者皆从黜免。由是嬖宠失职之徒，尽归心二叔。高归彦初虽同德，后寻反动，以疏忌之迹尽告两王。尔朱浑天和又每云："若不诛二王，少主无自安之理。"宋钦道面奏帝，称二叔威权既重，宜速去之。帝不许曰："可与令公共详其事。"愔等议出二王为刺史。以帝仁慈，恐不可所奏，乃通启皇太后，具述安危。有宫人李昌仪者，北豫州刺史高仲密之妻，坐仲密事入宫。太后以昌仪宗情，甚相昵爱。太后以启示之，昌仪密启太皇太后。愔等又议不可令二王俱出，乃奏以长广王为大司马、并州刺史，常山王为太师、录尚书事。

及二王拜职，于尚书省大会百僚，愔等并将同赴。子默止之，云："事不可量，不可轻脱。"愔云："吾等至诚体国，岂有常山拜职，有不赴之理，何为忽有此虑？"长广旦伏家僮数十人于录尚书后室，仍与席上勋贵数人相知。并与诸勋胄约，行酒至愔等，我各劝双杯，彼必致辞。我一曰“捉酒”，二曰“捉酒”，三曰“何不捉”，尔辈即捉。及宴如之。愔大言曰：“诸王构逆，欲杀忠良邪!尊天子，削诸侯，赤心奉国，未应及此。”常山王欲缓之，长广王曰：“不可。”于是愔及天和、钦道皆被拳杖乱殴击，头面血流，各十人持之。使薛孤延、康买执子默于尚药局。子默曰：“不用智者言，以至于此，岂非命也。”

【译文】

文宣帝病危，深深为常山王高演和长广王高湛二位亲弟的地位将威胁到自己的儿子而忧虑。受文宣帝遗命所托，杨愔与尚书左仆射、平秦王高归彦、侍中燕子献，黄门侍郎郑子默等人辅佐新皇帝处理政事。因常山、长广二王本就有很高的威望，大家都对他们二人抱有猜忌心理。最初在晋阳时，因文宣帝还未安葬，而新皇帝守丧不能处理政事，大家商定让常山王住在东馆，如果有事需要上奏给皇帝，都要先和他商量后再做决定。二十天后，这一办法不再实行。大家又打算让常山王随文宣帝的灵柩回邺城，留下长广王镇守晋阳。但辅政的几个人又觉得这样不妥，于是常山、长广二王又一同随灵柩到了邺城。燕子献定计，想把太皇太后娄氏迁到北宫，将大政交给皇太后李氏。另外，从天保八年以来，爵位封得很滥，这时，杨愔率先请求朝廷解除他开府仪同三司的职务和王爵，所有无才能而得官受封的人都随之罢免。因此那些失去官职的人，现在全都拥护新皇帝的两个叔叔。高归彦开始还能够与杨愔等人同心，不久就背叛了他们，把杨愔等人对二王疏远猜忌的情形告诉了二王。尔朱浑天和又常说：“如果不杀掉二王，新皇帝就不可能安然无事。”宋钦道又向皇帝当面进言，说他的两个叔叔声望太高，权势过重，应当尽快把他们除掉。皇帝不答应，说：“你可以与令公杨愔仔细商量此事再说。”杨愔等人讨论决定让二王离京任刺史。但因皇帝仁慈，怕他不忍心如此办理，杨愔等于是又给皇太后送一封信，详细分析了安危形势。有一个叫李昌仪的宫人，原是北豫州刺史高仲密的妻子，因高仲密犯罪连坐，被送进后宫服役。皇太后因为李昌仪有同宗的情谊，对她很亲近。皇太后把杨愔等人的信给李昌仪看了，李昌仪向太皇太后密报了这件事。杨愔等人又商量，认为不能将二王一起派出去，于是上奏，以长广王为大司马、并州刺史，常山王为太师、录尚书事。

二王受任在尚书省大会百官，杨愔等人都打算前往参加。郑子默阻挡他们说："事情很难预测，你们不要太轻率了。"杨愔说："我们为国家赤胆忠心，难道在常山王受任时，我们能不去吗？为什么你突然产生这种疑虑？"长广王清晨在录尚书官署后面的屋子中埋伏下几十名家奴，同时把这事通知了几位在座的功臣权贵。并与功臣们的子孙约定："我敬酒走到杨愔等人面前时，劝他们每人喝两杯，他们一定会推辞，我第一句话说'拿酒'，第二句话仍说'拿酒'，第三句说'为什么不拿'，你们便把他们抓起来。"宴席上他们照此行事。杨愔大声说："你们几个亲王谋反，想杀害忠良吗？我们尊奉天子，削弱诸侯，赤心为国，不应受到这种待遇。"常山王想把他们放松一下，长广王说："不行。"于是杨愔和尔朱浑天和、宋钦道等人都受到拳头棍棒的胡乱殴打，头部和脸上鲜血直流，每人都被十个人死死揪住。又派薛孤延、康买到尚药局把郑子默抓捕。郑子默说："不听我的话，出现这样的事情，这难道不是命该如此吗？"

二叔率高归彦、贺拔仁、斛律金拥愔等唐突入云龙门。见都督叱利骚，招之不进，使骑杀之。开府成休宁拒门，归彦喻之，乃得入。送愔等于御前。长广王及归彦在朱华门外。太皇太后临昭阳殿，太后及帝侧立。常山王以砖叩头，进而言曰："臣与陛下骨肉相连。杨遵彦等欲擅朝权，威福自己，王公以还，皆重足屏气。共相唇齿，以成乱阶，若不早图，必为宗社之害。臣与湛等为国事重，贺拔仁、斛律金等惜献皇帝基业，共执遵彦等领入宫，未敢刑戮，专辄之失，罪合万死。"帝时默然，领军刘桃枝之徒陛卫，叩刀仰视，帝不睨之。太皇太后令却仗，不肯。又厉声曰："奴辈即今头落。"乃却。因问杨郎何在。贺拔仁曰："一目已出。"太皇太后怆然曰："杨郎何所能，留使不好耶!"乃让帝曰："此等怀逆，欲杀我二儿，次及我，尔何纵之？"帝犹不能言。太皇太后怒且悲，王公皆泣。太皇太后曰："岂可使我母子受汉老妪斟酌。"太后拜谢。常山王叩头不止。太皇太后谓帝："何不安慰尔叔。"帝乃曰："天子亦不敢与叔惜，岂敢惜此汉辈？但愿乞儿性命，儿自下殿去，此等任叔父处分。"遂皆斩之。长广王以子默昔谗己，作诏书，故先拔其舌，截其手。太皇太后临愔丧，哭曰：“杨郎忠而获罪。”以御金为之一眼，亲内之，曰：“以表我意。”常山王亦悔杀之。先是童谣曰：“白羊头尾秃，羖羺头生角。”又曰：“羊羊吃野草，不吃野草远我道，不远打尔脑。”又曰：“阿么姑祸也，道人姑夫死也。”羊为愔也，“角”文为用刀，“道人”谓废帝小名，太原公主尝作尼，故曰“阿么姑”，愔、子献、天和皆帝姑夫云。于是乃以天子之命下诏罪之，罪止一身，家口不问。寻复簿录五家，王晞固谏，乃各没一房，孩幼兄弟皆除名。

【译文】

二王带着高归彦、贺拔仁、斛律金揪住杨愔等人冲进云龙门。看见都督叱利骚，用手招他过来，叱利骚不听，二王便派人将他杀死。开府成休宁挡在云龙门前，高归彦劝开他后，他们一行人才得以进去。杨愔等人被送到皇帝面前，长广王与高归彦在朱华门外等候。太皇太后到昭阳殿，皇太后与皇帝在旁侍立。常山王用砖敲打头部向前走近说：“臣与陛下骨肉相连。杨遵彦等人想把持朝政，作威作福，王公大臣都有惧意，不敢随意行动、说话。他们相互依托，制造祸端，如果不趁早对他们采取行动，一定会给国家带来危害。臣与高湛等人认为国家大事最重要，贺拔仁、斛律金等人珍惜献皇帝开创的基业，大家一起将杨遵彦等人捉住带进宫来，不敢擅自把他们杀了。我们专断所犯的罪行，死有余辜。”皇帝当时默不作声，领军刘桃枝等人在他身边侍卫，他们抓着刀柄，抬头看着皇帝，可是皇帝也没有给他们任何示意。太皇太后命令仪卫退下，刘桃枝等人不动，太皇太后又厉声说：“我马上让你们这些奴才人头落地。”刘桃枝等人退去。太皇太后于是问杨愔在什么地方。贺拔仁说：“他的一只眼珠已被打出来了。”太皇太后悲伤地说：“杨郎能做得了什么，留下他继续做事不好吗？”于是指责皇帝说：“这些人有叛逆之心，想先杀我的两个儿子，然后再杀我，你为什么要放纵他们？”皇帝仍然无话可说。太皇太后又愤怒又悲伤，王公们都哭起来。太皇太后说：“怎能让我们母子听汉人老婆子摆布。”皇太后敬礼道歉。常山王不停地叩头。太皇太后对皇帝说：“为什么不安慰你叔叔。”皇帝才说：“天子对叔叔也不敢吝惜什么，哪里敢爱惜这些汉人？我只求叔叔能留儿子一命，让我自己下殿去。随叔叔怎么处置这批人。”于是把他们全部杀掉。

长广王因郑子默先前曾说过自己的坏话，撰写过诏书，所以在杀他之前，先割下他的舌头，斩断他的双手。太皇太后到杨愔灵前吊丧，哭着说：“杨郎忠心为国却得罪。”用自己的黄金铸了一只眼珠，亲手将它安在杨愔的眼眶里，说：“以此略表我的心意。”常山王也后悔把杨愔杀了。事先有童谣说：“白羊头尾秃，黑羊头生角。”又说：“羊羊吃野草，不吃野草远我道，不远打尔脑。”又说：“阿么姑祸也，道人姑夫死也。”“羊”说的是杨愔，“角”字可拆成“用”字和“刀”字，“道人”指的是废帝高殷的小名，杨愔的妻子太原公主曾做过尼姑，所以称作“阿么姑”，而杨愔、燕子献、尔朱浑天和都是废帝的姑夫。于是二王便以天子的名义下诏，宣告天下杨愔等人的罪状，只定罪在他们个人身上，不累及全家族。然而，过了不久，二王又想斩草除根，将杨愔等五家所有人口全部逮捕，在王晞的坚决劝阻下，才每个家族只抄灭死者本人一房，将小孩也全部杀死，而他们的兄弟做官的一概罢免。

遵彦死，仍以中书令赵彦深代总机务。鸿胪少卿阳休之私谓人曰：“将涉千里，杀骐骥而策蹇驴，可悲之甚。”愔所著诗赋表奏书论甚多，诛后散失，门生鸠集所得者万余言。

**【译文】**

杨遵彦死后，朝廷仍然委派中书令赵彦深代掌机密事务。鸿胪少卿阳休之私下里对人说：“一个人想走千里，却杀掉良马去骑一头跛足的驴子，实在是太可悲了。”杨愔写的诗、赋、表、奏和书论很多，死后大多都散失了，他门生收集到的仅有一万多字。